读客® 知识小说文库

读小说，学知识

历史上真实的鲁班，不仅是木匠祖师，也是暗器与杀戮机关的祖师爷。

鲁班的诅咒

5

鬼斧神工
大结局

圆太极 著

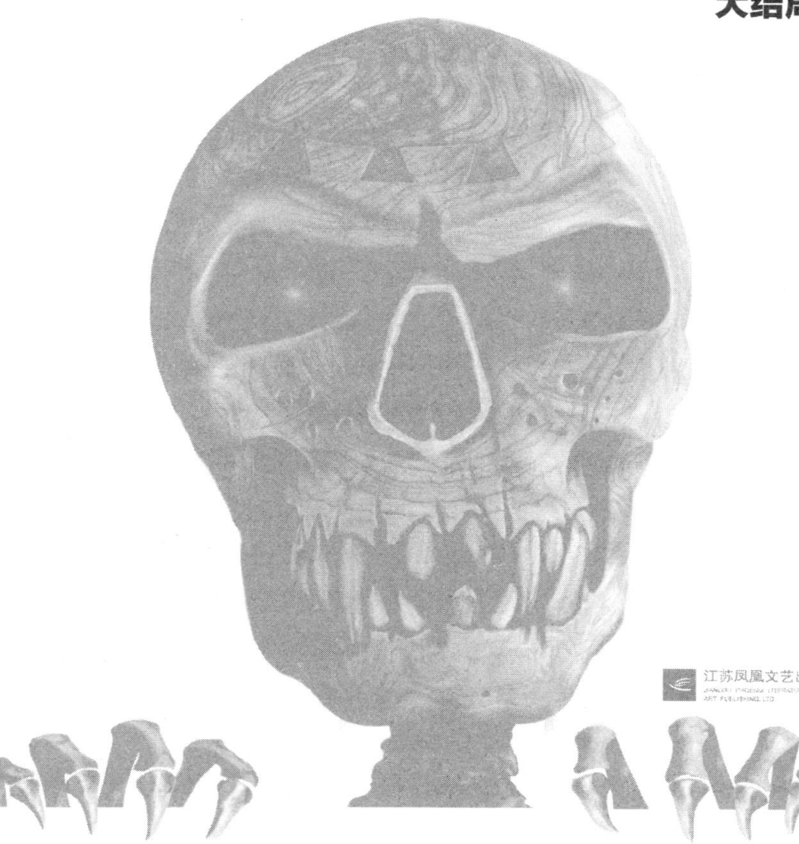

江苏凤凰文艺出版社
JIANGSU PHOENIX LITERATURE AND
ART PUBLISHING, LTD

目录

第一章 水宝定西南，鲁天柳解开身世之谜 / 1

雨停了，泪却流下。当完全解脱放松之后，便是感情的宣泄。悲戚的鲁天柳想起了太多太多，有人，有事，有过去，有现在。老爹没了，家没了，自己该何去何从？

关五郎爬到鲁天柳身边时，她已经站在一块突起的平石上，婆娑的泪眼静静注视着西南方向的一个岭头。那顶上有棵柳树，枝繁叶茂，独立摇曳。

“去哪里？”关五郎问。

“或许……”鲁天柳缓缓抬起手臂，朝着一个方向指去，“或许我该去那里，我是从那里来的。”

第二章 屠龙匕被盗，朱门长身陷锢魂绝气台 / 43

《理余百葬法·恶葬》中有：“遇凶尸恶魄，可铅铸为棺，红蜡定封。极凶者，尸入铅棺后，盖棺再铸，盖、身铸合为定。”

四根红晶珊瑚铁打制的暗红色锁链，将无缝铅棺悬挂在骨架上。这红晶珊瑚铁是海底火山喷发，熔岩与珊瑚聚合熔炼而成。茅山法术中就有用红晶珊瑚铁空悬尸身，不沾百气，以绝尸变的做法。

晦骨为架，铅铸为棺，盖、身铸合，晶铁悬空，这是灭绝魂魄的葬法。朱瑱命又暗自盘算了下自己走过的台阶数，总共有三十三节。而悬棺离土在三尺三的样子，台顶平面三丈三左右，难道这是传说中可以锁灭三魂的“锢魂绝气台”？

第三章 决战仙脐湖，“鬼骑羊”大破“奔射山形压” / 109

一大片白色从草坡顶上铺盖下来，无声地，快速地。

大高个子站位最靠顶子，所以最先看清那片白色是羊群，卓客维长毛羊。这种羊的特别之处是羊毛特长，一般剪毛时都要超过两尺，这么长的羊毛生长中都自然卷曲成团。另一个特别是羊毛质地特别坚韧，用此羊毛结绳可勒奔马。

面前的只是羊群不是狼群，可大高个子还是一动都不敢动。因为他看出这羊群和平时的绝不是一回事。首先是这羊跑得太快了，他从没有见过有羊可以跑这样快的。还有就是羊身上在冒着烟，很淡很轻的烟。

第四章 阴世更道，通往天梯山的死亡之路 / 165

梦是从脸颊触及的黑色石面延伸开的，沿着两条岔道一直向前。于是在其中一条岔道上，他看到一座地府中才有的阴森宫殿。在宫殿里，刀光烁烁、魂魄纷飞、血肉成渣。鬼哭魂号惨不忍闻。而那刀，是在一个高大的黑色恶鬼手中。

世人传说阎罗第八殿下有碎剐小地狱，操刀之鬼叫“利剐生”，是个高大的黑色恶鬼。

梦中的恶鬼长发遮面，隐约露出的一对雪白獠牙。恶鬼似乎也觉察到了鲁一弃的存在，慢慢回头望过来。獠牙颤动，这是在笑，无声地大笑。

第五章 金顶寺：朱家最后一步棋 / 217

刘之守介绍，此地虽然热闹，却不是藏地府制中的镇子。只是因为此地往南是产金之地，往北是产玉之地，往东又有仙脐湖周边的好牧场，所以最早此地为盗匪集聚处所。数百年前一群喇嘛赶跑盗匪，在此处建下金顶喇嘛寺。因为有天梯山的神奇传说，此处便成为一个信徒朝圣的所在。人气聚拢，逐渐演变成一个金、玉和牲口的大集市，但这里却不属官府统管，它真正的主人应该是寺里的活佛。

金顶喇嘛寺其实是叫“达诺寺”，但因为其间有一座高大白塔，塔顶七层幢架全是用十足黄金铸成，所以藏民们都叫它金顶寺。

第六章 五行天宝现身，鲁一弃舍身定凶穴 / 269

山脚下，正南为“金乌逐玉兔”的坎相，西面为“六阳旋照”的坎相，东面为“星明汇日流”的坎相。而在山上，有鲁一弃挟带至正天宝，宝气腾炫。无意之间，这四处功用合为一处，便形成一个可以改变世运国命的至阳大局，叫做“宝阳颠锁阴凶”。此局只在上古奇书《帝经脉衡择》中有过写录，亘古至今，只出现过一次，便是姜子牙火攻朝歌城，以此局将商纣命运彻底颠覆。也正因为有了此千古奇局，与“天”宝千年相衡，已经隐匿于天梯山山体中央的阴脉凶穴被逼迫而出。

尾 声 / 315

离开雰雾中又多出几许血腥的天沟时，朱悟心望一眼以石影水印伪制的宝构门户，再望一眼茫茫翠绿连绵起伏的崇山峻岭。山岭的尽头是天边，天边的尽头有一抹缥缈的浮云。宝构就在这延绵至天边的山岭中，天下能找到它的只有鲁家后人。可天下又有谁知道鲁家的后人在哪里？或许他们就是天边的那一抹浮云。

第一章　水宝定西南，鲁天柳解开身世之谜

雨停了，泪却流下。当完全解脱放松之后，便是感情的宣泄。悲戚的鲁天柳想起了太多太多，有人，有事，有过去，有现在。老爹没了，家没了，自己该何去何从？

关五郎爬到鲁天柳身边时，她已经站在一块突起的平石上，婆娑的泪眼静静注视着西南方向的一个岭头。那顶上有棵柳树，枝繁叶茂，独立摇曳。

“去哪里？”关五郎问。

“或许……”鲁天柳缓缓抬起手臂，朝着一个方向指去，“或许我该去那里，我是从那里来的。”

无影杀

夜雨又起，将悟真谷中黑瓦白墙的小镇完全包裹在黑暗与混沌之中。但鲁天柳的目光依旧明亮，思维仍然清晰。

镇口坎面的巨大石碾已经不见，现在是一个和蔼的秃顶老头。但老头施加给鲁天柳的无形压力比石碾要沉重许多。

“呵呵，丫头，糊弄我就免了吧。是我启了水磨隔石，你才脱出碾鬼磨。没我那枚袁大头，你怎能出‘四分五裂’道？还有‘迭步巷’‘川流不息对合子’‘三断旋斩桥’、八十四旗柱上的鬼婴，没我卸弦哪道坎子你能过？所以真人面前不做虚，还是把东西拿出来吧。”秃顶老头很絮叨。

“哦！碾鬼磨。”鲁天柳明白了。对家知道双碾槽的缺儿所在，所以下面加设一坎，让躲过双碾槽的闯坎人自投死地，钻进专门磨人的水磨。磨盘一转，人成碎末。磨口一开，碎末冲走，只黏附下厚厚人油。

“您老真是个好人，回去后我备大礼来谢你。”

“你得到的东西就是大礼，把那个给我就行。”老头很固执。

“喏，我在里面采了支花，你要吗？”鲁天柳从发髻上拿下那支小花递向老头。老头眼光中瞬间闪过蛇一般的凶毒，这眼光正是她在裂石中感觉到的。

“你要没拿到东西是不会急着往外面跑的。但东西不给我，你跑不出去。”老头说。

“我护着你冲出去。”站在鲁天柳身旁的周天师拔剑奔老头而去。

鲁天柳把花枝插回发髻，她没有等待周天师杀出一条路来，而是趁这机会转身往回跑，她想另找一条出镇的路。因为这小镇的布局，无路不一定就是死路。

其实刚才经过四分五裂路口时，鲁天柳就已经看出屋顶间的差异。那里有一座房的房顶多出两道横架，屋檐猫头倒隼固定。这样的屋顶承重大，瓦片不下滑。很可能是对家的暗活道。

鲁天柳判断得没错，那屋顶的确有活道。她往里闯时，脊兽般的鬼婴就是在那屋顶上偷视她的。但现在这条道没法走，因为有两个人守着，两个都曾差点杀死她的人。

屋顶上站着打伞的人。鲁天柳试图冲出鬼婴壁时就发现，这人雨伞遮掩下的躯体上竟然没有头颅。正因为这样，那次鲁天柳受到的惊吓要比实际攻击厉害得多。后来这人明明被激流冲走，现在却又出现在这里，这让鲁天柳更加断定他是鬼不是人。

街上还站着之前偷袭了鲁天柳一掌的黑胖子。他的气势沉稳如岳，仿佛连目光都能够给人如锤的重击。很难想象，这人偷袭时竟然可以快如闪电。

鲁天柳放慢脚步的同时，觉察到那两人的气息十分紊乱。很奇怪，他们两个似乎比自己更紧张。

的确，当一个被自己杀死的人毫发无损地出现在自己面前时，谁都会紧张。黑胖子的自信已经荡然无存；打伞的人心中惧意更甚，因为鬼婴壁竟然也没能留住她。

“柳儿别怕，我们来了！”是鲁盛义，他带着关五郎、俞有刺从上个街口奔来。

随着一个黑影低空掠过，另一个声音在四分岔道那边响起：“哎，余把子，你可记得还我酒，用我的酒给那些鬼娃子洗了澡，真是可惜。”是红眼八哥和水油爆，后面跟着祝篾匠。他们无法越过湍急的深沟，另外找路绕过来的。

“那还叫酒，味道跟醋似的，回去我还你缸镇江醋，让你也洗个澡。”俞有刺回道。

“我那就算是醋，也不是镇江醋可比的。昙花蕊子酒加浆果捂沅醋，腐尸遇之则干，干尸遇之则化，要不怎么能驱走那些鬼娃子。”水油爆赶紧辩驳。

“那也是靠老祝做的竹喷筒，要不你那酒加醋也射不过河。”

就在此时，周天师和秃顶老头也从鲁天柳身后赶上来。两人呈犄角状，都离她有十步左右。鲁天柳感到很奇怪，这两人非但没有拼个你死我活，反倒相伴过来围赶自己，自己真就那么重要?

“柳丫头，把东西给我，我能带出去。”周天师的语气和神情都很诚恳。

“谁都出不去，除非把东西交给我。”秃顶老头眼露凶光。

“别听他们的，跟我走。”水油爆身形扑朔，恍惚间就已经绕过黑胖子，站在距离鲁天柳十步远的位置上。

三个气度迥异的老头呈三角状将鲁天柳围在了中间。

红眼八哥在头顶盘旋了两圈，然后轻巧地落在水油爆的肩头，不停抖转着脖子，机警地注意着周围情形。

“不要跟着他，此人来路不明，非魔即盗。”周天师是针对水油爆而言的。

“诋毁我！把我拿的天师令看作你家祖宗牌位一样贱……”水油爆对周天师大爆粗口。

周天师没有因水油爆的谩骂乱一丝心性：“凭你的身份道行，不必把自己搞得如此下作吧。”

水油爆笑了，笑声有些怪异：“嘿嘿！你知道了？知道太多会死的！”说着话他便往周天师靠过去。

顿时，鲁天柳感知到一道激荡汹涌的无形气流，让人肌寒、心寒。

“别强撑了，你的人不会来。”周天师没有慌乱也没有擅动。

“是你在挂发峡中让一个徒弟回头，将我的人骗走了对吧？”

“猜对了。可惜呀，你那天想要追他却没来得及。”

“要没有黄大蟹碍了手脚，你那妖娃子跑不掉。”水油爆渐渐挺直身板，显出一种非凡的气度，与之前猥琐邋遢的老厨工已经判若两人。

俞有刺听水油爆提到黄大蟹，心中一颤。但他们的话没有明说，而此时自己又不适合插嘴询问原委。

“是呀，不过我徒儿一走，不但你的人来不了，而且还能带来我的人。”说到这儿，周天师语气间略带出些焦躁。因为按他的计划，自己的人早该到了。

“真把这里当什么了。只怕是有心来，无路可入，有心走，无命可出！”秃顶老头傲然插入一句。

“有路，运物留道，百里草坡。”水油爆说。

“百里草坡？”秃顶明显没那么有底气了。他很清楚，此地建造之初为了方便运送器物、材料，曾沿山绕岭修凿了一条光滑石道。后来石道废弃，便撒上草籽，长成密密草坡。

水油爆没理会那老头，而是朝周天师侧转过身：“我没人，你有人，但你要是死了，你的人又能成什么事？”说完水油爆后退一步，上身倒斜，双臂呈前后拉弓式。这招式是要全势杀出，一击毙敌。

秃顶老头看出来了，这是个鹬蚌相争的局面。

可没想到的是，水油爆突然顺着斜身的态势极速倒退，步法快而隐蔽，就像是疾风刮过。

秃顶老头毕竟是为数不多的高手，错愕之间的他虽然没来得及辗转身形，但一双手却是抢在水油爆前面。

秃顶老头的右手很黑，像刷了面酱的烤饼，左手很白，像刚上蒸屉的米粉糕。这是江湖失传数百年的绝技“阴阳搜魂手”。“右阴搜十八层魂散，左阳搜九重天魄裂。”只要被这双搜魂手按上，不管下地狱还是上天堂都会是极度痛苦的。

水油爆没有躲，而是抢先转了身，同时向秃顶老头挥去他拉弓式的左臂，就像要摸一把老头的秃顶。

秃顶老头也没有躲避，他知道，自己的双手按不上对方的身体，对方也一样碰不到自己。除非对手的手臂能突然变长……

很清晰地，老头脖颈间闪出一道红线。紧接着，老头的头颅机械地朝后一仰，那红线便迸张开，扇形喷洒出漫天血雨。

手臂无法变长，但武器却可以拉近两者间的距离。面对杀人武器不作丝毫的退让，是因为他根本看不见这件杀人的武器。

水油爆手臂前方凭空有一处浓艳鲜血，形状是剑头。鲜血一沾即落，那剑头便又消失了。

一把无形的剑！不，应该是一把透明的剑。极度的纯净透明，就会让人无法发现它的存在。

黑胖子和打伞的无头人被这一杀惊撼了，他们不自觉中退移几步，将守住的通道让开了。

“无影水晶剑！”周天师更是发出一声骇然惊叹。

“是的！无影惊鬼神，晶莹祛秽魅。”水油爆不但气度发生了变化，连语气也显得威严冷峻。

“掌教天师到底怎么了，龙虎山镇教之宝怎么在你手中。”周天师惶然、好奇，却并不焦虑。

“呵呵，原来你并非全都知道。怪只怪你带艺入我天师教多年，只爱在阅微堂查看典册，寻找线索。要是你多接触点行术道法，也不至于连‘融形换魂’都不懂。”水油爆此时言谈已然一派宗师。

“‘融形换魂’！我知道你是谁了！难怪！”周天师一点即悟。

“融形换魂”是龙虎天师解救鬼魔附身的一种技法。是用融形丹易容，将自己化成被鬼魔附身人的模样，并且在形态、动作、声音上也都模仿得惟妙惟肖。然后与被附身的人同睡，诱鬼魔上天师之身，将其封在体内用丹气内火毁了。

融形丹是元代时洞庭百变轩轩主钱百相传予龙虎山的，简单易用，装扮后可以乱真。至于模仿神态声音，虽然也有技法传授，主要还得靠天分。

假水油爆的易容、模仿到了极致，就连周天师都未曾辨出真假来。龙虎山有谁能有如此本领？鲁天柳灵光猛然一闪，从这个冒牌水油爆的背影、气度，以及本领道行来看，他很像是天师教的掌教天师。

鲁天柳的猜想很快得到证实，冒牌的水油爆拿起一个酒瓶，倒出些酒水在脸上抹了几把，于是胡须变黑，皱纹舒展，就连脸形都变得净瘦，仙灵之气尽显，真的就是仙风道骨的天师掌教。

不但面容变了，连声音也迥然不同：“其实你刚到龙虎山后，我就散了天师帖查你的底细，结果你的根儿极净，没一丝牵绊黑底。所谓欲盖弥彰，这样的底子反更加可疑，江湖云‘挟高艺者无来处必有其图’，此话很有道理。”

“所以天师教对我提着戒备，阅微堂中我没找到点滴有用的东西，类似你带来的木八卦是绝不会让我有机会接触到的。”周天师也恍然了。

"教中叵测之人不止你一个，戒备也不是对你一人。"

"鲁姑娘带来的黄绫，你已辨出十二字的含义，分八路让我们出去探寻，只是想把我支开，然后你才可以放手布局行事。"

"也不尽然，其中含义我多少知道些，不过也未曾全解。要支开的不是你，而是你们。只是没料到，你回转得那么快。要不是你悟性奇高，就是得到什么高人指点。"

周天师在回想，被派出的几路人，平常都是掌教看重的门人，包括自己。谁能料到，其实这些人都是掌教的防范对象。周天师心中暗自打个寒战，掌教天师的城府和用心让人佩服，更让人胆战。

"掌教知道了真相为什么不直接来取宝贝，反而要去太湖边等我们？"鲁天柳觉得很难理解，便插嘴问了一句。

"所有的真相、线索都只是碎片，就如同念珠上的一颗颗珠子，需要一根绳线将他们串起来，而这根绳线只有你鲁家有。"掌教天师转头回答鲁天柳的问话，满脸慈祥和蔼。

"原来如此！我终于明白了！"周天师发出一声感慨。

"你明白得晚了。说实话，对你的底细我原先也找不头绪，不过你也忒托大了，竟然连姓氏都不变，这周姓以及你的独特道法，终于让我想到一个几百年前的异人。扶明二散仙，刘基与周颠。刘基扶持朱家直到仙驾归去功德圆满，而周颠却半路隐退，说是归于庐山，朱家皇帝后来多次派人前去寻找都未见。"

"他知道朱家依宝得天下的秘密，不愿为逆天之事。"鲁天柳又插了一句。

"过去我也这么想，可是老周的到来却说明此事并不尽然。"

辨魍魉

掌教天师接着说："颠仙除了知晓朱家宝贝的秘密外，定是通过什么物或事窥到其他天机。他躲起来寻探其他宝贝只是兴致之举，未想以宝有何作为。问题是他将其他宝贝的秘密多少传了些给后人，三世修仙体，难保不出盗贼身。他这些后人难抵位极天下的诱惑，只是苦于颠仙所遗线索不足以寻启出宝贝，要不然早就是天翻地覆又一场人间大乱。"

"呵呵！"周天师发出一阵干笑，"张传道呀张传道，你总揭着我底儿说，是想掩自己实心性吧？我想我还不至于那么不济，一下便让你疑到根探到底。"原来掌教天师的名字叫张传道，这倒是鲁天柳第一次听到。

"可不可疑还是在你自己。不说以前，就从太湖往江郎山走的一路，你的安排布置就暴露出你很懂行军打仗这一套。道家之人懂行军打仗的，从古至今也就刘基、周颠几人而已。"

鲁天柳接上了话头："过挂发谷时，大家按序循风筝而走，最多是相互间会有距离和先后的差异，可是你和你的徒弟、童儿却在位置上有了变化，这说明你们在蒿草丛中有过动作。"

"的确如此。"掌教天师重又接过鲁天柳话头，"其实在进到蒿草丛中之前就已经动过了。往江郎山那一路，他安排自己两个童儿断后，就是引他自家人跟来。当我们突然改变路径，从过天渠逆流而上后。他便与尾着的自家人断了联系，于是利用挂发谷的特殊环境让一个童儿脱身而出，被我和黄大蟹撞见便暗中杀人灭口。幸好我躲得快，又假装昏迷。他们以为我没看到什么，这才没对我继续下毒手。"

"你们……"周天师才蹦出两个字，就立刻被伶牙俐齿的鲁天柳给憋回去。

“我们进入养尸地也在你筹算之内。表面看是你有气量不与篾匠大叔争执，其实是另有用意。当时只有你的徒弟没被困住，一夜一天时间能帮你做好多事情。”

“是的，他从越过笛竹时就已经盘算好，让他徒弟偏走在一侧，留下八个人走在养尸地中央。柳丫头，记得我曾问过你，七男一女可成什么局吗？”

鲁天柳点点头。

“七男一女布‘八仙定邪位’，为镇鬼之局。可同样是七男一女的‘钟馗嫁妹行’，却是诱鬼之局。钟馗嫁妹，六鬼随行，养尸被笛竹镇压，能出土为凶全是因为这诱鬼的‘钟馗嫁妹’局。而他徒弟则可以借这机会先往里转闯，寻找路径，接引援手。”

“对付养尸日煞你根本就没考虑用纯阴血，因为你已经算到太阴日、阴雨天，日煞之力不足以脱身。而且用纯阴血的话，反会被质疑前一夜为何不用此术。”鲁天柳说完看了掌教天师一眼，掌教天师赞许地点点头。

周天师脸色一阵青一阵白，已然失去一个道行高深天师应有的镇定。

雨下得越来越大、越来越密，虽然击打在屋顶上没太大声响，但沿瓦槽流下檐头的水帘却是“哗哗”声一片。

就在此刻，小镇外不远处的草沟中，“天生杀”和草坡上偷入的那群高手遭遇。没有喧嚣和叫喊，只有兵刃划空的风声和撞击声、运气发力的闷哼声、砍切肉体的破裂声。虽然血肉横飞，却很是沉闷。

小镇外的树林里，那群仿佛戴了鬼脸的动物骚动起来，不知是草沟中的搏杀让它们嗅到血腥气，还是其他什么地方正在孕育着的巨大危机……

“我想，他的徒弟还是有收获的。遇到‘竹节蝙’后，他没跟我们一起走，却也毫发无损地到了这里，我估计是他徒弟留下了什么指引。”鲁天柳与掌教天师一唱一和的剖析还在继续。

“坎扣之道不是老周的强项，但他那徒弟却是山东福安连窍阁的出身。估计他徒弟是将已经走过探明的路径通过蓝羽鹦鹉告诉他的，所以柳丫头你进入镇子后，他便尾在你的后面了。也正是因为有你在前面趟坎子，所以不精通坎面的老周也能跟在后头无惊无险地走到最里面。”

“不对！”周天师的脸色变得阴黑，暴喝一声的同时将鞘中雪花磨纹剑猛然拔出一半。

“咦！不对！”鲁天柳的声音没有周天师的高，但她语气里的惶恐紧张让所有人都把心提了起来，“有很多东西要冲过来了，快走！”鲁天柳感知到一股山崩地裂般的无形压力。

最后“快走”两个字被长长的嘶嚎声淹没了，嘶嚎是树林里如同戴了鬼面的野兽扣子发出的。同时，有鼎沸的人声朝小镇奔来，其中还夹杂着奇怪的哨音和怪啸，像是某种信号。

“我的人到了！”周天师脸色一展，然后缓缓将还有一半在鞘中的雪花磨纹剑全部抽了出来。

黑胖子也变得兴奋，因为他从那些声音中得到自家援手已到的信息。

“快跑！”鲁天柳这次的喊声有些声嘶力竭，然后再不管顾，转身直往五裂路口跑去。路线她早就想好了，那边肯定有生路，否则黑胖子干吗要守住“四分五裂”之间的连通道。

周天师骤然出击，挺手中剑直扑掌教天师。在他认为，现在最大的威胁和阻碍就是掌教天师张传道，应该即刻解决。

对家的两个高手也倏然而动，各自转身纵步，齐齐扑向掌教天师。秃顶老头是此地身份最高的人物，他的死必须有个交代。要不然等门长到来，自己的后果会很痛苦。

关五郎、鲁盛义则跟着鲁天柳狂奔而去。俞有刺和篾匠稍愣下，随即也跟着奔了过去。

“咔嘣”“咔嘣”……连串的爆响，伴着这些响声而来的是地动山摇。只有鲁天柳知道这声音来自何处，只有鲁天柳能猜出是什么导致这样的巨响。

很简单，雁翎瀑下的圆石因为一个细小裂纹的突破口，在种子的作用下崩裂开来。而整个山壁因为有了裂开圆石这个突破口，在暗河水道、连日阴雨、泉水汇聚、泥石流动的共同作用下崩裂开来。

石壁裂开后冲出第一轮巨流，曾将打伞无头人卷入深沟。但随即树木和碎石堵住了狭窄峡口，巨流没能继续。到处汇聚过来的溪流泉水便快速在“玄武局”的山谷中积蓄。

当水位上升到一定高度，水流巨大的推压力将“八十四旗柱”中的某一根折断，断裂后的石柱撞在其他石柱上，产生连锁反应。在连串“咔嘣”声响之后，许多根断裂的石柱被水流推动着，一起撞向峡口这面的石壁。石壁破裂了、坍塌了，超过第一次十数倍的巨大水流挟带着石柱、石块、泥沙、树木直冲向外面的小镇。

更早遇到类似危险的是那些高手和“天生杀”们，专心斗杀的他们忽然发现草沟里有水了，而且越来越深，很快没过了大腿。大家纷纷停住厮杀，诧异地寻找水流的源头。

突然，左侧“百里草坡”顶上翻滚而下一道晶莹水墙，就像一根长长的水晶碾子，让人以为是天上河的堤坝垮塌了。紧接着草沟前方的弯子处转出一股咆哮奔涌的巨浪，浑浊的浪头像个怪兽，夹裹着泥沙碎石断木疯狂扑来。转眼间，草沟中的血腥荡然无存，只剩几个人扒在位置较高的地方喘着粗气。

“洪流改道，有地方泥石坍方堵住洪道了！”一个“天生杀”看出怎么回事。可话才说完，兜头一团水球把他砸到草沟中，他在湍急的洪流中沉浮了一下就没再出现。

剩下的人拼命往草沟上爬，翻过岭子，穿过藏了许多鬼脸兽子的树林，往没有被水淹没的小镇奔逃过来。

树林中的鬼脸兽子没有拦截，它们已经发现眨眼即至的巨大危机，全处于惊恐慌乱之中。

两方的人马在共同奔逃，边跑边急切地发着信号。他们都希望能马上见到自家人，然后带领自己逃离危险。

逃入小镇的高手和“天生杀”没见到自家人，反倒迎来了更为凶猛湍急的洪流。迎面而来的巨浪中满是碎石、树木、砖瓦、梁椽，这些东西已经把水流变成个巨大的绞磨机。并且随着巨流推进，绞磨的力量还在不断增加，所过之处全夷为平地。这几人没等见到液态的洪流，就已经被洪流前端推动的固体物撕绞成了碎片。

鲁天柳知道，现在的活路就是往高处走。他们刚刚走上一条盘旋而上的路径，身后的房屋树木就全被抹平了。

快速爬上一段陡直的石阶，将洪流远远抛在脚下，鲁天柳这才停住。回头看看已无踪迹的小镇，再瞧瞧面前的老爹他们，心里很是庆幸。不过掌教天师没有跟来，他被三大高手围杀，脱身不易，现在只能指望三清佑护。

危险中不易觉察时间的变化，渐渐地，天色已经放亮，雨却没有一丝减小的迹象。

洪流在继续上涨，大半个悟真谷已经没在了水中。浊黄粘稠得如同稀泥的水流旋儿套旋儿，吞噬翻吐巨石苍木。虽然鲁天柳、关五郎、俞有刺都是弄水的好手，见此情形也不由地暗自发寒。这样的水中，连鱼都无幸还机会。

一阵怪异的“悉索”声从身后不远传来。同时传来的还有很兽性的味道。

无路就是死路！难道自己择的路径是条有活兽扣子的必死道？鲁天柳心念在飞转，她知道，遇兽扣后千万不能慌张。你动，它更快；你不动，它也不敢轻易动，除非得到指令。

“不要动，也不要高声！”鲁天柳小声提醒大家。

“闻味道好像是臊猴子。”篾匠轻声回了句。

“是吗？我瞧瞧。”鲁天柳极缓慢地转回头，目光迅速在浓密的杂枝灌木中搜索。

“啊！”鲁天柳的惊呼不但吓着了鲁盛义他们，也吓着了那些兽扣子。那是一个鬼怪模样的脸，花里胡哨的，一对滚圆的小眼珠正盯着她。

“样子像是海外才有的山魈猴，也叫鬼狒狒，不过体型比正常的要大许多。”鲁盛义走南闯北见识多，看那兽子模样便说出个八九来。

其实鲁盛义说的不完全对，山魈这种灵长类动物早在《山海经·海内经卷》里就提到过：“南方有赣地兽，人面长臂，黑身有毛，反踵，人笑亦笑，唇蔽其面。”《国语·鲁语》里也有：“夔一足，越人谓之山臊。”这些都是说的山魈。不过这里的山魈倒确实是海外引入，然后朱家高手将其进行杂交改良，使其体型更大，力量与速度也更胜一般山魈。

“这是布置在这里的活扣子吗？”关五郎瓮声瓮气地问一句。

“不像，否则我的叫声不会吓着它们，它们好像也是从其他什么地方逃过来的。”鲁天柳答道，“奇怪的是怎会赶在我们前头，难道前面有路？”

“我也说嘛，要真是扣子，只养一个在这里，最多只能用它那张鬼脸吓吓人……”俞有刺的话戛然而止，因为他真的被吓了，被从浓密树丛中钻出的许多鬼脸吓住了。

钻出的山魈最少也有三四十只，这让往前的道路显得拥挤。而且鲁天柳他们发现，这些山魈四肢竟然都安着钢爪。这些钢爪做得很是精妙，与山魈爪子的配合紧密，运展灵活。

除了钢爪，还有尖利的长钢牙。几十只山魈不断地龇牙示威，此起彼伏地闪过一片片刀锋的寒光。

“杀过去！”关五郎的笨办法现在可能是唯一可行的办法。

“先别动，它们不像是要拦截我们，而是要赶我们走。”俞有刺还是富家少爷时养过猴子，所以能看出些山魈的意图，“往旁边退，让出我们的位置。”

果然，山魈们只是要这几个人把靠近水边的位置让给它们。占住水边后，它们便不再示威，而是换成一种全神戒备的状态。

“快走，趁着这些畜生没有伤我们的意思，赶紧摆脱开他们。”鲁盛义思路很清晰，此时此地，带着钢爪、钢牙的山魈只可能是对家驯养的兽扣子，“驯用兽扣子最重要的一点就是要让主人的思想能操控它们，所以应该在能够操纵它们的人出现以前远离它们。”

鲁天柳他们继续往高处攀爬，远离那些怪脸猴子。他们没有发现，那些山魈竟然一个挂着一个在往下。而在下方一块凹入的坡地上，趴着一个被浑黄洪水浸泡得同样浑黄的人。山魈抢占水边就是要救那个人。

攀爬许久之后，鲁天柳失望了：前面没有路，只有一段伸出山体的立削悬崖。三面深不见底，朝下看一眼都会觉得头晕。在一侧悬崖上靠近山体处有窄窄一个斜坡道，非常平滑陡直，无法随意攀援上下。而且坡道上长满茂密草皮，草皮被雨水浸润后，滑若冰道。

“对我们来说没有路了！能在这斜坡悬崖上下的，只有那些山魈。”鲁天柳暂时死心了，看来只有等到洪流退去后才能另外寻路逃出。

等待中，鲁天柳向鲁盛义几个人说了自己进到悟真谷、雁翎瀑的前后经过。而她也从鲁盛义口中得知，他们困在“百节纠错阵”里无计逃出，幸亏篾匠就地取材，编制伸缩竹笼。竹笼和收缩的灯笼骨架很相似。只要将竹笼头部朝前推伸，人从中钻竹笼前端，然后将后面的部分收拢到前面，再将前端部分继续推伸，如此反复前行，虽然速度慢些，却很是安全。有了竹笼的保护，扣子动作后的攻击都不会伤害到人。

过了“百节纠错阵”后，水油爆提出要分路而行。这样既可免了被对家一网打尽，而且哪路出事了，还留有力量可以救援。大家听着有道理，于是分路而行。

祝篾匠记得老辈人说过一条山腰路，便带水油爆从上面绕入“玄武局”。关五郎和俞有刺走的是水路，顺流逆游可寻到瀑布。鲁盛义想寻到鲁天柳，便单人直入小镇，破坎解扣而行。

洪水在继续上涨，速度很快，根本没有停下来的迹象。

那群山魈也不会放过他们，因为操纵它们的人已经被救上来，因为操作它们的人发现了鲁天柳，这个传言中启到宝贝的姑娘。他不禁有些欣喜难抑，于是他毫不犹豫地发出呼哨声，指使山魈围扑上来。

杀无途

虽然见过黑胖子几次，但只有现在鲁天柳才发现，他好多方面都很像山魈。静时如塑，动时如猿，还有行走时双臂挂下甩动，这些都和这种大型山魈一样，所以由黑胖子操纵驱使山魈是合情合理的事情。

几十只山魈将他们围住后没有马上发动攻势。黑胖子站在山魈群的外围，双手背在后面，沉稳得如同山岳。他心里很清楚，现在一切都在自己的掌控中了。

“给我！”黑胖子的气势和太湖夜斗那次一样强势，话也和那次一样。可是在鲁天柳眼里，他却远不如上次稳健。繁杂的心境和强烈的欲望已经很大程度影响到他的状态。

“要是不给，你会怎么样？”鲁天柳的话也和太湖夜战那次一样。

“现在不同以往。”黑胖子的语气平稳得没有一丝震颤，他开始适应了、收敛了。

“小腹石门穴不守，关元微抖，是喜意冲脉，你很高兴啊！”危险的环境中，精气神更容易凝聚，所以鲁天柳辨别出黑胖子的身体变动。

“我知道，不过这次不会有肌骨控制上的失误，因为今天不需要我动手。”黑胖子越来越显得沉稳自如。

“水都涨上来了，还是各自逃命，没必要同归于尽。”鲁天柳显出些不安了。

“提醒我了，确定要在洪水升到此处前把事情了结。”黑胖子已是高手临敌的最佳状态。

鲁天柳知道没什么好说的了，现在面对的敌手实际上不是黑胖子而是山魈，言语的震慑力没有用。只能是提足精神摆开架势，准备迎接山魈群即将发起的攻击。

“你到底要什么？”关五郎大喝一声，随即抢先挥刀杀向一只山魈。

“我要什么？对，是什么呢？”已经准备发出指令的黑胖子一下子怔在了那里。

“不知道要什么，你又怎么确定给你的东西是对的？”鲁盛义趁热打铁又问了一句。

技击的高手却很少经历江湖的尔虞我诈，黑胖子也一样，刚刚还沉稳坚定的他刹那间变得无所适从了。

山魈比人的纪律性更强，没有指令，绝不行动。但被攻击的那只可以反击。虽然只有一只山魈，也让关五郎应付得手忙脚乱。它有速度、有力量，四只钢爪一副钢牙，攻杀很是诡异。

关五郎的狼狈状让某些人认清了形势，在这群山魈面前没有侥幸的事情发生，所以只能从其他地方寻找机会，比如说那个长满草的斜坡道。

“只有赌一把了，鲁大哥、余把子，你们先守住点。”篾匠说完走到悬崖边的一丛竹子边，没有任何前奏准备，立时只见砍刀、蔑刀、刮刀挥舞起落，竹干篾条翻飞跳动。

鲁盛义将提箱摆放在地上，明屉暗格全都打开，以便随时取出各种武器进行阻击。

俞有刺缩在后面一点，他没有鲁盛义那样可以远距离杀伤的武器，力气不如关五郎，灵活不如鲁天柳，只能打打接应。

终于，有山魈按捺不住，发出骚动的低鸣，少数几个更是引颈长啸。思虑中的黑胖子醒悟过来。他看了看身后上涨的水势，又看看正在忙碌的篾匠，似乎明白了些什么。于是脸上肌肉残酷地一抖，手臂猛往下一劈一横。

山魈们闪电般地动了，钢牙、钢爪带起的寒光织成一张细密的网，朝着无路可去的几人铺盖过来。

人与人的对决是平面式的，但山魈的攻击是立体的，灵活敏捷的身形加上极好的弹跳纵跃能力，它们可以出现在任何一个方向。但这其实还不是它们最厉害的攻势，如果不是突发的洪水让它们损失了许多同伴，以它们的阵法攻击，眨眼间就可以将面前几人毁在钢爪钢牙之下。

“啊！——”关五郎长长一声呐喊，然后像个陀螺般旋转开来，旋成一个巨大的刀球。

看到五郎这种气势，山魈马上避让。然后所有动作都紧贴在这个刀球的边缘，不慌不忙地寻找缝隙。

鲁盛义首先按开提箱把子上的机栝，比袁大头稍大些的圆形锯片从提箱隔断的暗藏处飞出。锯片薄削如纸，飞射无声，方向诡异难测。

好多山魈受伤了，受伤后的山魈竟然都不发出惨叫和呼号。不过从表情看，它们很是愤怒，很是疯狂。沉默的愤怒和疯狂孕育着巨大的力量。如果刚才的攻击是因为指令，那么现在的攻击就是自发的报复。

山魈群这次扑击比刚才快多了，而关五郎的旋转比开始慢多了。这种反差下，五郎的胸前、大腿、脸颊瞬时出现许多道血肉翻转的伤口。这幸亏是关五郎尚且能保持一定的距离，否则就会被掏出心脏、抓碎命根、挖掉眼睛……

拿取和使用提箱中工具的速度，应该没什么人能与鲁盛义相比。所以“子午钉”“十形刨”“散片折尺”“提把射针”对着那些山魈铺天盖地而去，其密集程度并不亚于空中飘飞的雨线。

一些山魈站不起来了，一些山魈在乱窜乱跳地躲避，一些山魈在惊恐地畏缩后退，但这一切只是暂时的。

安静，山魈群这次完全安静下来，没有一丝的声音。但山魈们的眼睛却都变成了血红色，这可能就是极度愤怒后的血灌瞳仁。也不知道是哪只山魈带的头，他们前爪一起扑击起地面，钢爪击打在石头上溅起火星，发出一片有节奏的清脆响声。随着这有力的击打节奏，接下来将是山魈们的拼死扑杀。

关五郎已经不行了，要没有鲁天柳飞絮帕在后面接连地偷袭和骚扰，他早就被山魈撕成肉条了。即便如此，伤口还是不断在五郎身体上出现，他的衣服也变成布条条。

鲁盛义提箱中的武器用光了，就剩些线团纸包墨线盒。站在背后的俞有刺捡起两块石头，随时准备砸出，他能帮的忙也就如此。

“好了！”篾匠兴奋地高喊一声。

大家回头看，见篾匠这么一会儿工夫编出个粗沿双平底的大簸筐，大得就像只平底小船。簸筐放在斜草坡的边沿上，有一小半已经探伸在坡顶外。

“鲁姑娘，老俞，你们上去！”篾匠说完后，主动替代了俞有刺的位置。

“不行，我先把五哥拉回来。”鲁天柳不忍丢下招架维艰、血肉模糊的关五郎。

“我来！”鲁盛义拿出墨线盒，“五郎，瞧好门位，抽梁卸柱！”

墨线弹飞出墨盒，铜雀头一个弧旋，将两只挡住关五郎退路的山魈缠住。关五郎趁这瞬间，朴刀横甩，纵步往回逃。但他才跑出四五步，便被旁边一只山魈追上，一爪勾住小腿。

篾匠冲了下去，要抢在愤怒敲击石面的山魈发起攻击前救回关五郎。

愤怒的山魈动了，它们积聚的力量已经到了极点。黑胖子也动了，速度比愤怒的山魈还快。

篾匠想退已经不可能，往下的冲劲已经勒止不住，只能索性直冲到关五郎身边，顺势一砍刀剁下勾住关五郎小腿的山魈手臂。

鲁天柳飞絮帕再次飞出，缠住了关五郎的朴刀杆，鲁天柳和俞有刺一起用力，将关五郎猛地拉了回来，架到了簸筐里。

可是此时的篾匠已经无法抽身，被一群山魈围在中间。

篾匠又一刀砍出，急如劲风，势若奔雷。碎裂声、怪异的惨叫声随即响起，这一刀砍碎山魈的钢爪，砍落山魈整条手臂。难以想象，这一把竹砍刀的力量竟然远超过了五郎的朴刀，这是天长日久不断反复一个动作而练成的自然力道。

不过篾匠的出刀虽然威力巨大，收刀却是缓滞的，这就是工匠和练家子的区别，工匠的刀平常只需要全力砍开、砍断物件，一次不行，可以运气蓄力再来第二次，不需要快速回刀。

所以当篾匠缓慢收回刀，二次砍出，同样巨大威力的一刀落空，反被一只钢爪从背上抓落一团皮肉。

篾匠发出一声惨呼，像是撕破了喉咙。

“老鲁！不要去！”“阿爹，勿能去格！”鲁盛义突然一声不响提着箱子直冲下去，俞有刺和鲁天柳根本来不及阻止。

鲁盛义直奔黑胖子，他想擒贼先擒王。想法是正确的，可他却没有权衡自己的能力。而且要想和黑胖子照上面，首先要通过愤怒的山魈群。

山魈围扑过来，鲁盛义朝山魈群连续甩出几个纸包。纸包里是他在姑苏园林破“炸鬼嚎”用过的呛粉。山魈爪子挥舞，纸包破碎，呛粉飞撒。倒椒粉、无舌草粉、硝石粉、曼陀罗花粉、醋粉混合而成的呛粉，就算是神仙都抵受不住。于是一些山魈看不见了，一些山魈又咳又呛，一些山魈乱抓乱咬，而后面没有接触到炝粉的还在往前冲。山魈群一下乱成了团。

黑胖子身形猛然动了，他目的很明确，过去杀死篾匠，然后带着围住篾匠的山魈去追击鲁天柳。他已经看出这几个人想利用簸筐滑下悬崖的意图。如果不是惧怕鲁天柳，他自己就直接追扑过来了。

“呜嗡！”一件东西穿过粉尘和山魈群飞出，直奔黑胖子而去。那是鲁盛义腰间的斧子。

黑胖子只是手掌轻轻拨弄了一下，斧子便直落到下面的洪流中去了。拨开斧子的同时，黑胖子发出怪异叫声，围住篾匠的山魈立刻舍弃篾匠，直奔鲁天柳他们的簸筐而去。把篾匠闪给了黑胖子。

“快走，别管我们！”篾匠朝鲁天柳大声喊着。

鲁盛义的呛粉没有充分发挥作用。因为空中正下着雨，因为连续的阴雨已经让呛粉有些受潮。所以不管是迷眼的、呛喉的山魈都很快恢复过来。愤怒狂暴的山魈群团团围住鲁盛义，顷刻间就能将他撕成碎片。

“快走！”这是鲁盛义发出的最后一声呐喊，这声呐喊震撼了鲁天柳的心，也让鲁天柳下定决心。她双手抓住簸筐边沿，使劲让簸筐一点点往斜坡下移动。

鲁盛义张开双臂，仰朝天际，像要以他的胸怀拥抱些什么、展示些什么。但这胸怀已经破碎，如雨般的鲜血喷射向空中。似乎要与天雨对抗，要与老天逆行。

同时，更多的山魈成了碎肉，没成碎肉的也都伤痕累累。

最后那一刻，鲁盛义拎出藏在箱底的八只铁鳞果，坚定地扯开定插机栝的线头。冷杉林上取下的八只铁鳞果，加起来数百片的铁鳞片，在同个瞬间飞散迸射开来。

虽然密集的雨水可以冲刷掉许多东西，但漫天的血雨撒过之后，浓重的血腥气让人闻着想吐，更让没有受到伤害的山魈们一时之间惊惧得动都不敢动。

正绕过山魈群的黑胖子也在铁鳞果的杀伤范围内，他被铁鳞射中手臂、肋下，划破脸面。铁鳞片有棱形槽口，伤人后血流难止，于是血水很快把他半边身体溅染红了。

篾匠呆愣了下，随即奋力地朝簸筐奔去。篾匠往簸筐中跨入的脚步被一声闷响止住了。脚只踩到簸筐的筐沿，再难往前挪出半分。他的脸色瞬间变成深紫色，暴凸出的血管是纵横的道道青痕。

背后赶上来的黑胖子没有想到自己全力一拳竟然没能让篾匠倒下。但随着气息流转，他立刻知道，是因为自己手臂被铁鳞片射中，伤及脉络，施展不出全部的力量。

“嘣”，又一声闷响，黑胖子的第二拳还是打在篾匠的背心。篾匠满口腥血哗哗流下，但他还是没有倒。非但没有扑倒，而且还借着这一拳的冲击力量，再拼尽自己全身余力，将脚掌在筐沿上猛地一推，于是簸筐滑下了斜坡道。

簸筐滑下斜坡的瞬间，两只山魈纵身而起，往簸筐上扑下。鲁天柳撒出飞絮帕，帕中钢球击中一只山魈的眼睛，那山魈疼痛得一个倒翻，回到了坡顶。还有一只被俞有刺投出的分水刺扎中咽喉，尸身摔落，随着簸筐滚滑了一段才停下。

簸筐滑了下去，山魈没有阻拦成功，这让黑胖子比山魈更加愤怒。他全身力量都贯注在没有受伤的左臂，然后又一拳重重击出，落拳位置还是篾匠的背心。

篾匠在重击下腾空而起，口中急速地喷洒着血雨，身体极速地翻转打旋。未曾落下悬崖之前，已经成为具尸体。黑胖子这一拳击碎了他的五脏六腑七经八脉。

篾匠知道还会有第三拳，簸筐滑下后，自己的死已经成为对手唯一的目的。但他没有躲，也没能力躲，躲开这一拳远比扯开束住腰间篾条的细小束绳艰难得多，也比将其中一根篾条抽出一段艰难得多。

第三拳虽然比预料的来得晚了些，但力道却是增加了数倍。篾匠只是开始了一个起始动作，而这一拳击出的力道足够他的尸体将整套动作完成。

尸体侧身打旋，腰间的篾条束散展开来。当一片金黄从黑胖子眼前拂过时，其中莫名其妙地抻弹出一根。细滑的篾条像一抹流水，滑过黑胖子粗短的脖颈。于是当篾匠的尸体落下悬崖时，黑胖子的头颅也正从他脖颈上落下。

一旁的山魈很是敏捷，瞧着主人有东西掉下，马上纵上一把捧住。黑胖子的眼睛怪异地转动了下，看了一眼山魈鬼怪般的脸，又看了一眼自己依旧站立不倒的身躯，眼珠便定住不动了。

凭何遁

载着鲁天柳关五郎俞有刺三人的大簸筐往草坡下滑去，越滑越快，耳边呼呼生风，如同是在飞行。从那么陡的角度往下滑，非常危险，稍有异常就会翻滚而下。幸亏祝篾匠编的筐子宽窄合适，底平沿重，再加上有俞有刺这样的操船好手，这才能保持它的平稳。

滑下的这段草坡应该是百里草坡的一段，所以还没等簸筐冲到坡底，俞有刺就已经发现左转有另一条连续的草坡，于是及时调整簸筐方向，开始了又一次的加速滑行。再后来，滑行方向已由不得人了，每到一个转折点，簸筐都自行转入。

鲁天柳的心因高速滑下的失重感而始终提着，也因更多未知的危机而纠结着，更为老爹的死而悲伤着，她狠狠闭上了泪湿的双眼，双手紧紧抓住簸筐的边沿，由于太过用力，已经被倒刺割出汩汩鲜血。这血，是为老爹而流，这债，一定要用朱家的血来偿。

簸筐长时间长距离地急滑，会让簸筐底部迅速发热磨损。虽然簸筐编了双平底，而且有雨水降温，但仍不可能坚持太长时间，随时都会豁底子。

关五郎与山魈一场打斗，失血过多，已是昏迷状态。如果再不救治和包扎，他的生命很可能就在这簸筐中结束。

还有，簸筐的滑行路径会不会与那洪流相遇？而簸筐最终又将如何安全停止？

前面是一段上升的草坡，所以簸筐转向落入旁边草谷。在有积水泥浆的草谷里飞速滑行，泥浆中的碎石泥沙加重了簸筐的磨损，底面破了，积水浸透上来。关五郎已经躺在了水里，破口冒上来的碎石泥沙嵌入他的皮肉。

幸亏这段草谷很短，草谷的终点是个断带，冲飞而出的簸筐随着俞有刺和鲁天柳的尖叫，直落下十几丈。

簸筐落下的声响很大，溅起一片混沌。鲁天柳和俞有刺紧抓住簸筐的粗条绞沿，身体虽然被下落的力量震得弹跳起来，但最终还是落在簸筐里。反倒是躺在簸筐中间位置的关五郎，直接被震跳出了簸筐，俞有刺想拉一把都没来得及。

簸筐落在一片稀泥上，很厚，像泥潭，像沼泽。正是因为有稀泥缓冲，他们三个才没有被摔死。也正是这很厚的稀泥，把关五郎一下掩没，见不到踪影。

“掉哪儿了，快拉出来，这要给闷死的！”俞有刺焦急地喊着，却不敢爬出簸筐去捞，弄水的高手在稀泥中一样没招儿。

鲁天柳调整了下心情，聚气凝神，用超常三觉在稀泥中寻找。

“这里！”鲁天柳说话的同时将飞絮帕甩出，缠住俞有刺的左臂，自己则纵身而出，平摔在稀泥面上，伸手从稀泥中拔出一只粗壮的手。

俞有刺立刻回拽飞絮帕，将鲁天柳连同关五郎拉回簸筐，就像拉回两个黄泥塑像。

回到簸筐中的关五郎猛地喷出口鼻中的稀泥。从他粗重有力的气息看，性命暂时没问题。

见五郎没事，鲁天柳便开始往四周查看。周围很多尸体，有被黄色稀泥裹住的，有被砸得支离破碎的，有被浸泡得涨鼓的。

“这里好像刚有洪流通过，沉淀下这些稀泥和死人。”俞有刺见过洪水暴发过后的惨状，与此时此景很相似。

鲁天柳点点头没说话，而是将目光迅速跳跃到远处。她看出自己所在的位置是个更深更大的草谷，这大草谷中的草木石块都朝着一个方向，的确是刚有洪流通过的样子。而在洪流过来的方向，堆积着无数树木、巨石和房屋倒塌后的砖瓦废料。这些杂物堆垒得就像座巨型的大坝，将这大草谷堵得死死的。

“这样厚的稀泥，我们怎么才能靠到实边儿呀？”俞有刺的问题很实际，他们确实急需想办法靠到山谷边上去。

但就这个问题凭簸筐中三人无法解决，只能等待救援或者奇迹。

雨又下大了，稀泥越来越稀，簸筐在加速下陷。而堵得像大坝的树木石块堆开始有水流泄露而出，而且越来越快、越来越急。

“不好！木石堆那边在蓄水，要是推塌木石堆，或者洪流漫过木石堆，我们就完了。”鲁天柳的分析很正确，可他们没有办法逃避，就像等待行刑的死囚。

真的出现了奇迹。一只钢爪从天而降，钢爪后面连着一根硬茅丝连花多股绳，这种绳子很有弹性，并且能利用连花多股的结构控制力道的方向、大小，是以器补技的上好器具。

钢爪抓住筐沿，背后的绳子微微转抖，那钢爪便一下扣拿得死死，不再脱落。接着绳子绷直注力，簸筐逐渐往草谷的一边移动过去。

“是绞盘，上面有绞盘的动静儿。”鲁天柳虽然看不到草谷顶上的情形，可清明的听觉轻易就辨别出绞盘的声响。

簸筐沿着草谷壁渐渐上升。但鲁天柳最先看到的不是绞盘，而是一把黄油纸伞。持伞的人站在绞盘边上，单手收绞盘柄。虽然绞盘是件省力的工具，但单手能将三个成年人从这样的陡度拉上来，其力量已近神鬼。

鲁天柳只需看到伞，就已经认出上面是无头的人。一个人没有了头还能不能说话？

簸筐升到大半个草沟高停住了。纸伞遮掩的背后传来一声尖细的说话声，听上去像未发育完全的女孩，完全与那矫健身材不匹配。

“东西扔上来，不然还把你们放下去。”

这句话很有威胁。因为此时草沟下的木石堆抖动起来，顶端上的大石树木不断滚落，下面的木石在不断移位，看样子即将崩塌。此时再要下到谷底，不被砸死也会被淹死。

“听到没有？把东西给我。”声音尖细得有些刺耳。

簸筐里的人没有说话也没有动作，于是绞盘快速转动，簸筐突然间往下极速滑落，从草沟的大半高度一下落到接近谷底，然后再次停住。

鲁天柳他们都没有来得及发出一声惊呼，整个过程就像是直线坠落。

木石堆中一道斜向射出的水柱喷在簸筐上，鲁天柳从溅到自己身上的水珠中闻到了泥腥味、血腥味和霉腐味。平常这些混杂在一起的味道只有下葬一段时间的尸体上才有，这让鲁天柳感觉自己距离死亡很近。

“东西交给我，我拉你们上来。否则的话，死！”

这种话像是哄骗吓唬小孩，只有那种没江湖经验的人才会说。

“好的！拉得靠顶一些，东西太小不好扔。”鲁天柳也在哄骗，只有这种没有江湖经验的高手才可以像孩子一样哄骗。

俞有刺是老江湖，他不知道鲁天柳的计划，却知道鲁天柳的目的。剩下的一支分水刺衔在嘴里，双手交叉攀住钢爪后面的绳子，随时准备快速往上攀爬。

鲁天柳在寻找合适的位置，这位置当然越靠顶部越好，只要能让她的飞絮帕着力，他们就有和那高手一搏生死的机会。

但计划始终没有变化快，簸筐突然停止了上升，而且还剧烈摇晃起来，幅度很大。

鲁天柳和俞有刺只能抓紧簸筐硬沿，同时还要拉住已经昏迷了的关五郎，以免被甩下谷底。

草谷上面有打斗声传来，隐约间还能看到人影围绕绞盘来回纵跃。很明显，是有人在与无头的打伞人争夺绞盘。

俞有刺示意鲁天柳将关五郎拉好，然后自己沿摇摆不定的绳子艰难地往顶上攀爬。

渐渐接近谷顶了，俞有刺看到，与无头人争斗的是周天师。周天师确实是高手，不比无头人弱的高手。但是因为周天师的技击之法是“修技”，也就是技击春秋技中的春技，中规中矩苦练而成。而无头人却是“杀技”，也就是秋技，是通过实际杀戮练出来的。所以无头人虽然还要腾出手来把住绞盘的摇柄，但周天师却始终对他的凶狠杀法无可奈何。

俞有刺迟疑了一下，他在考虑是不是该现在上去。坐山观虎斗的话，位置危险了些；爬上去呢，又怕两人会先出手处理了他。

就在迟疑间，上面的绞盘发出一声爆裂响声，紧接着，俞有刺、鲁天柳连簸筐和簸筐中的关五郎，再次快速下坠，比刚才更加迅疾。

也许是老天还不想让他们死，绞盘的横担凑巧卡在了谷顶的边沿上，所以簸筐没有坠到底，离着那些稀泥还有两人多高。

俞有刺随着绞盘下坠，绞盘卡住，他却在绳子上下滑了好几个人的身位，手掌磨得如被火灼，鲜血直流，同时还被谷壁支出的石头撞得晕头转向。但就在快速下滑的过程中，俞有刺隐约看到一件东西，一件非常熟悉的东西。

“那里，在那里！我们荡过去。”确认之后，俞有刺很兴奋。

“用力荡！”俞有刺在用力，他的目标是越过正下方的一片稀泥，到达远处的一丛茂密绿草。鲁天柳也在用力帮着荡，她没问为什么，眼下这情形，俞有刺的目标有可能是唯一保存生命的希望。

“哗——”就像满桶的水被颠泼出来一样，从木石堆的顶端泼出一片漫溢而出的水花。水花冲落，陡增在簸筐上的力量绝非卡住的横担能承受的。随着横担断裂，水花的冲劲顺势将簸筐连带三个人远远送出，摔落在一丛茂密草叶中

“就是这里！哈哈！哎呦！哈哈！”俞有刺虽然疼得龇牙咧嘴，可是兴奋感远远压盖过了疼痛感。

“是它！”鲁天柳也兴奋起来，她看到俞有刺的铜船在草丛里。

闯入悟真谷之前，祝篾匠让俞有刺将铜船滚藏到草沟之中，没想到此时竟然成为救命的宝贝。那篾匠能先知先觉？不是！而是因为这草沟是主洪道，是汛期山中水流汇集的地方。出来时如果沟中有水，就可以驾船而逃。

这时的草沟中已经有水，虽然不深，但足够浮起这铜船让它随流而下。只是目前水流的推力还很小，要想快速避开洪流没有可能。俞有刺在附近没找到桨和篙，只能拽着两侧的蒿草前进。

鲁天柳和俞有刺发疯般地拉着密草，任凭有锯齿的草叶将手掌割划得鲜血淋漓，给浑黄的水面染上朵朵殷红。

铜船虽然前进了些距离，可木石堆顶部的巨石已经开始滚落。第一块巨石滚落后掀起的水浪差点没把铜船掀翻。第二块巨石滚落时，重重地撞在铜船的尾部，发出一声金钟般的亮鸣。

幸亏了第二块巨石，将铜船飞一般地击出很远很远。让铜船逃离了大石和巨大树干连续砸击的范围。船尾部被撞击得凹陷下去一大块，这也就是俞有刺天下仅有的坚固铜船，换个木船来，那结果不堪设想。

木石堆没有整个垮塌，而是先豁开了顶端的小部分。豁口中的水流直冲下来，落到谷底后变成一道湍急水流。这水流让铜船像只得水的鲤

鱼，在水面浪尖纵跃戏耍。

虽然脱离危险，但鲁天柳没能松一口气。此时她正聚气凝神，用清明的三觉搜索周围一纵即逝的景象。因为冥冥中，她感觉有什么东西在召唤她，牵引着她……

一侧的沟沿上有许多身影在奔走腾跃，紧追铜船不放。其中最熟悉的身影莫过于周天师，而几乎与之并驾齐驱的是很显眼的一把黄油纸伞。

铜船的速度越来越快，草沟中的水位在迅速上升。水流开始变得怪异起来，不断有回流和漩涡出现。这让俞有刺有些手忙脚乱，他没有桨篙，只能借助关五郎的朴刀来调整铜船方向。

此时鲁天柳的心索性放下了，人在船上，船在洪流中，所有一切只能听天由命。

随着水流变急船速加快，随着地形变得险恶，岸上能跟上铜船的只剩下周天师和持伞的无头人，但他们两个与铜船的距离也是越拉越远。

突然，身后传来一阵沉闷的“隆隆”声。随着这声响，从木石堆的那个位置，水流涌起一个高高的浪头，像座小山般朝已经离得很远的铜船追了过来。

木石堆彻底垮塌了，积聚的洪流完全释放。

俞有刺和鲁天柳都听出那声音意味着什么。

“快！得想办法靠上沟壁弃船上岸！”俞有刺嘴上虽然这样说，手却停了下来。他心里清楚，在这样的激流下，使多大劲都是白费。如果老天注定他们今日逃不过死劫，那他还是情愿死在自己这条铜船上。

“稳住，保持方向，先不要靠岸。”鲁天柳清明三觉搜索到的信息要比俞有刺多得多，“后面波子虽然又高又急，却只有一个高波，顺过去就没事了。”

鲁天柳说得没错，后面只有一个波，虽然距离鲁天柳他们的铜船越来越近，但要追上他们也并非容易的事情，因为这个水波的前沿力量拱推着铜船，让铜船加速了。

跃天涡

就在洪头大浪极速追赶铜船的时候，沟沿上紧随铜船的身影也发生了变化。持伞的无头人和周天师都落到了后面，赶在最前面的变成一个绛紫色身影。这身影简直是在腾云驾雾，不断加速，很快超过了飞流而行的铜船。

“掌教天师！”“水油爆！”鲁天柳与俞有刺都看清了那身影。那的确是张传道，试想，除了龙虎山的掌教天师，谁能有如此的功力道行?

张掌教不知道从什么地方换了这么身衣服，超过铜船的瞬间，鲁天柳感觉他就像是片燎天霞光。老道士奔到前面很远的一个高处停了下来，朝着鲁天柳的铜船又是喊叫又是比划。

洪流的声音太高，就算是鲁天柳有清明的听觉，还是听不出这掌教天师在叫唤些什么。至于他比划的手势，鲁天柳和俞有刺更看不出所以然来。

张掌教突然停住比划，将外面长大袍服一脱，露出贴身衣着，然后朝着铜船的方向怪异地跳起舞来。

“那是干吗？什么意思？”鲁天柳更加摸不着头脑了。

“三流叉汇旋作天涡，船头左偏直撞东岭。”俞有刺抹一把脸上的水珠和汗珠，喊着告诉鲁天柳。是的，他竟然懂得那“舞蹈”的意思。

“好的！我们照做！”鲁天柳并不十分明白俞有刺所说意味着什么。

俞有刺点点头，将朴刀探到船头水下，尽量校正着船头方向。此时的情形只允许他一切照做，没有丝毫闲暇想想其他的蹊跷事情。比方说掌教天师如何会他俞家祖上独创的“形信”一技的。

掌教天师所跳的怪异舞蹈叫“形信”，只有郑和下西洋时使用过。《明记海行》中有：“三宝入洋，有随行渔家数人，以动身形示信，可远见。不传与人……”那“渔家数人”其实是“俞家数人”，也就是俞有刺的祖上，“形信”是他们家自己琢磨出的，是以身体姿态动作来传达信息的方法。这与手势相比，其传讯的距离更远，表达的意思也更广更清晰。俞家祖先发达之后，“形信”之技便不再使用。但他们家却持技自珍，不愿外传，所有的姿势图解只作了两份，一份俞家嫡传血脉相传，另一份则陪老祖入殓镇棺。

俞有刺虽然学过“形信”，实际运用却是第一次，只是这次他非常希望自己解读错了。因为如果前面真是传说中的“三流叉汇旋作天涡”，那么面对它的人只能用绝望来形容。

三流叉汇的“三”是代表“多”的意思。此地“千岭列如翎”，如翎的山区沟谷纵横，出现多股洪流交汇对冲的现象并不奇怪。

铜船前方的不远处，山岭交叉，群岭围绕，形成一个多边的深谷。而在众岭纵横间，正好有三股同样大小的洪流由三个方向同时注流于此。最为可怕的是，这三股洪流并不是交汇对冲，那样反倒会相互消去势头。它们是错开洪头，交叉而旋，三道势头最终聚成一股势力。这样就在深谷中旋出一个倒尖角的涡底，也就是说，漩涡的中心可以旋到最低部都没水，其中央就是一个圆形的上大下小的悬壁，这就是所谓的天涡。“天涡之中，有水溺死，无水缢死”，这是传说中对天涡的定语，意思是有水处必定被溺死，无水处，旋劲可将人绞缢而死。

而在这天涡四周，冲旋而散的水流漫过岭坡，往低洼处四射铺延开去，这将造成千翎山区以及周边地方大面积的洪涝。

鲁天柳和俞有刺眼下最要紧的是如何逃开那个倒尖角的涡底。站在高处的张传道只能告诉他们前面的情况和可行路线。至于如何冲过涡底，那得靠他们自己，亦或许要靠老天。

转过个大弯，俞有刺看见了比传说更为可怕的天涡，刹那间，他的意识完全绝望放弃，呆滞得如同泥塑。

“后面浪头要到了！”鲁天柳不但在观察前面情形，同时也在注意背后追赶过来的那个巨大浪头。

这句话，让俞有刺刹那间重新活转过来，眼中再次跳耀起奇异光芒。他手中朴刀刀身一翻，刀面冲前流，双臂注力，别住铜船船头。铜船的船身在俞有刺使力之下陡然横了过来。

横过船身的铜船在急流中随时会翻，特别是在有斜度的涡子边上。而已经开始随涡流旋转的船身在继续往漩涡中心接近。从铜船探头就能看到深邃莫测的涡底，就差尖叫一声直落而下了。

后面如山般的浪头终于追到了，而且来得那么恰到好处。眼见着铜船就要滚入涡底，却正好被后面涌到的浪头高高托起，从涡子的上方跃了过去。

涡底一下被山一般的水浪填平，但随即尖角的涡底又把浪绞碎。铜船虽然跃过涡底，可没有彻底逃出三流汇集的范围。消失后又突然出现的涡子一下将铜船甩了出去，就像扔出一片枯朽的树皮。

铜船的船头深深斜插入土石之中，在光秃的山坡上，像一面突兀且凝固不动的旗帜。

被从铜船中抛出的人眼冒金星耳如鼓鸣。俞有刺尽力直起上身马上又颓然瘫倒。关五郎没有动，他始终昏迷着。

鲁天柳也没有动，她不动却是因为三人中她的思维是最清晰。轻身功夫、刺水铜甲在她跌落的过程中让她遭受的撞击最轻。

一个身影飞来，是掌教天师张传道。他看到匍匐在地一动不动的鲁天柳，便急切地伸手将她身体扶转过来。

很明显，张掌教惊愕了一下，他没有想到转过身体的鲁天柳正睁着乌溜溜的眼睛看着他。

“东西呢？没丢吧？”张传道话一出口后便有些慌乱和后悔。

鲁天柳没有回答，眼光中却闪烁着某种异样。

张传道从鲁天柳眼中看到异样的东西，那就像两片飘落的云，于是猛然转身。

是周天师和无头人。“放下她！”“给我！”两人攻击的目标都是张掌教，两人获取的目标都是鲁天柳。

张传道迎上那两个人。一阵哼哈发力和金击脆鸣之后，三个人一下分开，然后势呈犄角而立。张传道的姿势很稳，像是在礼拜三清。周天师持剑直指，不过气息间有些微吁。无头人有些喘，他手中黄油纸伞的伞面已经被劈破个大豁口。

鲁天柳通过豁口终于看清无头人的真面目。无头人不是没有头，而是有一个极小的头。那头颅只有香瓜大小，圆筒状，缩在衣裳的立领中，打眼看更像脖子。

虽然持伞人的模样很是畸形怪异，但与另一件正在发生的怪异事情相比，却显得太微不足道。鲁天柳虽然躺倒在地一动不动，可所有的精气神都已经凝聚到灵窍心穴，极力搜索辨查那件怪异事情。

耳鸣声？不是。因为耳鸣声不会如此具有节奏。

心跳声？是自己受到惊吓后的心跳声？也不对，那声音是从自己身体下方传来，从山底深处传来。

声音很大，节奏有力，感觉就像趴伏在一个巨人的胸口。但鲁天柳很是奇怪，周围其他人对这样大的声响完全无动于衷，难道只有自己听到了这声音？

“你们走吧！得不着东西留条命也是值的。”张掌教委婉地劝解。

“东西留给你，那我们还会有命吗？”周天师冷静地讥问。

无头人没有说话，却是将攻守兼备的姿势摆得更加严谨。

“小人毕竟是小人，狭隘之心难度君子。”张掌教道。

“呵呵，奸人到底是奸人，如犀之面如簧之舌却还自命君子，哪有半分修道人的心性。”周天师针锋相对。

“你懂什么修道心性？修道就该修及至上，推道学为天下尊崇，你心性能达于此？”张掌教又道。

“这不是道学所推，而是你教中憾事。张祖师首倡道徒研读《道德经》，创建‘五斗米道’，被尊为国之天师，正所谓‘麒麟殿上神仙客，龙虎山中宰相家’。但天师道虽一脉相承几十代不衰，却再未有人重履祖师成就，天师之名已沦为个代号而已。你多年来暗中努力，这次甚至亲自改面猥形走一遭，就是想得到宝贝依仗宝力弥此憾事，再推你天师教为天下第一教。”周天师说话间显出轻蔑之色。

躺在地上的鲁天柳突然往山坡上方爬行了三四步远。突兀的动作让犄角状对峙的三人吓了一大跳。但他们谁都没有动，现在这状况下，谁妄动谁就露出破绽。

鲁天柳轻轻拨开面前布满雨珠的碧绿草叶，看到数步之外有一圈乱石，虽然参差嶙峋犹如犬牙，但围绕成的圈却很圆很圆。

就在见到乱石的那一刻，鲁天柳的三觉不由得发挥到极点。她仿佛已经融身到了乱石圈中，听到如雷般的轰鸣，碰触到海潮般的起伏，嗅闻到百流汇集的水腥气息。这一刻，她迷茫了，昏懵了，呆滞了，神飞思散，入虚入化。

“诬我清修之誉，信不信我杀了你！”张传道的话像是咬嚼出来的。

“三角而峙，你是双杀之的。我的‘仙指路’和这位持伞朋友的‘鬼窥门’相援合击，你能动哪个，动哪个你都是个劣局。”周天师成竹在胸。

“可我的‘帝出天门’摆这儿了，你们又能奈我何？”张掌教更显出些傲然之气。

一时无语，长时间的沉默。三人和鲁天柳一样凝固了，任凭细密的雨丝洒落得满头满脸。

“如果再有一人从旁侧攻你，你这‘帝出天门’还走得稳当吗？”周天师突然想到了什么。

“哼，如果有人助我来攻你们，哪怕只是在局中立个位，你这一仙一鬼还能合力吗？”张传道语气里有强作镇静的味道，“但这都是废话，我的援手没到，你的后援死光了，没人可找。”

周天师笑了，眼神转到一个人身上。张传道看出周天师的目光方向，于是也将目光落在那人身上。

俞有刺坐起来。刚才那一摔让他血气翻涌，头胀若裂。调整到现在，状态终于好转过来。

“余把子，你家中遭恶破几乎灭门，知道是什么破吗？”张传道不等周天师说话，抢先开口。

“庭前廊柱暗埋血浸的半个骷髅和削尖了的胫骨，据说是叫‘断颅刀胫’的蛊咒。”俞有刺对这样的事情是刻骨铭心的。

“这‘断颅刀胫’的蛊咒，乃是云南馗带山‘复生堀’一派的伎俩。由于这个门派多出恶毒阴损招数而遭天数报应，修炼过程中又多服药物避免被所操的毒蛊之物反伤，一代代累积而下，就造成他们的子孙后人身体畸形，头颅收缩变小。”

张传道虽然话未点明，俞有刺却已经明白其中意思。虽然此时还没有完全恢复，却是大叫一声强行跃起。然后一步步走向持伞的无头人，眼中喷出的火绝不是漫天雨水能够浇灭的。

“为什么？为什么要这样做？”俞有刺朝无头人咆哮着。

“我门中要成大事，必须有财物来源。毁了你家，大好的生意就可转手我们经营。被施以此种手段的，你家不是唯一。”无头人说道。

泪水也浇不灭眼中的怒火，反让那怒火更狂烈。俞有刺想到自家满门无辜而死，血腥气顿时填满了喉咙口。紧握分水刺的手掌，青筋游滑乱跳，骨节嘎巴直响。

“且慢！”俞有刺作势扑出的瞬间，周天师发出一声断喝，“你知道‘毁祖截脉’破你祖坟风水的千须锁阎树哪里来的吗？这树在龙虎山琵琶峰秘植而成，原本是用来锁收地下僵尸恶鬼的。有人将此树暗中种在你家祖坟上，是别有所图。”

俞有刺茫然了，原来他觉得下恶破和毁祖坟是一路事情，可周天师话里的意思竟然是两路人所为，而且其中还关系到龙虎山天师教。

周天师先将“仙指路”的架势调整到最佳的攻防状态，然后才继续说道：“龙虎山天师教很早以前就从遗世典籍中窥出八宝定凡疆的秘密，但过去多少代掌教都是清心修道的高士，从未想利用布福苍生的宝贝得到些什么。但他张传道却是名利熏心，想借助宝贝重振天师教崇高地位。你祖上追随郑和寻宝船队，回来后便大富，所以张传道以为你家已获‘水’宝，于是先遣人暗盗你家祖坟，未有所得后便使用千须锁阎树‘毁祖截脉’，逼迫你家显出宝贝来拯救家道。只不过他错了，助你家兴旺的可能只是那副刺水铜甲，而这铜甲所带宝气却万万抵受不住‘毁祖截脉’的技法。”周天师话未说完，张掌教的脸色已经连变几次。

俞有刺如饮醍醐，木八卦上的三宝太监留联，张传道会自家独创的“形信”之技，自家所受灾厄，多少高人不能破解，最后鲁家人来了，轻易就查出厄破所在，所有这些都是在别人布局之中。

目光转而盯住张传道，可张传道的面色竟然是那么的平静自然。

“他的话你信了？”张传道的语气和表情一样自然。

这气度让俞有刺迟疑了下。就在这迟疑的瞬间，发生的一切像闪电，像疾风，像流星划过夜空。

犄角状对峙的三个人几乎是一齐动的，其中张传道和无头持伞人的目标竟然都是俞有刺。周天师却是利用这时机直扑张传道。

这种战局中，俞有刺只来得及抬起双臂。右臂持分水刺迎向张传道，因为张传道距离较近，而且所挟气势更为凌厉。左臂握拳迎向无头人的伞头，这一招其实更加不具对抗性，只不过是牺牲肉体保性命的一个缓冲。

早已觉

握着分水刺的手臂在空中翻转着，最终掉落在鲁天柳身边，喷溅出的鲜血洒得鲁天柳满脸满身。张传道只是潇洒一挥，无形的锋芒便让俞有刺的手臂离体。

迎着伞头的拳头一下子变得粉碎，血肉模糊的一团黏在手腕之上。鲜血不但铺满了无头人的伞面，而且还由伞面的缺口喷溅在无头人的胸前、脸上。

周天师的剑到了预定部位，但张传道侧身攻击，身形快速变化，已经离开原来位置。周天师只能跟在背后二次追击。

虽然是二次攻击，周天师的剑依旧疾如闪电，不是什么人都能躲开的。剑最终还是狠狠地刺进张传道的身体，只不过刺入部位不是周天师预定的软肋，而是偏下的胯骨。刺中的同时，周天师暗叫不好。因为这部位是张传道跳起后主动送上来的，而且他在跳起的同时，还将俞有刺踹倒在脚下。

张传道选择的部位是合理的也是有目的的。胯骨这部位没有大出血的血管，不会致命。而且坚硬的胯骨还能让周天师薄软的云纹磨钢剑无法继续下一步的伤害。当然，做这选择首先要能承受住疼痛。

张传道削掉俞有刺一只手臂后，无形的武器由头顶上方顺势回转过来，直指周天师面门。周天师知道对手手中有一把旷古奇珍的无影水晶剑，但无影剑不长，只要保持距离，对手的水晶剑就够不着自己面门，所以周天师双手一推一握，把掌中剑力度控制到最好。既不让张传道将剑身推压弯曲，又不让他抽身脱逃。

无头人撞碎俞有刺拳头后，随即翻转伞面，用伞骨尖凿刺张传道。但他并不期待伞骨尖落实，而是想趁伞面遮掩住对手视线之后，突然从伞下出拳掌攻击。

但这个招式只进行了一半，张传道左手递上来的酒瓶就已突然爆碎，击破伞面，架住了伞骨。酒瓶的碎片锋利如刀，无头人不敢将伞骨继续压下，也不敢将伞骨退让开来。压断伞骨和撤回伞骨都会给张传道顺势攻击的机会。

静止了，凝固了，仍然是个僵持之局，只是这局面更纠结更血腥。

张传道胸腹中气息运转，随即发出一声长长的呼声。但这不是被剑刺中后发出的惨叫，因为随着这呼声，一个黑影从空中直落而下。那是天禽奕睿，这只异鸟支棱着尖利的黄色硬喙直扑周天师。

周天师对空中的扑袭理都没理，只专注地控制手中的剑，不让对手有丝毫可乘之机。

天禽奕睿最终没有扑袭到周天师，因为它是个灵禽，知道审时度势。在它的后面紧紧跟着周天师的“夜魔焰”，所以没有搞定背后这只体型比自己大得多的鸟儿之前，它绝不会轻易冒险。

两只鸟盘旋了几圈，然后便在奕睿鸟的带领下直往山岭之下三流叉汇的天涡中飞去。见此情形，周天师手中剑微微抖晃了一把。

“紧张了？你知道我的鸟还会回来，你的却不一定。所以胜算还在我手里。”张传道对胯上之痛如若不觉，脸上全是得意之色。

周天师心中清楚张传道是对的。此时天降密雨，三流叉汇为旋，拢激流气势而成天涡。其中不但有收压之力，而且还有浓重水气和雨水纠缠。与红眼奕睿相比，“夜魔焰”体型肥大，翎羽丰厚，极不适宜在那种状况下飞扑追啄。

果不出所料，没过多久，一团黑色由天涡之中笔直朝天冲飞，这是最快最直接摆脱天涡压力的方式。当那团黑色到达一定高度后，马上改向斜落，往周天师面上飞啄而下。

张传道在微笑，因为他已经看到了自己的胜利。

周天师收紧了脸上的每一片皮肤每一块肌肉，他决定硬受这一扑啄，现在的状态下，慌乱和避让都会让自己顷刻间丢掉性命。

“啪！”一声亮响，空中弥散开一片水雾，紧接着地上翻腾起一片泥浆。

当红眼八哥爪喙已经快触及到周天师面目眼睛时，一只帕子包的钢球击中了它。这一击将它翎羽携带的雨水打成了水雾，更让它飞行顿止，直落在地，一阵翻腾挣扎让地上泥浆四溅。

谁都没有料到会出现这样的变化，原本显得呆滞茫然的鲁天柳在乱石圈边娉婷而立，手中捏握着仅剩的那根“飞絮帕”。帕子球头在拳下抖晃摇摆着，上面犹自粘着一片黑色的羽毛。

“呵呵呵！”周天师发出一阵大笑，“昏寐之人早晚会醒，你的鸟没用了，而我这边却多出一人！哈哈哈！”

“不要笑了，我也不是你那边的人！”鲁天柳语气平静温柔，像是在劝慰一个生了魔障的老人。

“我就说嘛，柳丫头如此的灵性，怎么会信你。”张传道的脸色平复了许多。

“我也不会信你，之所以出手，是因为觉得你们现在的相持之局对我最为有利！”

“为什么不相信我？我不是一直都在帮着你吗？”这话没太多疑惑，却有不少狡辩。

“或许你真的不该让我读那本《玄觉》，‘觉得无穷处，理得意中玄’。”鲁天柳说。

“是吗？那我又是什么让你玄觉异常的。”此时张传道的确有些好奇了。

“我觉出你炽烈之欲，而且是在你每次提到那东西的时候。”

“只是这点而已吗？”

“当然不止，当你揭开周天师的底子时，其实也暴露了自己。挂发谷中，你与黄大蟹同行，依着你的身手，不管是明来还是暗往，都应该能保住黄大蟹性命。可是你没有，反说自己假装昏迷才逃过一劫，这合理吗？女贞林中你明知有妖坎，却不抢先主动出手，也不提醒。那是想尽量消减我们的人手，因为你毕竟是孤军奋战。在养尸地，你明知周天师的计划却不捅破，那是在拿他和他徒弟当探杆。后来在淡竹林里，你见周天师的徒弟已死，而且没什么收获。你才决定带我们与周天师分道而行，因为你清楚，前方的坎子只能依靠我们鲁家了，多个周天师反有碍你的目的。"

张传道的脸忽青忽白，他没有想到自己的秘密和企图被窥破得如此淋漓。

"聪明！后生可畏！"周天师发出一声感慨，其中却不乏失落怅然。

"你们脱出'百节纠错阵'后分道而行，你选择与篾匠大叔一路，是因为对当地环境有点了解的只有篾匠大叔，你依靠他，要么能抢先找到藏宝点，要么抢先找到我。还有，刚才当我摔落在此山坡上时，你原本是想在我身上搜找东西，却没料到我是清醒的，一惊之下脱口便问东西如何。"

张传道脸色好长时间才恢复平静："你果然不一般，事事都在你思筹之中。"

"不！有件事情我还一直不明白。从你再次见到我之后，言语中似乎断定宝贝由我所取，你凭何作此判断？"

"凭的《玄觉》，'由心之动，以意为触，方觉无形之气'，再次见你，你已非你，周身无形气相纵横，如罩如壁，于是断定你已挟奇宝在身。"

"你能确定我所挟的就是暗藏此地的五行水宝？"

"不能，这世上也就几个具先天异能之人可以辨别出来，不包括我，却包括你。"张传道言语中带些慧眼识珠的得意。

"张掌教抬举我，不过我真的是没带出什么东西来，更不用说什么天宝，至于你说的什么气相，想必只是你诳惑之语，用来试探我的吧。"

"不对！""有的！""是真的！"三个人异口同声，不止是张传道看出鲁天柳气相布罩的奇异，就连周天师、无头人也都看出。

“那你们有没有感觉出此处气场的异常？”鲁天柳说话间用手指了指身后的乱石圈。

那三人有些诧异，特别是掌教张传道，他凭着多年的玄觉之修，竟然没有在鲁天柳所指的地方看出一点异常。

“这是海际井！”持伞的无头人尖利怪异地叫了一声。张传道和周天师猛然一愣，他们都想到祝篾匠解说黄绫暗语时介绍海际井的那些话。

在鲁天柳的感觉中，那黑乎乎的洞口恶势汹涌、瘴晦弥漫、冷毒起伏，无形的压力不停腾跃，像是恶魔的心跳、妖孽的血流。而且刚才在她聚气凝神寻找这股奇怪现象时，竟然会随势而迷，忘却一切不能自拔，就像入了迷神障。幸亏俞有刺被削掉的手臂掉落身边，血珠在脸上喷射出一张血绘“天星符”，这才使得鲁天柳醒转过来。

“我知道了。”鲁天柳的语气与无头人的叫声反差极大，“谢谢你们告诉我该怎么做。”

鲁天柳说完，朝着乱石圈退过去一步。这一刻，在张传道他们眼中，浑身泥污血迹的鲁天柳变得璀光流莹，婀娜娉婷得就像一棵神界的仙柳。

惊愕、惶然之后，张传道低吼一声：“杀死她！一定要杀死她。”他的想法很果断，只有杀死鲁天柳才能阻止她下一步的行动。

话刚说完，架住无头人伞骨的酒瓶碎片变成了更多的碎点，从伞面的破缺口中激射向无头人。

这种突变无头人没时间躲也没办法躲，于是双眼立时被刺瞎，脖颈般的小头颅成了朵绽放的鲜红花朵。与此同时伞骨断了，尖利的折断口直落在张传道的左肩上，刺破皮肉，刺断筋脉，刺碎骨腱。张传道的左臂立时失去了知觉。

左臂碎了，右臂却动了。直指周天师的无影剑再次回撤朝前，顺便削断插在左肩的伞骨。张传道侧转纵出，任凭周天师的云纹磨钢剑划开自己胯部的肌肉，泼下大片血污。而他纵出的身形则像一把飞行的剑，目标是站在海际井边的鲁天柳。但这把剑最终没能飞出，因为他忘记自己脚下还有个人，一个被他削掉手臂的人。

俞有刺单臂缠胸勾腋，身体弓形勾腰，双脚并拢斜插入裆，一下子就裹贴在张传道的身上。这是俞有刺独门功夫“虾攀芦”，此刻他右臂要还在，就可腾手出刺了。

就这么一个滞怠，周天师的剑到了，直刺张传道后心。

也是这滞怠中，张传道的无影剑替代他飞出，一片无形的风挂之声直射鲁天柳胸前。

又一阵泼风旋起，在鲁天柳前面挡住，也只有这样的风势劲头能挡住无形杀器。无形之风与旋起的泼风相撞，发出一声清灵脆音。于是那无形的剑风改变了方向，堪堪从鲁天柳头顶处飘过，碰到她头上那支小花，挑落下一枚细致的花朵。

细小的淡蓝色花朵刚好飘落在俞有刺的断臂手掌中，花瓣收缩，变成一枚滴珠状的花苞，晶莹剔透，如同一颗眼泪。

挥过一刀的关五郎跌坐在那里，身上布满黄泥，就像是座泥塑。也幸亏是这些黄泥，才止住他浑身的伤口不再流血。刚才那一刀，是他积攒了许久体力才勉力使出的，但在水晶剑的撞击下，他双腿发软眼冒金星，一个极度脆弱的屏障再次倒下。

周天师的剑刺进了张传道的后背，却并非正中心脏。张传道知道避不可避了，只好最大限度地将心脏位置让开。同时右手回探，顺带一把抓住周天师的手腕，将周天师拉近自己后一把反扣住周天师脖颈，拇指、食指直接插入皮肉，捏住其咽喉骨。

张传道只需再稍稍加力，那咽喉骨便立碎。可就在此时，看似已无攻击力的俞有刺突然出招，让张传道瞬间气血不继，手指间难以发力。

俞有刺用的招式叫“鳖对齿”，被老鳖下口咬住后，非上下牙齿对住才会松开。俞有刺这招就是从鳖的这一特性悟出，自小咬嚼硬壳干果练起，直至牙口能提甩石锁、咬断铁筋。所以当俞有刺两排钢牙死死咬住张传道一侧颈脉后，张传道已经完全失去摆脱的可能。

再次是僵持之局，张传道不能松指，松开后，周天师只要回转过气息，立刻就会变剑招把自己刺砍得千疮百孔。

俞有刺不能松口，松开口，张传道就能立马解决周天师，然后腾出手结果了自己。

周天师不能撤回剑，自己命门被握，生死就在须臾之间。现在只能想尽一切办法让张传道赶紧死去，自己才有一线生机。于是他双手继续推压旋转剑柄，只可惜咽喉命门被握，让他无法提气发力，这剑只能是一点点往张传道身体中钻。

双眼被刺瞎的无头人，破伞已经远远滚落到坡下。骤然失明让他慌乱惊恐，加入战团，不敢；赶紧离开，不舍；只能是单腿跪地，紧张地辨听周围形势。

“其实我一早就知道自己取了件非同一般的东西，不过从没想过这会是五行数中的‘水’宝，是你们替我开了灵窍，让我明白自己取到的到底是什么。”鲁天柳平静的话语，让相持的三个人稍稍松了些力道，他们都还不想马上死，他们都想知道自己拼死拼活最终是为的什么。

“进入裂开圆石前，因为有雁翎瀑的纯清水花除却了我身上的污秽，所以我的嗅觉彻底恢复了。”鲁天柳诉说时眼神迷离，像是在回忆那一刻的情形。

“其实灵敏的嗅觉在一个充满清雅花香的环境里，最容易分辨出的是无香无味的东西。所以我从成千上万温芳雅嗅的花枝中发现有一枝外形一样却无色无香。这本身不算什么很奇异的现象，但出现在神奇的花裂石中，就绝不是仅仅与众不同那么简单。于是我随手摘了那一枝小花。”

说话间她将发髻上那枝小花取了下来：“拿到这枝花后，就总觉得冥冥之中有什么在催促着我、牵引着我。让我必须舍弃一切去奔逃，朝着这海际井的方向。”

“早在篾匠大叔讲说黄绫暗语相合地名时，大家就都已知道海际井是个邪煞点位。站在井口边，我对它的极度凶势更有感觉，而你们却没有丝毫反应，特别是玄觉有成的张掌教也在。那么唯一的解释就是其凶已被宝气所抑。只有我站在洞口前，只有我感觉到凶势，也就是说镇抑凶穴的宝贝在我身上。正好你们也都说我气相前后发生变化，所以暗自回想了一下，发现唯一的差别是多了这枝花。”

“洛神花！”虽然张传道被俞有刺咬住颈脉，听到此处还是强自运气吐出这三个字。

水回天

“你是说洛神花？‘洛神踩清波，飞淋化晶花’的洛神花？”鲁天柳虽然有极大的心理准备，可还是抑制不住心中的震撼和惊异。

《神魔志·仙由篇》有：“洛神踩清波行万流千川，袖带如霓，峨髫如云，扉彩云湿为幕，难见其容。兰指间挟花一枝，挥洒间珠飞玉洒，化为花，复化为水，再化气而缈，归于自然。”

鲁天柳听过有关洛神的故事，也见过“洛神行波图”。故事和画上都描绘了洛神花。此花为天生之花。洛神持花而生，道成之后便以此花行法布水。此花乃是天地间百汇千流之指示，气化淋落之神奇。

“神花损，宝相缺，疆不全呀！”张传道被俞有刺咬住颈脉，口齿很是不清。

鲁天柳却是听到张传道所说，玄觉之学心中一转，随即脸色顿变，有无限的懊丧和后悔。她马上蹲下身来，低头在地上寻找刚才被无影剑挑落的那枚花朵。张传道含糊的话提醒到她，宝物有损，就算镇住凶穴，也无法保证凡疆俱统。

雨还在细密地下，却再没有一丝雨线落入俞有刺断臂的手掌中。而那朵小花完全化成颗水滴了，或者说像颗泪珠，晶莹剔透，纯净透明。当鲁天柳想再仔细看清时，花儿闪乎一下不见了，如同随风而逝，只在沾满血渍的手掌中留下一个水滴状的痕印。

鲁天柳站起身来，轻叹一声：“唉！洛神花入手，洗血留印，化气入无形循道。俞大叔，你家的‘毁祖截脉’之厄解了！”

俞有刺眼角流出一滴眼泪，和那洛神花朵化成的水滴很像很像。

“天赐奇宝，镇大凶除小厄，天之善，我幸行之。”鲁天柳说完这句话时，眼角处也流下一滴眼泪，和那洛神花朵化成的水滴同样很像。

就这一刻，所有人都动了。

最先动的是刺瞎双眼的无头人，他已经弄清周围情况，想要抓住最后的机会，于是跳起身跌撞着朝鲁天柳冲过来。

关五郎见无头人动了，马上站起来跌撞着迎上去。

俞有刺的动作很小。他的目的已达到，所以释然了，无虑了，拼命了。牙口间重新一紧，顿时血喷如柱。

张传道捏握住周天师咽喉的双指猛然回拉，他虽然无力捏碎咽骨，却是拉断了颈脉气管。

周天师完全放弃了脖颈处的抵抗，拼尽最后力气，再借助张传道的回拉之力，双手连带身体一起推压剑柄。长剑刺穿张传道，连带也刺穿裹缠住张传道的俞有刺，将两人串在一起。

鲁天柳的动作不快，却很小心、很决断。双手托着洛神花送到海际井的井口之上，那枝小花散发着淡淡的圣洁之光。然后她轻轻分开双手，洛神花优雅地翻转着落下。

无头人虽然看不见，可功力还在，关五郎原本就不是他的对手，再加上受伤极重，所以只稍稍一碰，朴刀便被击飞出去，人也滚下山坡。击飞的朴刀带着疾风直撞在鲁天柳肋下，鲁天柳闷哼一声飞跌在地。

无头人跌撞着直扑海际井，但他看不见那圈乱石，一绊之下改变原定路线，朝井口扑跌而下。一声长长的尖细惨呼，在井中回荡许久。

井中回声未消，山腹中传来一声轰响，随后周围变得很静很静。

旁边山谷下叉流成旋的洪流戛然而止，天涡收复成一个平静的水面，平静得就像是面镜子，没一丝涟漪。

细密的雨线也悄然止住，无风，浓湿的水气在缓缓沉淀。天上厚重的云层终于有了松动，相互间无声地挤压推碾着。

海际井中缓缓升腾出无数大小不一的水珠，排挤在一块儿，飘然而上。无数水珠在天地间形成一根和井口一样粗细的透明柱子，越升越高，撞破厚重的云层，撞出一片绚丽的丹红霞光。随即，水珠化气而逝，融入霞光，融入天穹。那透明的柱子无声而来，又由无声中消失。

附近山岭上，纵跃疾奔的一队人停住了脚步。领头的青衣人静静伫立着，看到天上骤然出现的那片丹红霞光，眼中流露出的内容太多太复杂："来迟了。退，去找另一个。"一队人无声中调头，转瞬便消失在山林之间。

井边的鲁天柳一动不动，坡下的关五郎一动不动，抱作一团的俞有刺、张传道、周天师也都一动不动。

俞有刺的"鳖对齿"已经对上了，张传道的血液已近枯竭。张传道指劲破断了血脉气管，注定了周天师生命的终结。周天师的剑同时刺穿张传道和俞有刺，张传道只剩残气外吐，而俞有刺这如同鼋鳖般的硬汉却是立时归天。三个死去的人依旧依靠在一起，就像一块突兀的怪石。

一声沙哑的怪叫打破了沉寂，被击落在地的红眼奕睿挣扎起来，扑扇了几下翅膀飞到对面林子中去了。主人已死，符咒破解，这畜生恢复了自由。

鲁天柳手指微微屈伸了一下，然后缓缓醒来。朴刀的撞击虽然很重，但刺水铜甲的保护只让她在大力撞击下昏迷片刻而已。

奕睿的叫声唤醒了鲁天柳，也让她惊觉一种解脱。睁开眼，只见松散的云层间透出缕缕霞色，血红血红。

雨停了，泪却流下。当完全解脱放松之后，便是感情的宣泄。悲戚的鲁天柳想起了太多太多，有人，有事，有过去，有现在。老爹没了，家没了，自己该何去何从？

关五郎爬到鲁天柳身边时，她已经站在一块突起的平石上，婆娑的泪眼静静注视着西南方向的一个岭头。那顶上有棵柳树，枝繁叶茂，独立摇曳。

"去哪里？"关五郎问。

"或许……"鲁天柳缓缓抬起手臂，朝着一个方向指去，"或许我该去那里，我是从那里来的。"

顺着鲁天柳所指，关五郎看到了一棵柳树，远远的，在西南方向。

《福建东岭区水文载本》记有："东区岭多匝连，洪期早，遇淤则泛滥四边乃及平野。民国始时，连绵雨期，水文巨变，洪道转走，趋于东，入河入海，再无泛滥之势。原民皆安。"

千岭山区流传，民国初大洪，众流聚集，推山倒岭，势欲化山为泽。幸得老天开血眼，悯苍生，收洪入天，瞬间其势尽灭，大水消于无形。

第二章　屠龙匕被盗，朱门长身陷锢魂绝气台

《理余百葬法·恶葬》中有："遇凶尸恶魄，可铅铸为棺，红蜡定封。极凶者，尸入铅棺后，盖棺再铸，盖、身铸合为定。"

四根红晶珊瑚铁打制的暗红色锁链，将无缝铅棺悬挂在骨架上。这红晶珊瑚铁是海底火山喷发，熔岩与珊瑚聚合熔炼而成。茅山法术中就有用红晶珊瑚铁空悬尸身，不沾百气，以绝尸变的做法。

晦骨为架，铅铸为棺，盖、身铸合，晶铁悬空，这是灭绝魂魄的葬法。朱瑱命又暗自盘算了下自己走过的台阶数，总共有三十三节。而悬棺离土在三尺三的样子，台顶平面三丈三左右，难道这是传说中可以锁灭三魂的"锢魂绝气台"？

电抹宵

七月流火，阳中盛。初七，火曜日，无风，雷动西北。

黄土地，烈日一晒便尽是浮土，人踩在上面松松地。地面的热气不断顺着裤管往上涌，像是要把衣裤鼓胀起来，而汗水偏偏又将衣裤黏附在皮肉上，扯都扯不下。

近处的黄土沟，被晒出了龟背般的裂口，从中蒸腾出的热气，让远处的黄土丘看上去很恍惚。

黄土沟边不远有两棵很大的榆树，相互间离着有十几个树影的样子。在这样贫瘠的黄土地上，能长出如此枝繁叶茂的大树很不容易。但两棵树不太一样，一棵枝展叶绿，给人带来稀罕的阴凉清爽。另一棵枝垂叶涩，笼罩着一种阴毒死亡的气息。

其实两棵树真正的差异不是来自枝叶，而是上面的榆钱儿。有阴毒死亡气息的那棵榆树上，“榆钱儿”的颜色不是碧绿，也不是枯黄，而是暗红的。而且那些“榆钱儿”会无风自动，不停地蜷曲、扭转、收蠕着。

“榆钱儿”是活的，这点大家都能肯定，但没几个人能认出它们是“树棺蜈蚣”，江湖上习惯叫“尸血蜈蚣”。在南疆，有一异族是将死者棺木搁在大树上，谓之树葬。但不知是棺木的原因还是大树的原因，上树不久，有些棺木会有暗红色蜈蚣爬出，样子很像榆钱儿。这种蜈蚣周身剧毒，触之即亡。有人说蜈蚣为死者魂魄所化，也有人说这是护棺活蛊。《异虫谱》《南游趣录》中均有此记载。

除了活“榆钱儿”，树的一根大枝杈上还蹲着个人，一个衣衫褴褛脸色青白眼睛血红的人，口中还衔着一根红线。他的模样装束乃至表情姿势，都和那些“榆钱儿”一样诡异，让人看着心中发憷。

树下也站着一个人，一丝不乱的头发上满是累累黄尘，脸上流淌的汗液画出好多黄道道。那人手持一把闪着淡蓝锋毫的笑脸鬼头刀，刀柄上挂的大块红绫比树上人的眼睛还要红。那是笑佛儿利鑫。

离这树大概十几步的地方，一个萨满模样的人呆立着。他的眼神很散落，没人看得出他的目光最终落在何处；他的眼神又很集中，因为所有人都有种被他盯视的感觉。

与萨满对峙的有两个人，聂小指和一个白净的汉子。

聂小指对黄土地的环境还算适应，因为夏天的滩涂很多时候也是日晒沙拂。

白净汉子的装束打扮很像鬼眼三，手中的“雨金刚”和背上的梨形铲也都一模一样。只不过他的披风是土黄色而非黑色，就像此地的层层黄土。这人是倪家老七，鬼眼三的堂弟。家里让他出来寻倪三，他在北平没找到。后来遇到龙门涧道观的老道，从老道那里获知他堂兄随鲁一弃西行了，会和别人在咸阳城外十八里营聚合。倪七很早就赶到十八里营，却只找到吴副官一行，也难得他有耐心，一直在这里等鲁一弃到来。

倪三已经没了，所以倪七没有走。倪三未能了清的事情，他决不会袖手旁观。

不远处还有一群人。最前面是贼王夏盲爷和吴副官，后面跟着荷枪实弹的警卫队士兵。很难得，今天竟然是鲁家在人数上占到优势。可盲爷心中却很是不安，一颗心扑荡得厉害。

鲁一弃坐在阴凉清爽的树下，可他并不比其他人舒服。因为有一股凌厉气势包围着他、压迫着他，让他不能有丝毫的松懈。

面前的花梨木桌是明中期所制的弈桌，专门用来对弈品茶的。

“请落子。”青衣人修长白净的手掌优雅一探。

“不精此道。”鲁一弃没动。

“那么请品茶。”气势卷腾中，语气却依旧平静。

“天如落火，沾水则牛饮，无品茶之兴，还是算了吧。”鲁一弃不是不想喝，而是不敢喝。

“你是不敢喝？”青衣人洞悉人心。

“是的，我不敢。”鲁一弃不在意江湖名头，所以坦言不敢。

“那就聊点什么。”青衣人在向目的靠拢。

“坎家之人聊聊坎理。”鲁一弃这其实是一种挑衅，是要和青衣人口中斗坎扣。

“呵呵，那你先评评我家技法。”青衣人说。

“以险叠险，以力加力，就像结绳扣，扣上加扣，一根绳打成个花似的，可绳头一抖也许全解了。”鲁一弃以《班经》理论相逼。

“那你鲁家可曾有坎扣难住我门中。”青衣人不以为然，鲁一弃的说辞他不能接受。

“坎家之妙布在其次，重要的是解。布可凭借天时、地理、万物生灵，而解却全在人为。”鲁一弃又运用《机巧集》中内容。

“你是说我门中破解之术不如你鲁家？”

“我是说的解，不是破解，更不是破。”

“有何不同吗？”

“你说是将那结扣如花的绳子解开容易，还是一刀剪碎容易？”

“能断不断，偏偏费时费力去解，当行哪个？”青衣人似乎找到了鲁一弃的破绽。

鲁一弃没有马上说话，他在思考。对方的话很有道理，好多时候对家的方法更有效。

思考的时间很短暂，因为应对青衣人的话早就在脑子里：“如果我还需要那根绳子呢？”

青衣人的目光顿时黯淡，但只是一瞬间便恢复神采。话说到这里，也该引上正题了。

“如果我给你一根绳子，你能不能与我同解另一个扣？”

“你那绳子能系多重？解开另一个绳扣花后，另一根绳子又归谁？”

“我那绳子能系多重你自己掂量。至于解开的绳子，我只是借用一下，然后你依旧奉宝履天命。”青衣人的语气神态都极为诚挚。

“给我一个可信的理由。”鲁一弃并未因为诚挚而大意。

其实鲁一弃此时心中很是不安。这些日子，他想将移位后隐匿无踪的“土”宝寻出。昨晚告诉大家今天探渭水边，而早晨临时改变线路，往反方向的黄土沟而来。可青衣人竟然就在这里候着了。是自己梦中泄露了意图？还是有人将自己行踪传递得更快？

青衣人挥了下手，从树后转出一个白衫老者。这老者像个飘飞的影子，眼一眨就已来到弈桌旁边，双手将一物托到鲁一弃面前。

鲁一弃静坐不动，没有接过布包的意思。青衣人便说："把它给我吧。"

老者把布包给了青衣人，然后又像影子般消失在树后。

布包的布很粗糙，粗糙得都不像块布。的确，这布真不能算是布，它非编非织，而是打制而成的树皮布，这只有南海特有的见血封喉树树皮可以做。

青衣人掀开树皮布，露出的是耀眼的金丝黄绫。当金丝黄绫掀开两个角，还没等其中东西显形。利老头的鬼头刀突然发出阵阵颤鸣，如豹哮鹰啼。树上榆钱儿般的"尸血蜈蚣"全都蜷曲起来。萨满所背皮鼓不击自响，如同鬼魂惨呼。

鲁一弃感觉到，黄绫覆盖下有股气相不断起伏突涌，充满了血气和杀意，就像是个嗜杀的神魔在兴奋地喘息。这种感觉和青衣人上次携带的蜜蚁金丝楠木盒一样。

没用青衣人掀开金丝黄绫的第三个角，鲁一弃开口了："金丝绫中金丝楠，金丝楠中屠龙器，屠龙器现生灵地，需饮千蛊血方归。别打开了，天青日明，莫要冲撞了神灵。"

青衣人由衷发出一声感慨："由气识人者很多，由气识物者当世你是独一人。"

鲁一弃也感慨不已："知我能辨物者许多，知我以气辨物的你是第一人。"

这二人相对唏嘘，大有知己难求之意。

青衣人也不再转弯抹角，将腹中言语和心中所思尽倾而出："你应该知道我为明皇后裔。但世人知道明皇老祖来历的并不多，知道我们这一门源头的也不多。"

鲁一弃轻声插了句："挟屠龙技者。"这句话让青衣人大变其容。

"是的，明皇帝的老祖确是挟屠龙技者，你是由此屠龙器推断而知的吗？"青衣人改说为问。

“不是，另有来处。”鲁一弃这信息来自莫天规的无字竹简。“《南华经·列御寇》有‘朱泙漫学屠龙于支离益，单千金之家，三年技成而无所用其巧’。你朱家祖先就是这学得屠龙技的朱泙漫。墨家人在藏最后一宝时，家中已无实力人手，于是便想到屠龙门中人，邀你朱家祖上帮忙，以便能成全大善之举。但你祖上从墨门十八篇中窥出天宝奥秘，私自掖藏了五行‘火宝’。此后‘火宝’所到便干旱多灾，赤地千里。移位后有此种厄相亦属天道理数，可你朱门世代却持宝不舍，企望凭此宝得鼎贵之运。”

“的确不舍，是人都会不舍。”青衣人说的大实话。

“你朱家祖先虽得火宝，却没能窥出天机凭宝获天下，不过朱姓也因宝气福惠多出俊杰之材。直至元末，在刘伯温、周颠等高人协助下，才凭借‘火’宝福泽得了天下。因火见明，所以取国号为明。”

青衣人轻叹一声：“鸟为食，人为贵，这也怪不得我家这些陷俗不拔之人。”

“那你将祖上屠龙至宝给我，是要舍此绳纠绊脱世俗？”鲁一弃道。

“惭愧！尚不能达此境界。”

“那你还是志在另一根绳子。”

“是！也不是！”

鲁一弃糊涂了：“恕我智拙，难明此理。再说了，五行‘火’宝一直被你家所控，只需好好养孕祭祈，耐得宝气敛、平、昌三百极数，仍可用做依仗，何苦四处寻夺。”

“此中缘由要细说才能明白。我朱家皇朝依仗宝气而得，当宝相平、敛之后，势必让人担忧。而刘伯温所遗解决之法又在惠帝朱允炆和成祖朱棣自家间的那场战乱中失落了。于是后面几代皇帝无不竭心尽力出匪夷之招要重兴宝力。”

“这我多少知道些，远赴海外，搜罗天下，置豹房，建东、西厂，由鲁、墨两家想到从木工中找启机等等，无不是极端之法。”

“其实最荒唐的还不是这些。荒唐尤甚者乃是天启年间，皇上听信一个游方道士，引天火燃金鼎，火炼天宝。”

“你是说用雷电之火炼‘火’宝？”

“不单是雷电之火，还有日聚之火和天陨之火。用这些火种引燃万圣木、千山煤，将火宝放置在紫金九龙日月团鼎中，架在火上烧炼。而四周环绕僧、道、尼千余人齐颂祈天纳福经文，不停不歇连续三天三夜。”

“结果呢？”鲁一弃抢问道。

“第三天，突然晨昏颠倒，子午易时。日正当午，却伸手不见五指。而紫金九龙日月团鼎中白光剧涨，起伏几次后，炸碎开来，夷平方圆二十几里。”

“天启大爆炸[1]！天启大爆炸是因为你朱家用天火金鼎炼火宝所致？”

青衣人肯定且无奈地点点头。

“你这一脉中多高士能人，怎么就未曾有人阻止？”

“那时我这一脉未有。”

“你这一脉未有，可天启之后，也就两任皇帝，应该没有哪一脉可汇聚你门中这样的实力。”鲁一弃对明史很了解，所以越听越糊涂。

“我这旁支入不得皇室，史官不录，世人不知。”

对于这一点鲁一弃没有表现出什么讶异，也没追问，只是微哂一下。因为明皇朱家委实太多妖诡，多怪异的事情放在他们家都显得平常。

见鲁一弃不明含义的哂笑，青衣人自己有些盖不住脸面了：“你怀疑我这朱门是冒名的？”

鲁一弃没有作声，只是将面色重又恢复到平常。

“那我告诉你，我这一脉确实是明皇帝亲脉，只是所出隐讳，如被世人所知，明皇室会为人不齿。不过现在告诉你也不打紧了，我这一脉是天启帝嫡出，育母为……”

“且住，不要说了，有些秘密知道后，性命就不会长久。”鲁一弃果断打住了青衣人的话头。

“那就不说了，不过以尊驾的隽智，想必已经能揣摩出我这一脉朱

1　王恭厂大爆炸，史称“天启大爆炸”或“王恭厂灾”，是公元1626年5月30日端午节次日上午9时，北京西南隅的王恭厂火药库附近区域发生的离奇爆炸事件。

门的来历。”

鲁一弃不会说谎，所以点了点头。他的确已经猜出青衣人下面要说的内容。

天启帝嫡出，又不能为世人所知，还拥有如此人力、财力。三条线索只能汇作一个答案：这一脉为天启帝与其乳母客氏所诞。

天启帝迷恋乳母客氏，并在其引诱下不能自拔。可不管哪个正册野史之上都未曾记下他们有骨肉所得，这恐怕是客氏另一交好大太监魏忠贤的功劳。要想瞒住客氏与皇帝结出骨肉，要想让这脉骨肉拥有惊人的实力和财富，只能借助魏忠贤手下东、西厂，而且要将朱家祖上传下的屠龙宝器挟在手中，也只有客氏与魏忠贤能办到。

“这么说来，你要是能获取天宝，不但可重振明室，更能归于正宗。”

“正是这目的，我们这一支虽说人丁不旺，却代代竭尽心血力智，苦寻其他宝物。”青衣人说得很坦诚。

“既然你们要以其他天宝替代火宝再得帝尊之位，这又让我如何相信你借用之说。”鲁一弃用话套绕住了对方。

青衣人轻笑了下：“没想到你也会绕到这话头上来，既然问了，我就解释一下。朱家祖上藏持宝贝，一代代人养孕祭祈，直到千年以后才得以汇融宝气为己所仗。就算我们得到其他宝贝，要想为用恐怕也需等上至少千年。所以我家的目的还是‘火’宝。”

“还是‘火’宝？那不是已经在火祭中爆散了吗？”

“天宝与天宝之间玄义相同，灵性相通，可以利用一个宝贝的宝气重聚另一个宝贝的宝相。所以我想利用其他宝贝重聚五行‘火’宝。这道理是我家上辈高人从朱家祖训中研究出来的。”

鲁一弃明白了，《机巧集》中说墨家得了七分天机三分巧，而朱家祖训实为《墨门十八篇》，能从中找到这奥妙也是情理之中。

其实早在青衣人说“只是借用解开的那一条绳”时，鲁一弃就已经想到以宝聚宝。毕竟他是研读过整篇《机巧集》的，其中所载理论世上没人比他知道得更多。

“如我所知，天宝爆散之地会尽收宝气以及天宝之遗碎，你家只需占住那地方也能依仗到宝力，何苦用这宝器与我交易。”鲁一弃像是在替对家着想，其实却是要印证自己一个很关键的判断。

“这点朱家早就想到了，也曾请高人辨判。结论为散碎之宝不为人用，只为地灵。有那碎散‘火’宝宝气福泽，紫禁之都可永为帝王地，却不会永为一姓的帝王家。”

“哦！”这个答案是鲁一弃与青衣人此趟交谈的一大收获。

但鲁一弃最想得到的收获还在青衣人面前，他有种强烈感觉，蜜蚁金丝楠中的宝器会属于自己，不，应该说是属于它该去的地方。

青衣人知道该说的都说清了，于是将金丝绫和树皮布重新包好，轻轻推到鲁一弃的面前。

鲁一弃没有接，而是站起身来，眺目往西北方向看去。西北方向正有乌黑云团翻滚而来，云团中不时有金线扯出，直拉到地面。

“雷雨要来了。”鲁一弃轻声说句。

青衣人没有反应，他在期待。

鲁一弃还是没有拿那布包，而是四周环看了一下。看到的很少，感觉到的却很多。南面土沟下有股凌厉之气，是一个似曾相识的剑气，只是现在比以前所见更加飙狂，有此现象应该是与屠龙器有关；北面小土丘后有团缥缈的阴晦气息，那是鬼气，其浓烈程度与养鬼娘所挟鬼气更相近；再有就是在吴副官那群人旁边不远，地下有种诡异的尸气散出，而这尸气既不是僵伏之尸也不是诈魂之尸，世上几乎没有一种尸气像那样，可以在极度的阴煞之气中夹着炽烈之势。

鲁一弃重新坐了下来，坐下时他朝青衣人身后看了一眼，那里有老者隐去的榆树树干，也有微微有些浮动的黄土地面。

“相遇几次，还未请教尊驾台谱。”鲁一弃眼神收回，落在青衣人优雅的黑须上。

“朱瑱命，朱门当家。”

“行，朱当家，这事我应了。”说这话时，鲁一弃的手已经按在树皮布包上。

“那什么时候解绳扣？”朱瑱命是怕节外生枝。

“今晚。”鲁一弃答道。

朱瑱命闻听此言眼神爆闪："哪里？"

"不远。"

黄土地的夜色来得要迟些，清凉也随着黑夜一同来到。雨却是迟迟未下，黑厚的云层始终在天边翻滚，金蛇乍现划破的只是遥远天际。

前面的荒原上出现了几个巨大的黑影，像是挡路的山丘，更像是守夜的神灵。

鲁一弃轻轻勒住毛驴，在那些黑影的阴影中站住。

"谁把朱门长叫过来。"鲁一弃对旁边的人说。

朱瑱命身躯在马匹上挺立着，眼无旁骛，神情镇定。他非常从容地从鲁家这一方的人群中穿过，来到鲁一弃旁边。

"朱门长，你来看此处地形，标准的干川峡形风口。可奇怪的是，风口上有沉土丘三座，累年风冲雨浇不坍，你觉得是何道理？"

朱瑱命没有马上说话，直到远处一道紫电闪过之后，他才启唇缓声说道："南侧土丘南斜北立，垒石夯土，可挡南雨浇刷。北土丘两楞成交，丘面平整，可破西北风冲。两丘均为人造护形构筑。中间土丘虽看不出其中构造，不过能专用两座人造构筑护形，绝非平常丘体。"

"高明！我告诉你，中间土丘环走之势为卧驼形，西面入风口原为弧挡[1]，对此你又有何看法。"鲁一弃问。

"这种局相为《堪舆阴阳抉》上所记的'玉藏金斛[2]'，如果确是如此，那此处该是帝王居室为流土所埋。"朱瑱命回道。

"生室还是陵室？"

"很难说。如果是生室，何用聚土为丘，如果是陵室，又不必构筑挡雨流风。具体要见到室顶才能辨知。"

"对了，此丘还有种异象，就是土附不动，水滑不吸，草树不长。"

1　弧形的挡面，风水中作汇流聚气用。

2　《堪舆阴阳抉》上所记。是堪舆学中一个极好风水地的名称。其意为三面高岭一面低岭，口小肚大，就犹如一盏倾斜的青铜斛。朝向尽受日月，可养石如玉。此风水地不但可吸收日月精华不散，而且还是个可攻可守的军事要口。所以一般都选这样的地方建造帝王都城或宫殿。

“尘土自聚？那么其中定有异宝奇珍！”说这话时，朱瑱命眼中有光彩一闪而过，“既知此异象，这几日你又为何另探他处？”

“这自有道理。那两处中的一处为步罡位，百丈高的土梁横卧流川阴阳向，第二处为心罡位，二十八个土包倒摆西南反星宿位。第一处距此七十二里，为天星数，第二处距此距此三十六里，为地门数，那两处与此处的壬罡位正好呈三阶土状。”

“你是说此处气相列天星开地门，却又偏偏出现横卧阴阳、倒反星宿的现象，是因为土宝移位？”

鲁一弃没有回答，而是轻声说句：“将你的人唤出来动手吧。”

“还有个问题，此丘如果是生室，其入口应该在南侧，如果是陵室，入口该是在东侧。我们该从何处下手。”朱瑱命还问。

“双管齐下。你我的人混作两拨，由两侧同时下去。”鲁一弃的做法很公平，两家人混在一起，相互监视，无法藏私。

“这样很好，只是我必须与你一路。”朱瑱命的要求似乎很合理。

“行！”鲁一弃脸颊微抖了下，没人看得出是在笑还是在难受。

三丘土

人员很快确定，鲁一弃带倪老七、利鑫和六名大帅府侍卫从东面下手。他们这边还有朱家的朱瑱命和红眼人，再有七八个从黑暗处和沟堑中冒出的人。然后其他人在盲爷、聂小指、吴副官带领下，加上朱家萨满模样的人，白天隐身榆树后的白衣服老头，和十多个一色着黄布裹头披风的人，从南面下手。

“有人已经动手破土，在正西和西北方位。”盲爷将盲杖戳入地下，手掌拢杖尾为蜗，贴耳细听，“正北也有了破土之声。”

很怪异的事情，鲁家和朱家还未动手，却突然出现另外几方抢先下手了。

“看来我们早就被人盯上了。”鲁一弃说。

“也或许是有人刚刚放出消息。”朱瑱命也说。

鲁一弃知道自己带的人无法与朱瑱命的手下相比，人家训练有素、组织严密。而自己这边是群乌合之众、各有所图。真要有人走水的话很大可能是自己这边的人。

“那么现在该怎么办？要不朱门长再调些人过来，把那几路人驱走。”鲁一弃不是出难题，他知道朱家绝对有这样的实力。

“就这些个宵小之徒，何用再调人手，一会儿就让他们停手住声。”朱瑱命的语气中有种狩猎的兴奋和快感。

红眼睛的怪人听朱瑱命说完这话，转身走了，一会儿便提来两个大麻袋。麻袋中瑟瑟作响，起伏拱涌，一看就知道装了许多活物。

红眼睛看了朱瑱命一眼，朱瑱命微微点了下头。于是两个大麻袋被提到中间那个土丘边上，打开麻袋，倒出两个黑糊糊的大团子。然后又从腰边的一个布囊中抓出些什么在挥洒。

大帅府侍卫中有两个好奇的，打开随身带的电棒子，想看看那两个大团子到底是什么东西。但他们马上就后悔了，因为那两团东西足够他们做一辈子的噩梦。

一团是先前已经见过的“尸血蜈蚣”，还有一团是大大小小各种颜色花纹的蛇。这蛇虽然花色大小不一，其实都是一个品种。《异虫谱》上记其名为五色片带蛇，这蛇不但齿含剧毒，游行如电，而且还能收缩躯干成片带状通过窄小缝隙。

两个侍卫马上关了电棒，这么两团蠕动纠缠的恶心东西，看着能不当场呕吐，已经算得上是意志坚强了。

“不用关，等会儿我们还要高挑明灯大张旗鼓地干。”朱瑱命更加兴奋了。

但侍卫们终究没敢再打开电棒。等朱家手下将十数只豚油托盏点燃时，那两大团的蜈蚣和蛇已经剩下没有几个了。

“奇怪，都钻哪里去了。”利老头轻问了一句。

“都钻到那土丘中去了。”鲁一弃答道。

“是的，不管是‘尸血蜈蚣’还是五色片带蛇，在阴血粉[1]驱赶下会见缝就钻。我们以毒虫开道，由虫迹觅筑痕而入。至于那些不速之客，我要他们入土两丈，自掘为坟。”此时朱瑱命身上的道家之气已经荡然无存了。

“这是其一，其二可以控制我们这些人进入土丘之后的行动范围。有这些毒虫我们就必须与你的人同行，只要离开，或者利用机关弦栝摆脱你们，就会受到毒虫攻击。这就等于给我们上了副镣铐，将我这边的人牢牢拴在你们身边了。”鲁一弃脸颊上的肌肉又微颤了一下，这次很明显，不是在笑，而是难受。

听了这话，朱瑱命面色依然平静，只是这平静中能体味出些许得意。

朱家的破土高手个个身手不凡。他们所携的大捆布包中有许多怪异工具，如收链莲花钢抓、摇尾钉齿球、曲杆兜耙等等，这些工具对于探挖地下构筑非常实用。所以破开土丘根本没用倪老七动手，他只是跟入。

“丈二深度，横竖双石弓方圆[2]，均为流聚黄土。”

“丈八深度，横竖双石半弓方圆，均为流聚黄土。”

“二丈四深度……”

随着挖掘深度的增加，不时有人向上面的朱瑱命和鲁一弃汇报进展情况，但结果却很不明朗，始终未曾发现一点特异的现象。如果说有什么意外的话，就是在两丈多的深度中没有发现红眼人刚刚布下的毒虫，而另三路不速之客也没有停止挖掘，相反速度更快了。

土丘上开洞，由于传音回响的作用，可以清晰地听到不明来历的三路和盲爷那一路挖掘的声响。从声响上辨别，那三路中有两路人手众多，还有一路却是人手单薄，奇怪的是，偏偏这一路掘进的速度是几路中最快的。

“三丈二，横竖双石二分弓方圆，流聚黄土，见彩扁龙（五色片带蛇）一条下土入隙，敌三路异常。”

是的，当深度到达三丈左右时，那三路声响突然一阵杂乱，随即挖掘声变得若有若无，看来是那些毒虫扣子起到效用了。不过其中人手单薄的

1　阴血粉，月经日在初四至初七、二十七至二十九的女人经血制成。

2　朱家独有的量数，为两张弓长、两张弓宽，大概在四平方左右。

一路稍稍停顿后，很快就又恢复了进度，这情况让所有人都感到不安。

“四丈二，横竖双石半弓方圆，见黑沉土，有夯痕。”

听到这消息，鲁一弃和朱瑱命心照不宣地对视一眼。

“整五丈，见灰白土，有夯痕，夹指块大小细碎石。”

朱瑱命盯着洞中说：“一道黑沉土，二道灰白土，这里不是生室。”

鲁一弃背手远望天边渐渐变得频繁的闪电，回道：“也不见得是陵室，地宫宝室也有这样筑造的。”

大概又过了半个时辰，下面挖出的灰白土中逐渐没了细石子，而变成人工铡碎的茅草，再往下变成黏土夹杂茅草。

“我下去看看。”朱瑱命终于耐不住了，欲念让他又败了一局。

“好的，我跟在你后面。”鲁一弃虽然面色和语气极度平静，心中却早已经煎熬得有些受不了了。

“下面有排木。”还没等两个人下到洞中，就又有信息传上来。

“排木？室顶为排木，莫非是传说中的黄肠题凑。”鲁一弃知道，汉代以前墓葬，最高等级就是黄肠题凑。这种墓葬都是帝王亲用，或者由皇帝亲赐。可“土”宝移位是在元初，这在时间上差了太多。除非是丘处机的弟子们借用古汉墓为宝构，将“土”宝藏于其中。

“取段木头上来。”朱瑱命也有疑虑，但他却在进一步验证。从这点看，他比鲁一弃要老道周全得多。

下面送上来的不但有木头，还有竹子，但都已经腐透。两种材料的直径大小非常相近，都是碗口粗细，明显是经过挑选的。

“木头与竹子比数如何？”朱瑱命问下面这两种材料的比例情况。

“四木一竹嵌位排列。”

朱瑱命又将取上来的木头一下掰开，看了看木芯，然后递给鲁一弃。

鲁一弃学习的各种典籍涉及古墓的很少，所以对递过来木头有些茫然，不知道掰开的腐木中应该看出什么来。但鲁一弃还是仔细地看了，并且最终得出个幼稚的结论：“这木头中间是灰黑色的。”

朱瑱命很满意，因为幼稚的结论正是问题核心：“真不愧是鲁家门长，一语中的。黄肠题凑用的是黄芯楠木，而这木头虽然已经腐朽辨不出，但木芯却不是黄色。而且夹竹而排，竹子空心，且具韧性，在木料受潮和干燥后，可以用作伸缩缓冲。由此可以判断，这排木只是构筑外框的封土面，不是黄肠题凑。”朱瑱命对地下墓室的了解要比鲁一弃丰富得多，这和朱门为复得天下敛积财物而大量盗取墓葬有关。

“封土面？难怪上面都是流聚黄土，原来这才是挖掘地下构筑的开始。”鲁一弃说的没错，封土面的作用是防止外面水土流入地下构筑，是墓穴、地宫最外层的防护措施。

“那敌三路进展如何？”鲁一弃这话是学的朱家手下，朱家人和一般江湖人不一样，用的切口术语与军队相近。

一个拖着筐子的朱家手下正好从鲁一弃面前走过：“人少的一路赶在我们前面，人多的两路早被甩下，不过现在都听不到什么响动了。”

“等等！”朱瑱命突然发现到什么。

鲁一弃这是第一次听到朱瑱命如此大动声色的呼喝，心中不由一紧，自然之势随之而成，纵横气相腾然而出。

朱瑱命立刻察觉出鲁一弃的气相变化，他以为鲁一弃也发现了自己看到的异常，心中暗自感慨英雄所见略同。

“给我看那筐土。”朱瑱命吩咐手下。

那筐土里有一半是沙子。

“这筐土是哪一层出来的？”朱瑱命问道。

“这是破开排木后的第一层土。”

“后面的呢？”

后面的正在从洞中往外运着，接连几筐都是土少沙多，最后两筐几乎全是沙子。

“怎么没等吩咐就入到排木里面，也没人回土层变化。”朱瑱命微微显出些怒容。

“不是我们，是那倪家七爷，他像是在跟什么人赛拼手段，径自破排木而入，并且越挖越快。”朱家手下回道。

鲁一弃虽然不懂盗墓，但凭着在琉璃厂时的听闻以及后来倪三教给他的一些盗墓常识，他知道这倪老七已经犯了盗墓家的大忌。破取地下之室，越往下去，接触到机关坎面的可能就越大，应该放慢速度加倍小心。现在下面虽然土层变成沙质，挖掘容易，但沙与土相比，其质更为活性，土中不能启动的机栝扣子，在沙中却是可以实现动作的。

“现在下面方圆多少？”朱瑱命的神情有些焦急。

“已经看不出，下面出现了许多石头，倪七爷在绕弯寻隙而进。”一个刚好从洞口冒出头的朱家手下听到了朱瑱命的问话，赶忙回道。

“下去，让他快停手。”朱瑱命说话间，在刚有半个身体露出洞口的朱家手下肩膀上一踏，一股大力让那人像条泥鳅直滑倒洞底。

刚到洞底的那个人马上又嗷嗷叫着往上爬，在他的叫声中，朱瑱命还听到有石块的碰撞和沙土的坍塌声。

“嗨，晚了，流沙填石动了，这倪家老七真个猪脑，连个流沙填石都不懂。”朱瑱命话语中很是惋惜。

“被埋了？下去人手挖救呀。”鲁一弃也知道出事了，却没有显出丝毫慌乱。

“洞中窄小，无法下手移开大石。而且他进入时绕弯寻隙，填石后失去了具体位置。所以要从流沙填石的坎面中救人，是急切不得的，需要费大手脚。”朱瑱命的语气很诚恳。

“那就算了，但愿吉人天相，那倪七能撑到我们破开坎面。”鲁一弃的语气很冷漠。

就在这时候，另一路也传来消息，吴副官手下两个侍卫被埋到流沙填石的坎子中。

听到这消息，鲁一弃心里生出疑虑：为什么两路遇难的都是自己的人？流沙填石坎面朱瑱命知道，而那些专职的破土高手竟然还不如一个门长？还有那倪七到底在和什么人比赛，拼全力往下挖。莫不是中邪遇鬼了，还是根本就是和个鬼魂在比赛？

朱瑱命看出鲁一弃的疑虑，为了表现自己的清白，他主动提了个建议：“下面这种情形，必须用糯米汤封流沙才能继续深挖。我们把东西备足了再来，由我的人打头。”

听起来很合理、很诚挚的建议，鲁一弃却瞧出其中许多的不妥。朱家神出鬼没又人手众多，这里现有的人手退走后可以再来一批继续挖掘，这就将鲁家人支开了。还有不明身份的几路人，他们为什么不会也是朱家人？再有一点，也许只有鲁一弃心里知道，就是白天在朱瑱命这里得到的收获，要想为用，也绝不能等到明天。

一道闪电划空而现，持续的时间很长，让人们相互间都能将对方惨白如纸的面庞看得清清楚楚。随着闪电而来的是隆隆雷声，就在头顶滚动。远在天边的雷云在人们毫不知晓中来到了。

“我想和我的人单独商量一下。”鲁一弃的要求一点不过分。

可朱瑱命怎么都没想到，原以为单独商量只是要自己这方回避，可没想到他真的是一个人一个人地在商量。

雷声搅乱了一些人的听觉，所以没有一个人知道鲁一弃和另一个人说的什么。而且鲁一弃不但是和盲爷、利老头、聂小指、吴副官单独商量，就连那些侍卫他也都一一耳语。

朱瑱命出汗了，他有种被人当猴子耍的感觉。此时他开始有些后悔将祖传的屠龙宝器交给鲁一弃，虽然这个饵下得恰到好处的，但最终能否鱼、饵俱收，似乎有忐忑之数。

鲁一弃好不容易逐个商量完了，就像个意犹未尽的啰唆娘们儿。

朱瑱命也终于将心性调整顺畅，重又显出几分道家风气。

只是此时雷云已经完全笼罩在他们的头顶，频繁的闪电让人形在黑白之间快速替换，震耳的雷声让人们间的对话变得断断续续，过川风扬起滚滚浮尘，雨就快来了。

天将淋

“商量的结果如何？”朱瑱命问缓步走向自己的鲁一弃。

“不挖开这里我们决不离开。”鲁一弃的语气很坚定。

“可是现在已经无法往下挖了，再要是雷雨骤至，积水泥流倒灌，下面就更危险了。”朱瑱命没想到会是这样的答复。

“你说得没错。所以该轮到我下去了。”

“你下去？”

“对。”

“如果我阻止你呢？”朱瑱命觉得自己在被耍弄。饵和钩子都脱离掌握，那还能指望钓上什么？

“你不会，也不能。”鲁一弃有些紧张，毕竟面对的是一个无法度量的高手。

“也许。”朱瑱命眼睛死死地盯着鲁一弃。一道闪电划亮天地之间，于是朱瑱命看到鲁一弃脸上流露出的紧张，这个年轻人在各种困境下都没有紧张过。现在却情绪异常，莫非是已经发现宝物迹象，想瞒过自己独得？

“也许我阻止不了你，但我可以在你进入后采取一些措施。”朱瑱命这句话很中要害。

“我说过你不会，也不能，因为你要和我一起下去。”鲁一弃状态眨眼间便恢复了。经过最近这些日子的江湖奔波，他发现自己越是面对极度危险和压力，越是能够镇定。

“我有理由和你一起下去吗？”

“有，因为我们的交易才开始，因为你希望交易能够成功，而且……而且下面有你们放的毒虫。”

“看来我和你已经栓死在一起了。”朱瑱命说这话时没有一点无可无奈何的味道，因为他觉得无可奈何的应该是鲁一弃。

鲁一弃环顾了一下周围的人，然后说话声变得婆口佛心般柔缓：“不过下面的确很危险，你是不是亲自下去还是再考虑下，不要到时后悔。”

朱瑱命坚定地点下头：“我们必须一起找到那条绳，希望你我最终都能无悔。”

一道刺眼的闪电亮起，电光中鲁一弃和朱瑱命两人在相视微笑。也就在此时，蛋卵大的雨滴打将了下来。

朱瑱命只是使了个眼色，手下人立刻动作，眨眼间便在已经挖掘出的洞口上架起一个油布棚，在洞口周围圈起一道土埂。雨水倒灌之虑基本解决。

雨水容易解决，但要解决流沙填石和其他可能存在的坎面，就完全取决于下去人的能耐了。

鲁一弃带下去两个人，一个是聂小指，另一个却是吴副官手下的侍卫兵。

朱瑱命突然发现自己走眼了，那个穿着不合身军装的白胖侍卫，虽然看着像个不会笑的弥勒佛，动作也很是慵懒缓慢，但举手投足间，却带有锋芒之相、屠杀之气，这是个高手。

朱家也确定了人手，朱瑱命是要亲自跟下去的，因为除了他自己，他觉得朱家眼下没有一个人能将鲁一弃盯死。另外下去的两个人，一个是白衣服的老者，他是那群破土高手的头领，应该下去。另外一个就是红眼睛怪人，这家伙会驱使毒虫，摆弄尸骨，更应该下去的。双方人数虽然平等，但朱家却有先布下的毒虫，红眼怪人还能利用下面的死人和尸骨，这样看的话，其实朱家占着很大优势。

首先下去的是聂小指，下去前，他将防水倒灌的土埂掏开个缺口："这里别堵，让水流下去，有用处。"

朱家的手下看了朱瑱命一眼，朱瑱命微微点了点头。

随后是白衣服老者，再后面是鲁一弃和那个白胖侍卫。白胖侍卫此时已经脱了个光膀子，露出浑身白肉，圆滚滚的。

朱瑱命和红眼睛怪人在最后面，他们有点像押着一群犯人的衙役。

倪老七和朱家破土高手挖出的洞很坝实。和着泥浆的雨水哗哗流下，未能将夯拍牢固的洞壁带松一点泥土。

聂小指下到排木封土的地方停住，然后抬头问上面那老者："可不可以从此处另开一道渠儿？"

这老者虽然是朱门中人，出身却是盗墓四大家的"獾行宗"。

盗墓四大家中，"只手派"是人不入墓，开小洞以器取物，虽然轻松安全，获宝却不丰，它与四大家中另一家"兽儿索"招数接近。"兽儿索"是开启小洞，然后利用驯兽取物。而"獾行宗"与"移山断岭"两家都是以人力挖掘而入。不同的是"移山断岭"是大幅度开挖，"獾行宗"是掘洞而入，挖功上虽然不如"移山断岭"，但对深挖洞道、加固防塌却有独到之技。

聂小指的要求对于“獾行宗”的高手来说是小菜一碟，那老者三下五除二，横切斜下便新开出个洞。当再次挖掘到嵌竹排木时，老者用钨钢月头尺条铲小心翼翼撬开排木，然后与聂小指交换了位置。

“这沙子里没毒虫吧？”聂小指没动手就先害怕了。

连毒虫的主人都下来了，那还有什么可顾忌的。

但聂小指问这并非没有理由，他做事不用工具，只靠一双空手，指力虽坚，却怕遭到毒虫蛰咬。

“放心吧，包你没事。”这答复虽然是獾行宗的老者给的，但聂小指信了。

娴熟的操作开始了，聂小指先用手扫开腐碎木屑，露出沙面，手指在沙中插抽几下，测试出沙子的潮湿度，然后将整个手臂慢慢探入沙中，这是在寻探沙中填石的所在。

“放些泥水过来，再让上面接些碎石下来。”聂小指回头嚷嚷着。

要求才提出，背后的老者短铲飞舞，一条水槽蜿蜒而下，沿洞壁将上面流下的泥水送到最里面。

而后面的白胖子侍卫抬头朝洞口高声吆喝一声：“接些碎石下来——”。白胖子的声音很是脆亮悠扬，吆喝的调子也和市场上做买卖的很相像。

有了泥水和碎石，聂小指便开始大显手段了。

流沙填石，是许多古墓外围常用的机栝。它是在一定深度范围中注入细沙，沙中夹藏大石，这样盗墓人在挖洞入墓时，沙流石动，盗者瞬间被埋。聂小指虽然不是盗墓行家，却是黄海滩涂上的挖贝魁首，最熟悉的东西就是泥沙了，所以他有法子安全通过流沙填石。

滩涂上的沙土泡足水后就非常坚实，需要不断踩踏，让其中水分渗出后才变得松散。所以朱家所说是用糯米汤封流沙虽然是好办法，却不是唯一的办法，除了糯米汤外，泥水也可以封固住流沙。而且土丘上的聚土很有黏性，洞下面还有大段的黏土层，这些和水之后的封沙效果不比糯米汤差。

聂小指的做法是先摸准填石位置，用碎石塞补虚架的空隙。然后让流沙吸足水并将其拍实，最后再用黏性稀泥糊封壁面，这样就不会发生坍塌了。这样做法最重要的是要有水。也真是天照应，大雨适时而至，保证了水的来源。

当填石被支撑稳当了、湿沙拍实，聂小指开始五指齐插，用手将湿沙大块挖出。

背后的老者是行家，他一眼就瞧出聂小指用的是极为稳妥的挖沙方法。只有用手去挖，才能及时发现沙子中藏有的东西，才能控制合适的力度不会带动填石动作，这是任何工具无法替代的。而且湿沙虽然被拍实了，要不是双手手指上带着虚捧悬提的力道，那沙子是无法被大块掏出的。

流沙填石中的洞口越来越深。继续往下是不能直接踩在洞壁上的，也不能借助旁边的填石做落脚点，所以只好在上面土洞中撑起一根横木，然后用绳子将人慢慢放下。

“好像见顶了。底下是大面子，没沙了。”聂小指喊了一声，语气不十分确定。

那老者想和聂小指换个位置下去看看，可聂小指坚决不肯上来。他是怕将最早进入暗构获取最多好处的机会让给了别人。

“那你说说是怎个情形。”老者见聂小指不让位，只好在上面问。

“底下大面子的材料有点像木头，可是没有纹理，水洗后白中透黄。”

“咦？”老者现出一种奇怪的表情。

“好怪哦。”鲁一弃背后的白胖子也在疑惑。

“摸着又滑又糙，指击如破竹，拳敲似闷鼓。”聂小指继续将发现传话上来。

老者毕竟是“獾行宗”高手：“拳敲如鼓说明下面为空，指击如破竹，说明附近有裂纹，也可能是交叠连缝的位置。这也许真就是室顶。”

不过这老者却没说顶子的材料是什么，也或许只是不愿告诉别人。

白胖子却是知道的，他趴在鲁一弃的耳边说了两个字。

“骨头？未见墓顶先见骨，不会吧。”朱瑱命竟然听到白胖子耳语的“骨头”两字。

洞壁拢音传声效果好，再加上朱瑱命听风辨音的功力高，在这个小范围内，不管什么耳语都逃不过他的耳朵。鲁一弃知道，应对这种状况的办法最好是不交流。

其实朱瑱命一语道破耳语内容是要给他们一点震慑，让他们不要在自己面前玩花样儿。因为鲁一弃的表现让他感觉越来越诡滑。从进到洞中来的行动和表现来看，这个年轻人动作迟缓臃肿、碍手碍脚，根本不像个练家子，所以朱瑱命心中忐忑了，自己完全摸不清对方的底料儿，更无法料算对方的下步打算。自己对手下那种见情了心、见行知果的能力在这年轻人身上完全无效。

“以骨为顶？那要用多少骨头，那该用多大的骨头？”鲁一弃显得很懵懂好奇。

“天下之大，无奇不有。”朱瑱命弦外有音。

“是的，林子一大，什么鸟儿都有，人头一杂，什么招儿都会。”鲁一弃说的是同一个意思。

就在此时，朱瑱命发现鲁一弃身上没了那种让人震惊的气相。怎么回事？洞里洞外换了个人？

没错，鲁一弃此时无法进入到自然的状态。人都是这样，心中存着某种强烈欲望时，就再难静心凝气趋于自然。

“是两块板子的连接，我要抠开它了。”没有人阻止聂小指的行动，虽然这样的行动是有危险的。

“下面黑乎乎的，什么都看不见，落个亮盏子下来吧。”聂小指已经抠开了板子。

一盏盗墓家常用的防风琉璃盏用马尾弦子线吊放下去，这是“獾行宗”老者随身带的物件。

“下面是空的，挺高的。”聂小指说着话，将手旁一块碗大的石块扔了下去。石块在下面跳滚几下，发出空洞的声响。

“听动静底下的面儿挺实，能下。”朱瑱命判断道。

“那我就下去，老头，给我再放些绳子下来。”聂小指有些迫不及待地兴奋。

依旧没有人加以阻止，朱家的老者也迅速将吊绳放了些下去。

随着吊绳一紧一晃，聂小指不见了，只能见到随着他一同下去的琉璃盏的光亮。

但那光亮也没下去多少，就听见下面一声惊骇的“哎呀！”与此同时，防风琉璃盏的光亮直坠而下，最后传来一阵破碎声响。

老者不是第一次遭遇这种情形，所以反应很是迅速。他一把抓紧吊绳，往上用力提起。

老者的力量很大，可是却一把拉空了。手臂大力甩出，将洞壁上的流水、泥沙击得四溅开来。

“快下！”朱瑱命轻喝一声。下面有危险！下面有怪异！但朱家的人与别人不同，他们不会因此惊慌、退缩。危险和怪异往往意味着最大的获取，面对获取他们可以不惜一切代价。

老者闻言将绳头在横木上一甩缠绕成一个盘花扣，然后单手顺着绳子直滑下去，下去的过程中，另一只从怀中掏出明火筒，单手捻晃点燃。

“不要用明火！”鲁一弃虽不是盗墓家，却知道久封的地下构室很可能有沼气积聚，明火会导致燃爆。

摇曳的火苗快速落下，静止，连个大的闪晃都没有。也许是鲁一弃多虑了，也许那老者早就嗅闻出下面没有沼气味道。火苗很宁静，下面的状况也很宁静。

“他不在下面！”沉寂许久后，老者才朝上喊了声。这时间已经足够他将很大一个地方仔细查寻一遍。

“有其他通道吗？”鲁一弃感觉事情很蹊跷。

“有一个，却未开启。”

“人走了再关上，也是未开启。”白胖子侍卫第一次大声说话，带着浓重的陕西味儿。

朱家人和鲁一弃都清楚老者的未开启是什么意思，所以没人搭理胖侍卫，他的外行话听着像胡搅蛮缠。

见大家都不理自己，胖子便又说：“还是我下去瞧瞧吧，他老眼昏花的，别‘裆上开洞——只瞄脚面’了。”说完他一侧身，从鲁一弃旁边挤过，然后攀住绳子直滑下去。

朱瑱命和红眼睛怪人都愣了一下，因为胖子刚才的动作让他们都觉得有些不可思议。鲁一弃的位置是在洞穴中间，他旁边的空隙很小，就是盲爷那样的身材也不一定能顺利通过。可这白胖侍卫不但过去了，而且连鲁一弃的衣襟都没碰。还有，那流沙填石中的洞穴聂小指挖得极小，而且有曲折之处。“獾行宗”老者下去时还碰触了些地方，可这胖侍卫一滑而下，竟然连一粒沙子都没有碰落。

“缩骨功？不像，缩骨之术转换没那么快”朱瑱命在自言自语。

“呵呵！他还缩骨，我瞧他是肥肉功还差不多。”鲁一弃很难得这样调侃。

“喂，你们也下来吧，这鸟裤裆我实在看不懂。”那胖子侍卫刚下去就乱叫开了。

“哎！你们等等，我是有残缺的人，你们可得想法子先把我放下去，要不然我可待着不走了。”这是事实，垂直的窄小洞穴，只有一只左手的鲁一弃是不太好下。

但这只是对一般人而言，而在别人的眼中他明明是个绝顶高手，偏偏还自贱要赖，要人家门中门长和绝顶高手弄他下去，这是明目张胆的戏弄。红眼睛的眼睛更红了，他一步从朱瑱命旁边窜过，双手直抓向鲁一弃。

飘磷骨

“帮鲁门长拴挂好，小心放下去。”随着朱瑱命的一句话，红眼睛的手停在了鲁一弃的右肩上。

瞧着红眼睛的窘样，鲁一弃开心地笑着。

“不要急，我和朱门长拴在一个绳扣上，谁先谁后一样。”鲁一弃保持着开心的笑容。

红眼睛怪人麻利地动手了。他用绳子系在鲁一弃的右臂肩弯下面，将他慢慢滑放下去。

鲁一弃下去后，红眼睛怪人回头看着朱瑱命，嘴唇无声地动了几下。

朱瑱命眉头微微一皱："此人心机叵测，我们以不变应万变，只管盯死他。"

红眼睛怪人点了点头，往后一个退翻，身形便消失在洞口。

朱瑱命到下面时，"獾行宗"的老者已经燃起一个火堆。这下面原本就有堆乱木，点燃后便能将这个封闭很严密的空间照得亮堂堂的。

三面是土，一面为墙，墙上有一个方形开阖子（通道门）。室顶是以片板搭接为拱，而他们下来时在顶上破开的洞，已经影响了拱形的稳固性，在流沙填石的重压下，显得岌岌可危，随时都可能塌落下来。

地室结构很简单，行家只需扫看一下，就能确定出许多东西。

"这里没固顶子，看来我们没入对地方，按道理真正的暗构应该在墙的另一边，而这里只不过是甬道的尾端，也可能是修建暗构时材料暂存转运的所在。"朱瑱命一下来，那老者就赶紧向他汇报。

"鲁门长，你觉得呢？"朱瑱命意味深长地问鲁一弃。

"我的人哪去了？"鲁一弃想知道最先下来的聂小指怎么会不见的。

"不知道。"老者是真的不知道。

"无迹可寻？"朱瑱命插了一句。

"不是，有迹，却不知如何去寻。"老者说这话时，声调突然显得有些悚然，就像被鬼掐着脖子。

"什么意思？"连朱瑱命也不由一怔。

"痕迹很多，我们未入之前像已经有不少人来过。而且此处地无积尘，壁无霉痕，角无苔印，到处可见刮扫痕迹。在左墙脚前有尘块，为踩踏痕。"老者将查到的各种迹象告知朱瑱命。

"日转头多？（时间很长了？）掘墓财的挠道子？（盗墓人留下的痕迹？）"朱瑱命开始用切口暗语，因为他觉得不能所有细节都让鲁一弃知道。

"烟息嘴烫（时间就在最近），三餐常客（经常出入），像是驱灰子的把子（痕迹像是有人在打扫这里）。"老者回道。

“你可别吓唬我，我胆子小，怕鬼。这四面全封得实实的地方，深得差不多都要碰阎王殿的瓦楞子了，你说有人常来常往，还在这里打扫，除了鬼么子，还能是其他什么歹玩意儿？”白胖子侍卫竟然听得懂他们的暗语。

“鲁门长，那就还要你来仔细辨辨，拿个断论出来。”朱瑱命没搭理那胖子，而是把个没把的烫手壶丢给了鲁一弃。

“有没有查看墙质、土质和脚下踩面？”鲁一弃问道。

“还未来得及。”

“那么墙体砖形对巧，以及墙面与土面交合叉接有没有查？还有那未启过的开阖子是虚面子（做假的门样子）还是实窍子（真的通道口）。”

“什么意思？”那老者不懂鲁家这套理论，显得有些茫然。

朱瑱命明白鲁一弃的意思，走到那墙体与土面的角落里查看起来。

“呀！这里不但是虚面子，而且还是面雾子（表面的假象），两相替换了。”白胖的侍卫对鲁家的一套比那老者明白得多，稍加查看便大声嚷嚷道。

“不错，确实是墙为土，土为墙，你们看这墙砖，撬开只有指厚，完全只是为布形所为，不作承重。开阖子根本就是实缝子，无法开启的。另三面的土壁却是累夯而成，杂有麻条、荆稞，有可开阖的条件。”鲁一弃查辨后得出同样的看法。

“那土壁之后有通道？”朱瑱命关心的是这个。

“没有！”这点老者可以肯定。

“三面都是基垒壁，脚下是整面石，不存机栝。”鲁一弃也很肯定。

“那你的人会去哪里？”朱瑱命需要的是个合理的解释。

“你这样问好像是我的人在故意躲猫猫，藏掖着些事情不让你们知道。其实这话不该问我的。”鲁一弃的话很挑理。

“那该问谁？”

“问打扫这里的人呀！”鲁一弃突然压低了嗓音，拖长了语音，让人听着汗毛簌簌。

朱瑱命是个博采众长的奇才，所以他能洞悉别人的心理。年轻人的装腔作势、故弄玄虚往往是在炫耀，因为他已经看出窍要所在。

“你们仔细查辨那些打扫痕迹，这里的打扫不是为了清爽，而是要掩去弦尾子所在。”朱瑱命眼珠一转，从鲁一弃的话里找到线索。

“厉害！不愧是门长。”鲁一弃嘴里出来的恭维显得生硬且虚假。

“还是你厉害，蛛线蚁行般的掩面儿都逃不过你的眼睛。”

“你大概误会了，我没发现什么掩面儿，只是觉得此处的打扫没必要也没意义。”

朱瑱命背着手，鲁一弃抱着手，两个门长都面无表情地看那三个人仔细查找。

“在这里！”说话的是“獾行宗”的老者，发现线索的却是那个红眼睛，他正用手指描绘一个曲折的轨迹给那老者看，那位置是在一面土墙的中腰位置，贴近一侧交角线。

“没错！”老者言语间很是兴奋，“麻线粗的扫痕，间隔有两铲刃（大概三毫米左右），两扫痕间有连线，然后从另一扫痕往上半铲宽，再一连线至又一扫痕，如此反复，最终曲折为环，方圆九分弓（0.8平方米左右），这该是个洞口。”

“有开启括把或者弦匙了吗？”朱瑱命问。

老者没有回答，他要再次细细查辨后才能做出答复。过了有一袋烟的工夫，老者有些沮丧：“没有，看来这好像是个窍填口子[1]，不知道以何为模而做，手艺太高了。”

鲁一弃终于耐不住好奇心，走上前去仔细看了一回。等鲁一弃看好退后了，朱瑱命这才踱步过来，也看了看。

都查看完后，朱瑱命问：“鲁门长，瞧出什么了吗？”

“没有。”鲁一弃很真诚地回答。

朱瑱命也没有看出什么来，不过他却提出了建议：“没弦栝的窍填口子，开启的方法无非四种，推、拉、旋、翻。这平滑土面无填口把子，应该不会是拉，曲折边沿也不可能为旋，而曲沿之面又非对称，还不能为翻，所以你们只好先试着推推。”

1　用模子做出可合可分的两部分。

老者听朱瑱命这么说，马上单掌五指叉开，按压在那块土壁上，然后逐渐加力，试图推开那个窍填口子。只见他手掌的骨节、肌腱渐渐突起，血管、经脉也蹦跳起来，整个掌背在变红、变紫，由此可知，加注在土壁上的力量已经极大。

“算了，别费劲儿了。我刚才说过这里没有通道的。”鲁一弃说。

“那这里是什么？”老者被鲁一弃搞得有点晕。

“这里不是通道，而是地下构筑最终的封口。从你刚才开启的结果推断，这窍填口子可能用的‘倒落塞’，楔口往里斜落，推是推不开的，只能拉。可这边没有括把子，如果那里面再加上关栅横挡，那就只能从另一边开启。”鲁一弃所说朱瑱命其实也看出来了。

“那么这里是没法进了？”白胖的侍卫在问，问得一点都不担心，他好像能确定鲁一弃知道打开的方法。

“有法子进，而且很简单，朱门长最擅长此道，解不开可以破。”

胖子侍卫听懂了，他从裤腿里抽出一把小刀，很尖很锋利的小刀。和平常小刀不同的是这刀弯曲得很怪异，刀身的宽窄、厚度各个部位也不一致，应该是和各部分的弯曲有关系。虽然刀的样式很复杂，可胖子用起来却很弱智，抓起刀就往土壁中戳，鲁莽得就像是在杀猪。

锋利的刀身每一下都能完全戳入土中，所以当那窍填口子上出现许多刀口子的时候，那块土壁松了。老者再次按上手掌，稍一用力，整块窍口子碎了。

随着填口子的碎裂，一团银亮色涌了出来。

“水银流子！快退！”鲁一弃反应很快，急步后退，一个趔趄差点跌倒。

其他人都没有动，只是饶有兴趣地看鲁一弃的反应。这一次鲁一弃很丢脸，因为那团银色不是墓中常用的水银，而是一团纯度极高的磷火。

看着鲁一弃的狼狈相，不但是面色阴沉如鬼的红眼睛和始终严肃的老者觉得好笑，就连他带的胖侍卫都觉得好笑。一个门长，一个绝顶高手，眼神如此不济，胆气如此怯弱。

朱瑱命没有笑，他深深地皱起眉头。鲁一弃做作的表现，往往是玩幺蛾子的前奏，于是他的戒备之心悬得更高。

“哦，是磷光呀！吓我一大跳，还以为开了水银流子的启口了呢。哎，怎么会有这么多磷光的呀？”鲁一弃最后一句话提醒了大家，的确，就算墓室中棺椁尽碎骨骼尽散，也没这么许多光亮。

“磷光又为鬼火，这么多磷光，别是藏了很多鬼在里面吧。”鲁一弃说话时表情怪异，却不是害怕的样子。

“鲁门长还会怕鬼？你不搞鬼就已经谢天谢地了。”朱瑱命一语双关地回了一句。

“过奖过奖，彼此彼此。”鲁一弃面容恢复了平静。

一旁的白胖子侍卫似乎想到了什么，赶紧把聂小指刚才启下的顶面板找来。仔细辨别了一下后，他很肯定地说：“这真是骨头呀！难怪有那么多磷火。试想，连顶面都用了骨头，那里面的骨头还少的了吗？骨头多，那么磷火肯定也多。”

“看得出这是什么东西的骨头吗？”朱瑱命问。

“修整过，看不出来。”胖子很诚实。

“这骨头也该有磷火。”鲁一弃觉得奇怪。

“药浸火燎过。”老者抢着回答，看来他也不是第一次遇到这样的骨头。

耳听为虚眼见为实，再准确的推测判断都不如进到里面看一看。白胖子和鲁一弃跟在“獾行宗”老者的后面进入到隔壁地室中。朱瑱命进入前对红眼睛动了几下嘴唇，于是红眼睛坠在最后一个，在周围洒弄些东西才钻进隔壁地室。

都走了，没有人的空室中火堆依旧烧得很旺，但燃烧有时并不一定是为了照明，或许还有其他作用。

红眼怪人洒弄的东西弥漫了整个空间，很快，从顶上、角落、缝隙以及不知道什么地方出来了许多五彩片带蛇，堆缠在人们刚刚进入的洞口前。这些蛇是被召唤来阻断退路的。

也就在此时，穿过流沙填石下来的洞道口，开始有水流带着沙子落下，在洞口下方的地面上渐渐堆积起来。这沙堆会越积越大，分量会越来越重，而即将堆积起一个很大很重沙堆的地面是个未曾仔细查辨过的整面子。

满是磷火的地室里挺亮的，不需要再点什么亮盏子。朱瑱命从洞口进来时，仔细查看了一下口子面和窍塞子。和鲁一弃估计的一模一样，真的是反斜面的倒落塞。窍塞子里侧并没有关栅，只是塞子土面上有几个手指粗细的孔。由于窍塞子破碎，看不出孔中的土色，也就无从知晓这些孔是何时、何物造成的。

至于磷火产生的缘由，也和白胖子所说一样。这里面的墙壁是用大量白骨堆垒而成，就连室中的两个夯土支柱，也都嵌满了黄白的骨头。在墙脚和柱脚，更是堆满了零落的骨头。

不需要多加辨别，便能确定这么多的白骨都是人骨。对此几个人并没有感到惊讶，他们都知道，古代建造一个规模巨大的地下构筑，肯定会死去许多工匠、力夫。如果此地室确为陵墓，那么这些工匠、力夫的尸体都是就近入土，以便墓主在阴世驱用。还有些墓主后人，为保住关于陵墓的秘密，在陵墓完工后会将所有工匠杀死在墓中。

但这些人骨还是有蹊跷的，他们在其中没有发现到一个头骨。也就是说，这里全是无头尸。

查看洞口时朱瑱命心中已生疑虑，当看过这些尸骨后，他的疑虑更重了。但朱瑱命忍住没有提出质疑，因为不合适的时候提出质疑反会给别人狡辩的余地和防范的机会。他决定再等等，毕竟鲁一弃仍与自己拴在一道，钓竿还在自己手中，钩和饵也始终被自己盯牢着。

这个地室并不宽大，却是有些曲折。从洞口位置走到室底，每十几步就有个凸出。在第三个凸出位置的后面，他们看到了一个门，一个已经开启了的门，一个连接着深邃甬道的门。

那门正好是在整个地室的中间，距离两边室底距离相等。门对面的土墙与周围不同，不但没有白骨，而且土质稀松，土墙脚下地基是爬纹石。

“这里是正墓道，入口本该是从此土墙进入，而我们是由建墓时的工室而下，然后破壁入到这门室的。”“獾行宗”的老者向朱瑱命汇报。

“你凭什么来确定此处为墓，为什么不会是派其他用处的地下暗室。”鲁一弃不是强词夺理，到目前为止确实没有证实此处为陵墓的可靠证据。

“有一点可以证实！”老者针锋相对，这出乎鲁一弃预料。

“我知道，你是说这里有好多的骨头。”白胖子自作聪明地抢着说。

“这也算，却不是重点。你们来看，我们所处的这个门室的形状。两边四处凸出，两头平端弧角，像什么？”

“像什么？我说像个大食盒呗。”胖子又抢着说道。

“啊！你是说‘大夫棺’？”

地下天

鲁一弃脑中突然闪过一部残本典籍《烈臣传》，上面记载有汉代边域守臣薛寿，独骑赴匈奴，斥其酋首越境夺掠民众，结果被行“砧刑”，乱刀剁成一堆碎肉碎骨，并与泥土牛粪混做一道。后皇上念其德行，封为寿大夫。其后人部下为其做一口棺椁，此棺椁不分首尾位，两头同宽同高，平端弧角，内做四处凸出，其意是分出碎尸颈、腋、腰、膝，但凸出同大，不分头脚，将其碎尸装入其中安葬。世人将此种形状棺材叫做“大夫棺”。

此处门室的形状正是“大夫棺”的形状，这种装碎尸的棺椁形状就是平常陵墓都不会采用，更不用说地下暗构了。

“如果能确认此处是墓室，那鲁门长是否还坚持藏宝暗构就是这里？”朱瑱命终于开始了自己的质疑。

“要真是墓室的话，那我的判断可能就有错误了。”鲁一弃说道。

“难道不是吗？”老者对自己的判断非常坚定。

“你见过多少墓室用‘大夫棺’形做门室的？”鲁一弃知道，要进行下一步的计划，首先就要彻底驳倒这老者。

“有用此室型压住极凶恶徒的墓门，不让凶气外溢，也是防止其得到生气活血而尸变行恶。”老者回道。

“这么说我们不该继续往里探了？”

“是的。”

“要是这布置恰恰是个恐吓坎呢？”

老者无语，他在思索对语。

“这样的门室在一端开窍口起什么作用？”鲁一弃步步紧逼，“门室墙上嵌那么多骨头又是为什么？”

“嗯，这个，可能都是为极恶墓主所杀。”老者说出这话后，自己都觉得有些牵强。

“那么骨骼的头颅呢？”

这些问题朱瑱命也早就想到了，所以他就更急切地想知道答案：“鲁门长，你觉得应该是怎么回事？”

“很简单，这里的墓道、封墙都是假象，真正的入口其实是我们进来的窍口，‘大夫棺’形是为了吓住进入的盗墓者。而累累白骨一是可同样起到震慑作用，同时还可为拢聚宝气之用。”鲁一弃答道。

“拢聚宝气，这是从何说起？”这说法朱瑱命不理解也不相信。

鲁一弃微咳一声，清了清嗓子：“《土国论·杀伐篇》有……天下黄土尽埋骨，土下白骨化黄土，人之五行，骨为土性，终骨入土，是谓正归。朱门长，这段文字是需要我继续解释一下，还是我们继续朝前探？”

这话其实没给朱瑱命留下什么余地。如果要鲁一弃继续解释，那就显得朱瑱命浅薄了。他渊博的学识可以给出准确结论，他自负的心理可以做出断然选择。最终选择的是继续往前，虽然心中暗自觉得有什么不妥。

琉璃盏已经摔碎，幸好刚才老者从隔壁地室的火堆上抽出两根木棍做了两支火把，这光亮足够他们继续往前探。但两边的人都清楚，对方的身上肯定还有其他光源，比如说鲁一弃身上的萤光石。此时不拿出来却是戒备对方的一个手段，这样彼此都无法利用黑暗做些什么。

在开启的门口查看了下，没有发现一丝坎面的痕迹，于是几人鱼贯而入。

继续朝里的路平坦宽绰，比一般的大型古墓甬道还要宽大许多。甬道的地面和墙面很平滑，所用砖石材料也很是精细。所不同的是，这甬道并不笔直，有不明显的斜度，偏向一个方向。宽窄也有变化，门口较粗，然后逐渐窄削，过后又宽大起来。

“这路走着不对劲，大家前后瞧仔细了，别入了坎子都不知道。”突然有种不舒服的感觉从朱瑱命心头掠过。

鲁一弃听这话说得有道理，便退后几步，朝来的地方查看了一下。他分别使用了班门六技中的“定基线”“瞄六搭[1]”“沟沿寻屑[2]”，却都未看出什么不妥。

红眼睛的怪人是往前去的，他没走，而是爬过去的。边爬边狗一样在地面、墙角嗅闻着。爬出有十多步远时，他回头朝朱瑱命无声地动了动嘴唇。

看不出问题的鲁一弃迅速回到人群中，在这样的环境中他不敢离开大家太远。也正因为他及时回来，所以看到红眼睛对朱瑱命动嘴唇。

“陈年尸骨气很重，不知其中藏有什么。”鲁一弃直接将红眼睛的嘴语说了出来。

鲁一弃没有学过唇语，之前他与鬼眼三的口型交流也不属于唇语，只是无声的说话，把口型做得很慢很夸张。但现在他却读懂了真正的唇语，而且是在认真辨认唇形的朱瑱命之前将红眼睛所说内容解读出来。这是因为他根本不需要辨别唇形，感觉已经将唇动的结果告诉了他。

也是一语道破，效果比朱瑱命听到白胖子对鲁一弃耳语后的一语道破更好。这似乎是在明告朱瑱命，在他鲁一弃的面前没有秘密可言，也没有花样可耍。

当甬道出现过两次宽窄的变化后，大家都隐隐觉出，有股阴寒的气流从腿脚处流过，而木棍上的火苗则是朝着前方“扑拉”乱摆，这种气体上下回流的现象，说明前面有外连通道，或者有一个巨大的空间。

当这几个人小心翼翼地来到甬道的尾端，看到一个巨大空间的入口时，他们都惊撼了。眼前的情形让人无法确认到底是身在地底还是已入天国。

黑暗的空间，就像无尽的天穹，探出口子的火把显得比萤火还弱，照不出边在哪里，顶在哪里，底在哪里。

1　拇指、小指翘起六数形，直臂以两指搭连对角对边，查看对称度。

2　辟尘工法之技，由直线瞄弧形。

无尽的黑暗中，有磷光闪动，像是夜空中的星星。在“星星”的下方，隐约还能见到“云层”，暗灰色的，一道道铺开，一动不动。

鲁一弃凝视那无穷“夜空”，感觉在告诉他，闪动的不都是磷光。其中有些光源带有跃动之气，起伏、蒸腾、流溢，像呼吸，像心跳。这些是宝物、是古物、是灵动之物。在他的感觉中，挟带宝气的物件就像活的一样，也或许有些真的就是活物，活物的眼睛。

“拴亮盏子下探。”朱瑱命是最先从惊憾中恢复过来的。帝王家的血脉本身就有其过人之处，更何况后天还进行过多方面的刻苦修炼。

听到朱瑱命的吩咐，他手下二人立刻动作。红眼睛怪人衣襟中扯出一根红线，然后又掏出一个带长铁钩的黄白色圆球。那圆球看起来很是滑润密腻，就像是已经泛黄的珍珠。红线头系在了铁钩上，“獾行宗”的老者用火把点燃那个圆球。

燃着的圆球聚火性极好，火苗只是在下半个球面上翻滚跳动，不上扬也不旁飘。

白胖侍卫在鲁一弃旁边轻身说了句：“心尖脂，攒成这么大个球，那得多少条人命啊。”

这话提醒了鲁一弃，他立刻想到《异开物》中的提到过的一件物件儿——“冰玉心脂盏”。那是以寒冰玉做盏，然后取活人心脏尖头处的油脂[1]，以此心尖脂为灯油。心尖脂的燃烧不但时间长久，无色无味，而且火苗稳定，不窜不摆，再加上冰玉盏的寒劲围拢，使得“冰玉心脂盏”火苗如凝，近似自然光源。

“这和‘冰玉心脂盏’有同工之妙。”鲁一弃说道。

红眼睛怪异地瞥了鲁一弃一眼，表情中带些钦佩也带些得意。

“这是‘冰芯豆脂球’，其理确实与‘冰玉心脂盏’相同，只是此物是将冰玉用心尖油脂包裹，寒劲回收，同样能控得火苗稳安。”那老者替红眼怪人答了话。

“这损阴德的物件，也亏你们下得手去做。”白胖侍卫身上白肉一抖，脸上一道肃杀之气闪过。

1　江湖上也有叫做“滴豆油”的，因为这一滴油脂大小如豆。

“‘欲求之心，不择手段’，此言很难说是对是错。再说天地间万物皆有其命，此命彼命以一杀同待，也为公平，鲁门长，你说对吗？”朱瑱命这话绝对是在强词夺理。

“那我等要小心了，不要让朱门长也一杀同待了。”鲁一弃讽语道。

就在他们说话间，“冰芯豆脂球”碰底了。原来底下倒不是特别深，也就五六丈的样子，那些流淌漂移的磷火基本已经贴紧在地面上。

探到了底深，就该再探探高大了。白胖侍卫从横围在腰间的皮褡裢里掏出个防水油包，打开后，里面是几个火猴子（烟花的一种）。拿一个在火上点燃，引线尽时，火猴子急速飞出，带着一条耀眼火尾。最后爆燃成一团光亮久久不散。

借助那光亮可以看到许多东西，但依旧看不到边，也看不到顶，这里真的太大了。在这光亮下，可以看清的是那些“云层”，其实那都是些高大的墙壁，准确点说应该叫隔断。

往近处看，这甬道口子上本该有个大木架设的平台，却早已坍塌。另外还该有木架天桥与二十几步外的土阶相连的，却也只留下架梁眼子。

白胖侍卫最实际，他利用这光亮找的是下去的路。在入口一侧的土壁上，有可攀爬的脚窝，这大概是架设这里平台、天桥时工匠上下的踩踏路径。只是这路径离他们远了些，壁上又光滑无着手处，没法够到那些脚窝。

朱瑱命也利用这光亮找到下去的办法，在口子斜下方两尺左右的位置上，有根圆木插在土壁中，这应该是木平台塌下后残留的撑料。而现在这根木料上拴了根绳子，一根很新的绳子。

从痕迹上看，这绳子拴在这里不会超过三天。从绳扣打法上看，像拖棺扣，也像挂箩扣，这让朱瑱命想到被埋的倪老七。盗墓家习惯系拖棺扣，或许他从被埋的流沙中另辟一道早就来到这里。但他随即又想到了聂小指，聂小指做过海货档头，最熟悉莫过挂箩扣。这家伙莫名其妙失踪，最大的可能就是有什么其他路径让他抢先赶到了这里。

但不管是这两个中的哪一个，唯一的疑问是这根青棕麻绳子是哪里来的？他们两个都没有带绳子下来。

“路倒是有的，只是不知道能不能下。”鲁一弃的话让人无法了解他的真实想法。

“我要是下去的话，你也必须下。”朱瑱命是在提醒鲁一弃，他们是拴在一起的。

“你会下吗？”鲁一弃心里知道，朱瑱命必然会下去。

朱瑱命觉得没必要回答这个问题。自己此行甚至此生都是为了寻到重振家室的宝贝，眼见要到准地儿了，难道还会止步不前？

红眼睛怪人很谨慎，也许鼻子闻到的东西让他有些担心了。他从怀中掏出一个扁皮盒，又掏出羊毛白纸一张。扁皮盒里是胭脂一样的东西，红眼怪人用手指捻起胭脂一样的东西，在白纸上撒画出许多怪异的文字和符号。等纸上画满后，他咬破食指，点下七个血点。

这是一种怎样的仪式？有什么作用？鲁一弃脑海里没有搜到一点印象和线索。

“这是古国兀良哈曾经盛行的蝾娑术，这种神奇的巫术可以唤醒鬼魂，驱动尸骨，与阴世交流。后兀良哈被契丹吞并，此术便被定为邪术，遭遇灭教之灾，只有个别蝾娑萨满在外行术逃得此劫。从此蝾娑术一线秘传，我这手下可能是世上仅存的一个蝾娑萨满了。”朱瑱命炫耀似地解释一番，像是在嘲笑鲁一弃见识不够。

“既然朱家连这种人才都搜罗得到，为何一定要寻天宝为依仗，凭实力直取天下就是了。”鲁一弃轻轻回了一句，却是直刺朱瑱命痛处。

“哪有那么容易呀，天下能者如同漫天星斗，我手下高人虽不算少，却只是其中一烁而已。再说如无天命所属，所用之人其心也难尽，其力也不会尽出。”朱瑱命竟然没有在意鲁一弃带刺的话，而是很真诚地将自己苦衷道出。

正说话间，红眼睛怪人已经将羊毛白纸点燃，那纸也奇特，燃为纸灰之后兀自不碎，还是整张一块，只有滴下血滴的位置有七个洞眼。而上面的字被烧之后全变成金光闪烁，随着纸灰的飘动就像有金水在上面流动。

“这是驴宝砂丹墨和御用不引纸。”鲁一弃从燃烧后的现象看出纸和墨的来历。

《异开物》：“驴宝砂丹墨，是以蕴血砂质驴宝干制，加朱砂、硝末、金硫、蝎尾粉做成，以其所书，火燃字留，阴世魂魄可见。”

《开国志·御制之使记》：“……为防不慎燃延，毁要录，制不引纸为御用，其燃不散，不引不延。”

“对，驴宝砂丹墨和御用不引纸合用，可书写借魂道的符令，血开七眼是借山、水、林、土、渺、魅、气七魂之道。”

朱瑱命话说完，那带着闪亮字符的纸灰已经飘落到底，推开了大堆磷光。金光字符明灭游动，仿佛真就是个路碑起点，但这条路是向地下魂魄借来的，不知会通向哪里。

“谁先下？反正我不先下，他搞得神神叨叨的，也不知道驱鬼还是引鬼，让他先下。”白胖的侍卫倒是毫不客气，非常慷慨地推让先行涉险的机会。

红眼睛也没准备让别人先下去，见那带闪亮字符的纸灰定住后没其他反应，立刻手臂在沿边上一搭，纵身踩在支出的圆木上。然后身形再直直一落，顺绳索直滑下去。当身体快要到底时，绳索猛然一顿，身形停住并打横过来，然后上身微微下倾，是在嗅闻着什么。

循气墙

足有半窝烟的工夫，红眼睛怪人终于翻直了身体，悄无声息地立在下面的地上。

“獾行宗”老者轻吁一声：“下面平实，没见虚活，能下。”说完身手迅捷地下去了。

鲁一弃依旧是最费事的，是那胖侍卫先下到圆木上，然后举臂与鲁一弃仅剩的单手握牢，将让鲁一弃从自己肩头、腰胯、腿膝处落脚，一直爬到绳索上。这段时间中，圆木承受两个人的重量，有了一些松动，壁上泥土不断“唰唰”落下。

鲁一弃安全下去了，可等胖子侍卫顺绳子下去时，情况发生了突变。一股不知从何而来的阴冷寒风吹拂过来，卷得下面磷火直打旋。此时胖子已经有下到一半多了，突然间身体摆动起来，又颠又晃，像是有什么无形的力量在拉扯摇摆他。

“当心！”此时朱瑱命还在上面，他虽然看不清那胖子是因何而动，却能清楚看到拴住绳索是圆木越来越松，直至被拔出土壁。

“啊！”胖子短暂地叫了一声掉了下去。

“啊哟哟！啊哟哟！”胖子连续地叫唤说明他没事，只是摔得很疼。这亏得下面是土面，亏得胖子皮厚肉肥，也亏得他下到的高度已经与底面相距不远。

“哎呀！朱门长，这绳子掉下来了，你可怎么下来呀。”鲁一弃没管那个不住叫疼的胖子，而是更关心朱瑱命怎么下来。

鲁一弃话一说出，红眼睛怪人和老者也意识到这真的是个问题。他们两个在这件事上反应好像慢了些，也可能是别人反应过快，或者早就在别人意料之中。

朱瑱命没有答话，而是静静地站立在上面的口子处，黑暗中看不出一动不动的他在想些什么，又将做些什么。

没等朱瑱命发出任何指令，“獾行宗”的老者马上沿一旁土壁上的脚窝上爬，等到达已毁平台的位置时，抽出短柄平口铲，往朱瑱命站立位置挖掘过来。很快，两行可以着手、踏脚的凹坑挖出。

过程很短，方法简便，这却是在别人意料之外。

鲁一弃面色平静，是进入地下后少有的平静。这种平静一直延续到朱瑱命顺利下来，延续到他们两个目光相对。

四目相对，两张平静的面容一起笑了，笑得各怀其意，笑得各有所饰。鲁一弃挥了挥手，白胖的侍卫领先往前走去，走向那如云叠排的地方。朱瑱命做了个手势，红眼睛怪人在后面又挥洒起大量的粉末，搞得乌烟瘴气。

白胖侍卫的身躯推开大片磷光，“獾行宗”的老者紧跟其后。火把留在了上面的入口处，但两人都没有掏出什么亮盏子。不知道是借助磷火的微光已经可以看清，还是各自留着什么后手以防不备。

两个人并没有走出多远，因为前面有堵白墙止住他们的脚步，那已经是如云叠排的隔断位置了。

墙不是笔直的墙，弯扭歪曲加多处转折。墙也不是整面的墙，上面有缺口。

“继续走呀。”老者在催促胖子。

“我不敢走了。”胖子的惧怕来得很突然，和他刚才的断然行动很矛盾。

“怎么了，没事吧？”老者觉得奇怪。

“有事，前面好像有人在叫我。”胖子说话的声音有些微颤。

“难不成真遇见鬼了？我来瞧瞧。”老者是“獾行宗”的盗墓高手，他不惧鬼怪，也有弄尸制邪的手段。

老者往那墙的缺口出走去，靠近的过程中，他左手紧握短柄平口铲，右手则探入自己的怀中，不知握捏着些什么法宝。

大家的注意力都在缺口上，他们都多少察觉出些怪异。特别是鲁一弃和那个红眼睛怪人，一个有着超常的感觉，一个有操纵尸骨阴物的独特技艺。可是所有人都没有发现到，这座墙的中间位置上，有一处很大的灰色斑块，像污渍，像水痕，更像一张不大清晰的人脸。这人脸的嘴巴和下颌处有一片磷光飘动闪烁，光线的变换让那脸上的嘴巴像是在不断开合着，而开合的嘴型看着像是在呼喊：“胖子！胖子！”

老者已经快进入缺口了，朱瑱命一声：“等会儿！”

“先抛个晃眼子惊惊鬼秽。”朱瑱命的这种做法不是江湖技巧，而是兵家的探敌惊扰之术。此时往那缺口中抛入个耀眼的光亮之物，不但是让自己看清里面的情形，还可逼动其中可能会有的活扣、鬼扣。

“这里哪找晃眼子？”胖子侍卫这句话的意思很明显，他拒绝提供自己的火猴子。

朱瑱命没有理会白胖侍卫，甚至连一点不屑的表情都没有流露。他回头看了一眼红眼睛怪人，又看了一眼他手中火苗如凝的“冰芯豆脂球”。

红眼怪人马上领会了，他从腰间掏出个东西放到嘴中不断咀嚼，再将嚼碎的碎末吐到“冰芯豆脂球”的火苗上。然后手臂一甩，手腕一抖，“冰芯豆脂球”飞高盘旋而去。到达白墙缺口上方时，“冰芯豆脂球”上火苗突然爆燃，整个成了一个巨大火球。

“血滴子的手法呀！”“冰芯豆脂球”刚出手，白胖子侍卫就故作夸张地惊叹一声。

“东瀛烈焰胶[1]。”“冰芯豆脂球”刚爆燃，鲁一弃也轻声说了一句。

“有人！”“冰芯豆脂球”爆燃到最大亮度时，离缺口最近的老者突然惊骇地高叫一声，纵身往缺口扑去。

离缺口最远的是朱瑱命，没见他如何动作，就已经赶到老者前面了。那身形就像是个急速飘忽的鬼魅，直往缺口中的暗黑之处冲了过去。

高手中的高手，反应速度和动作速度都必须是最快的，而且还要敢出手，抢在对手偷袭之前。朱瑱命就是这样的高手，但是他连个影子都没摸到。

红眼睛怪人也是高手，他在老者发出叫声后将“冰芯豆脂球”二次甩出。这样“冰芯豆脂球”的光亮就可以将高手们的目及范围带到更远。

“在前面！”这次是鲁一弃发现的。

的确有人，还不止一个。朱瑱命他们身形骤动，继续追赶过去。

对方的身形速度看来有些匪夷所思，朱瑱命如此鬼魅般的身形竟然再次落空。但这次落空之后，朱瑱命便急速后退，一直退到鲁一弃的身边。他并不是怕鲁一弃借机遁走，因为鲁一弃已经回不了头了，红眼睛怪人撒弄粉末之后，大批的“尸血蜈蚣”和“五彩片带蛇”已经密密地堵在没了平台的甬道口。朱瑱命回来是因为他在快速行动中发现，进入第一道白墙的缺口后，除了那条出现人影的路径，另外还有两条通道可走，他不能让鲁一弃和自己之间的绳扣断了。

“朱门长，没抓到呀？”鲁一弃微微一笑。

“鲁门长，你没抓呀？”朱瑱命也意味深长地一笑。

“这些会是什么人，连朱门长这样的手段都让他们逃脱了。”

“也许鲁门长知道。”

1　东瀛的火山口子中有种胶状物流出，凝固冷却后可随身携带。但此物遇火会爆燃。

“估计是来路不明的那几路人马，他们人多，抢在我们前面了。咦，怎么那些蛇呀、蜈蚣呀没起作用。”鲁一弃又微微一笑。

“我家那些蛇、蜈蚣对人有用，对鬼没用。”

“怎么？这里边真有鬼呀，那我还是舍财不舍命，回头上去得了。”白胖侍卫话虽这样说，脚下却没挪动地方。

“不是有鬼，是有人搞鬼。”朱瑱命话有所指。

“朱门长似乎开始当心此行的获利了，要不就先将所压本金收回吧。”鲁一弃说这话语气很是轻蔑。左手将背上布包托了托，却没摘下。

朱瑱命这一刻脑海中闪转过太多念头。虽然他很想将自家宝贝先收回到手中，可是真要那么做，不要说鲁家人，就是自己手下都会看不起。

想到自己手下，朱瑱命转头朝前看了一眼。这一眼让他不由得胸气一滞，“獾行宗”的老者不见了！

“他人呢？”朱瑱命厉声问红眼睛。

“哦，那老头好像发现搞鬼的人，追了过去。”胖子侍卫又抢着说。

朱瑱命没搭理胖侍卫，只是盯住红眼睛，直到红眼睛点了下头。

“那还不赶快跟上。”朱瑱命说完就迈步往前走，才两步随即又停住，因为鲁一弃没挪地儿。

“朱门长，我们这种走法可是坎家大忌，没查坎，没辨形，没看料，没探虚，如此莽撞行事就算走得进也不一定出得来。我们该先查实道，再卸弦扣，还应留出活点儿。这心急可吃不了热豆腐，坐得住刺头才能不断头，断腕之厄有时却是保命之幸……”鲁一弃啰里啰唆地说着，还将自己右臂断腕举起来摆摆。

朱家少一人，对鲁家人就少一份威胁。鲁一弃这是在拖延时间，但他说的道理却无可辩驳。

对于鲁一弃的表现，红眼睛怪人显出烦躁和愤怒。但朱瑱命却是瞬间变得平静如水，身上重又显出几分道家之气：“你说得不错，那我们就一步步来。”

虽然鲁一弃别有目的，却是很适时地提醒了朱瑱命。宝构之中必定是机关重重，否则就不是宝构，所以每行一步都要先确定是否存在坎面扣子，然后解扣破坎而行。这一点才是两家高手眼下最正确的做法。

小心往前走了二十几步后，他们发现，过了下一道白色墙壁的缺口后，里面是并排三堵断墙。而从断墙之间的空隙中可以看到前面还是白墙，一边是直角形的，还有一边连接着一个拐了弯的通道。这会不会是什么坎扣布局？

鲁一弃同时还发现，此处地面质地松散，不像平常墓室那样夯土铺石。另外沿墙壁基脚有连续不断的沟槽，是用陶土烧制，其中有干涸的黑色物质。

红眼睛怪人辨别了一下墙壁的材质，从他告诉给朱瑱命的唇语中可以得知，这墙体是用白黏土砖所砌，其中还杂有明晶砂和骨灰粉，所以墙体并不十分牢固。

别人查辨中，朱瑱命始终背手而立。直到其他人将发现都说出后，他才走到陶制沟槽边看了一下，并从中抠出一点黑色的东西放在鼻子下闻了闻。

“鲁门长，就这些能推断出什么吗？”朱瑱命似乎已经得出些结论，问这话只是想考校一下鲁一弃，也是想从鲁一弃口中掏出些自己没想到的。

鲁一弃没有马上回答，而是回头看了一眼高处，那是他们下来的甬道口。虽然他看不见那里密布的“尸血蜈蚣”和“五彩片带蛇”，却可以看见两朵火苗闪烁，那是他们没有带下来的照明火把。借助这两朵火苗，可以确定自己在下面所处的方位。

“我们现在所在之处，从上面看像云层一样排列着。”鲁一弃说得有些没头没脑。

“比云层复杂，这些墙有横有竖，有连有断，我瞧着像是迷宫。”胖子侍卫又抢着说。

“的确是迷宫，但不是困人的迷宫。”鲁一弃说。

“此话怎讲？”朱瑱命开始觉得有意思了。

“是防气行而出的。”

“防气行？”

“对，尸气、凶气，也可能是宝气、灵气。”

“你是说这里面有挟巨异气相的东西？”朱瑱命问。

鲁一弃没有直接回答朱瑱命的问题："堪舆古术有论，气者，遇风则散，遇水则止，遇沙则定，遇晦则落。《青囊篇》中则将后两句又加细解，谓恶煞之气遇净沙而定，宝吉之气遇晦垢而落。而《宜龙基经》中又言，气不流则滞，气不动则乍。从此处布置来看，墙中有明晶砂，是定恶煞之气所用，有骨灰粉，却又是落宝吉之气的。局若迷宫，可流气不滞，却又循环不出；顶上高空，可防气凝而乍。"

"那么此处到底是有宝还是有凶？"朱瑱命有些糊涂了。

"不可知，或许宝、凶同存。"

"你的意思是天宝暗构与凶穴均在此处？"

"我没说，是不是我们要找的宝贝我都不能断定，凶穴什么的就更难料了。有些事情还需要朱门长你来拿主张。"鲁一弃关键的时候又撂挑子。

"对呀，朱门长，你别老问我们呀，也说说你的看法。"胖子侍卫越发没规矩。

朱瑱命没有说话，而是走到红眼怪人身边，提过他手中的"冰芯豆脂球"放在墙边的陶制沟槽上。过了一会儿，沟槽中的黑色干涸物被点燃了，火焰顺着沟槽慢慢延伸出去。

"这沟槽里是乌山洞薪油，虽然较难点着，可燃劲极强。"朱瑱命只解释了一句，随即便迈步跟着蔓延的火苗往前走去。

鲁一弃他们三个见朱瑱命往前走，便跟在了后面。

这里布局果然是个迷宫，沟槽不断出现分支，而走在最前面的朱瑱命似乎是胸有成竹，每条分支岔道都不做记号，也不仔细辨别，只管往前走。

走了有两袋烟的工夫，延伸的火苗终于停住了。这是一个和他们进入白墙迷宫时非常相像的地方，也是一堵白墙，一个缺口。出了缺口，也一样是空旷高深的黑暗，其中磷光闪闪。

骨形道

胖子侍卫慷慨地掏出一个火猴子，点燃飞出。在爆燃开的火焰中，他们看到在土壁高处也有个甬道口。不过这甬道口绝不是他们下来时的甬道口，因为此处支撑而出的木制平台是完好的。

“果然不出我所料。”沉默许久的朱瑱命突然开口了，这让一些人不由地心头突跳。

“此处是九转迷宫阵，从九宫阵脱胎而成，阵外再设遁甲八门，置高处无路可攀。鲁门长说得没错，这种阵法是不困人的，哪条路都可走到八门位，这是个循气之局。”朱瑱命的话没有涉及其他微妙，这让心头突跳的人舒缓下来。

“我们现在该走回正路，找到气发之道。”鲁一弃虽然语气平静，但别人还是听出其中兴奋的味道来。

找到正道，对于熟悉此处阵法的朱瑱命来说却不是件容易的事。因为九转迷宫加上遁甲八门，要找到气出之道必须一路路试着走下来。运气好第一路就走通，运气不好要走到最后一路才能走通。而这个难题对于鲁一弃来说却是很简单，因为他聚气凝神之后可以感觉出气相腾跃灵动之处，对正这方向，再按九转迷宫的路数走，直接就可以转上正道位。

这是鲁一弃与朱瑱命下到地室中后第一次协调地配合，一个感觉方向，一个按阵法路数领路。

没有机栝坎扣，沿路有沟槽中的火焰照明，这路应该是很好走的。可是当离预定目标还有一半路程时，他们停住了脚步。继续往前的沟槽断了，前方仍是一片黑暗。

这是怎么回事？疑虑最大的是朱瑱命，他熟悉阵法，知道九转路数的循气之局就算有一两条沟槽断头，火苗还是可以从其他路径绕行而至，不会整个面儿都陷入黑暗。

“火槽子断了，点亮盏子往前就是了。”胖子侍卫大咧咧地说道。

没人说话，没人搭理胖子，他们在聆听，在分辨，在感觉。

“你们要不敢走，那就我来开道，不过得了好东西也得我来分。”胖子一拍胸脯，激起大片肥肉乱晃。

“安静！前面有东西在动。”朱瑱命悄声喝止聒噪的胖子

“狗屁东西，我咋没看见，吓唬谁呢……”胖子的话只说了一半就呆立在那里了，因为他看见了那个“狗屁东西”。

一个发出亮紫色光芒的东西从前面飘近，然后又顺着一条横着的路径缓慢飘过。那东西虽然不大，像颗珠子，可上面的紫色光芒却翻转流溢着，就像紫色的火焰在燃烧。

“尸气！”鲁一弃低声惊呼。

“拿！”朱瑱命这是在命令红眼怪人，他是仅存的蝶娑萨满，摆弄尸骨魂魄是专长。

红眼睛怪人纵身而出，起步时稍稍迟疑了下。因为前面如此之重的尸气是他从未遇过的，而且其中还夹带有其他猛灼的气息。

鲁一弃和胖子都是好奇之人，本该紧追后面看那红眼睛怎么应付紫光尸气，但他们这次的动作明显慢了。他们这一慢，朱瑱命也只好慢下来，因为他不想让鲁一弃逃离自己视线。

等鲁一弃他们紧走慢跑地转过几条转折路径后，发出紫色光亮的东西和红眼睛怪人都已经不见了。这是一件无法说通的事情，因为前面是死路，是两墙相夹的锥底。

“不对呀！”朱瑱命首先提出疑义，却不是因为红眼怪人不见了，“按九转迷宫的走法，此处应该是通路，怎么会变成锥底？”

面对连续而至的诡异，鲁一弃神情竟然没有一丝波动。这种表现要么是定力如神，要么就是早在意料之中。

“我说让我开道，都不信，这下好了吧，走死路上来了，而且人还让恶鬼给叼走了。”胖子有些幸灾乐祸。

“多说废话没用，查查有没有暗门、隐窍子。”鲁一弃阻止胖子，他不想招惹心情已经坏到极点的朱瑱命。

“果然不是九转迷宫，那岔道本来也该连接一个门的，可里面也是个锥口。”朱瑱命沮丧地承认了自己的错误。

“这下信我了吧！”胖子不无得意，“如果没走错的话，真正的出口应该在前面左拐，然后再对直往前去，那是胸骨奔喉骨的路数。”

胖子没有说错，可胖子却做错了。既然他如此熟悉此地的走法，为什么先前不说，而要在朱瑱命推断出的阵法走错之后，朱家手下人一个个不见了，他才自告奋勇地出来领路。

朱瑱命此时已经提起了十二分的精神。他心中已然确定，鲁家此行别有用心，而且早有准备。自己和鲁一弃没拴在一根绳扣上，而是被他用绳扣牵着在走。

“是这里了！”鲁一弃突然轻声说了句。

“什么是这里？”朱瑱命猛然一惊，他正试图联系起来的各种线索再次打断。

“宝贝就在这里！”鲁一弃兴奋起来，脚步也加快了。

“停！”朱瑱命断然喝止。

“又怎么了？”胖子有些不甘地停住脚步。

鲁一弃也停止了脚步，他眼睛微闭，嘴角微翘，像在思忖些什么，又像是在享受些什么。

朱瑱命叫停，是因为他听到某种短暂的声音，那是一种简单的节奏，却表达出很多的意思。朱瑱命叫停也是生怕鲁一弃他们抢先取到宝贝，宝贝一旦到了对家手中，自己就很难掌握局势了。

“你们等一下，我先瞧瞧情形。”朱瑱命说完，也不管别人同不同意，迈健步抢先拐过了前面的拐角。

一条深长的通道，很黑很暗。也正因为很黑很暗，才让他清晰地看到通道外面，那里有很大很大一团磷光，飘飞在很高的地方。

那是藏宝的祭台？朱瑱命从心底情愿相信这样的判断，可同样是从心底泛出起的疑虑也总是挥洒不去。

朱瑱命继续小心地朝前面移动脚步。他很放心，鲁一弃此刻不会借此机会甩开自己。因为刚才短暂的声响是有人在告诉他，鲁一弃他们的后路已被封死。发出声响的就是刚刚不见了的红眼睛怪人。他没有中计，而是在将计就计。

朱瑱命放开了脚步，因为他在顺着墙壁朝前时，“井月盅”照到了一个“丁”字标志。这是盗墓倪家的标志，倪家人已经进来了，是谁？只可能是陷入流沙的倪家老七。这一点朱瑱命有预感，那样平常的流沙填石应该无法困住倪家人。而倪家这个“丁”字记号，代表的意思是路径正确，没有危险。

朱瑱命很快走出深长的通道，外面也是个旷大的地界。借助磷火之光和“井月盅”，可以隐约看到一座高台，足有三十多阶高。难不成真像胖子所说，走到了阴府的望乡台？

高台占地很大，看不出基础的方圆面积。而在高台台基的周边，有连续的丘状物，像是连绵的坟茔。通道里看到的大团磷光在高台的顶面上，从磷光的分布隐隐看出上面有梁有柱，像是个房屋的框架。

要想完全看清高台上的情形就必须往前走。可是每向前走一步，都有一种不适和寒意在朱瑱命心头积聚。这到底是什么地方？藏有天宝的暗构怎么会让人心中战栗？

走出十几步后，朱瑱命突然觉得背后有些异样，像有许多人正表情复杂地看着自己。随着脊背上冰珠瞬间沁出，他猛然藏式转身，以半攻半守状态防止突来的袭击。

身后依旧沉寂得像鬼域。“井月盅”光线搜扫过去，所见之物让朱瑱命心中一阵狂跳。

他看到了脸，人的脸，许多许多，很新鲜，很有生气，像是活的一样。有怪异的、丑陋的、凶猛的、悲伤的……只有脸，没有人。这些脸都嵌在墙壁上，把通道口子两边的墙壁布得满满当当。

朱瑱命有些紧张，因为这脸让他想到一种恶毒坎面“摄魂围”，那坎子也是用各种怪异的人脸配合光线和声响来迷人神志的。陷入坎面后，越想挣脱越无法挣脱，因为它是让人的感知和动作反应之间产生差异，用被困人自己的力量锁困自己。所以朱瑱命没有动，在没有弄清情况之前乱动是愚蠢的。他尽量保持身体的静止，将气息变细变慢。然后缓缓转动手掌中射出的光线，让淡白的光从那些脸上照过。

很快，朱瑱命确定这些都是真人的脸。是把刚砍下的人头防腐处理，用透明蜡浸封后嵌在这里，所以才显得生动新鲜。“摄魂围”不用真人头颅，而且此处也不具备光线、声响的条件，所以这不是“摄魂围”。可将这么多的头颅嵌在墙上又有什么作用呢？总不会是为了装饰吧。

虽然仍有疑问，但朱瑱命还是舒了口气。此时他感觉脊背处有些凉湿，记忆中已经许多年未曾如此紧张恐惧过了。

惊恐过去，让他有闲暇看了一眼通道里的鲁一弃和白胖子。但他隐约中只看见两个背影，在倒退着走，很慢很慢，像被阴魂逼迫着，又像被鬼差牵拉着。

又一阵短促的拍击声响起，这声音给了他答案。原来是红眼睛怪人把所有“尸血蜈蚣”和“五彩片带蛇”驱赶到位，它们正挤满那边的通道，将鲁一弃和胖子慢慢逼迫过来。

朱瑱命微笑了下，一切都在掌控之中，自己与鲁一弃之间的绳扣依然拴得牢牢的。不管前面的高台上能不能找到宝贝，只要鲁一弃还在，那么钓钩就在，钓饵也在，自己至少可以保本不赔。没了后顾之忧，朱瑱命便更加坚定地转身朝高台走去。

就在朱瑱命转身的刹那，有一张墙上的死人脸突然抽搐了下，一只眼紧闭，另一只眼却眨动了一下。活过来的死人脸就像被刀砍火烧过，怪异而丑陋。皮翻肉翘，坑洼不平，一只眼睁，一只眼闭，犹如地府九殿火狱口的勾魂使者。

朱瑱命没有看到这张活脸，果断转身的他先往高台一侧走去，对准高台的一条棱边后，再往高台靠近。这是标准的破坎走法，是按瞄坎沿、踩坎缝、对坎棱的步骤，这些位置都是坎面无法动作或者反应较慢的部位。

很幸运，从所走路线的落脚感觉以及所有沿、棱、线、面、点的分布和连接上判断，此地没有坎面。也很蹊跷，藏宝的准点儿竟然没设坎面？是藏宝的人犯了错，还是鲁一弃判断错了？也或许自己走错了？

他边走边思考，很快就接近了那些丘状物。丘状物不是泥土、石块堆成的坟茔，但那上面萦绕的冤魂肯定比坟茔多得多，因为那是用无数的骷髅堆成的。

朱瑱命面对这么多的骷髅反没有一丝慌乱。一家王成万骨枯，朱家为夺取天下，斩落的骷髅比这里多得多。在这许多的骷髅之前，朱瑱命身上反显现出一股王者霸气。

这些骷髅为何都堆积于此，而进来时的乱骨中却见不到一个骷髅？是这些人被斩之时就已经身首两分，还是化成骨之后才被人将骷髅收集与此？

朱瑱命不敢离骷髅堆太近，更不敢去碰骷髅堆，而是在距离五步之外的地方重重地跺了一脚。这一脚声如震鼓，一股力道沿地面直冲向最近的骷髅堆。不稳固的骷髅堆纹丝未动，但最顶上的那只骷髅却倏然跳起。

骷髅在朱瑱命面前落下，他没有用手去接。朱家有“毒渗骷髅”“咬指骷髅”“骷髅开花崩”这样的扣子，别的坎子家也应该有类似的。

骷髅弹跳几下后滚落在朱瑱命的脚边，他手中白光一照，已经看清这是真正的人体骷髅，没有机栝。骷髅颈骨处有个很新的折断痕迹，像是刚从整架骨上折下。

局压局

此时朱瑱命的心中充满对宝贝的渴求，已经无法对许多不合理现象做出缜密思考，他心中只想着要赶紧找到藏宝的准点儿。

踏上高台土阶之前，他按坎子家的路数快速查看了那些土阶的材料、尺差和垒夯的做法，确认其中没有暗藏弦栝。踏上土阶时，他目光注意更多的是两侧，这是怕扣子布在土阶以外的地方。

当踏上第六个土阶时，他扫视到了异样。就在土阶左侧的骷髅堆中，有一双瞪得大大的眼睛。

朱瑱命平行滑步，身形像悠乎的影子一下闪到土阶左侧的边沿。探左掌五指抓向那双眼睛。必须快！拥有这双眼睛的人很可能是操纵坎扣的竿子[1]，要抢在他动手之前制住对方。

手指保养得很好，修长灵活，洁白润滑。出手的指法也很好，精巧细腻，妙到毫巅。从探入骷髅堆，到两指捏住太阳穴，两指扣入眼窝骨，一点都没有碰触到那堆骷髅。而手指刚搭上太阳穴，脑袋便开始变形。然后指力连贯肩臂猛力回提，这是要将暗藏的人扣从骷髅堆中拔出。

但猛力一提的力道空了，这让朱瑱命身形大晃，不由地往阶下跌倒。于是拧腰、绷腿、错脚，这才将身形稳住。实际情况在预料之外，骷髅堆中拔出的不是整个人，而是一个脑袋，一个与躯体分离不久的脑袋。

虽然离开躯体后的脑袋失血变色，虽然被拿住的脑袋已经骨碎变形，但还是一眼就能认出，是倪老七。

朱瑱命对倪老七脱出流沙填石并挖透顶面探到这里没感到意外，但当他看了倪老七身首异处的切口后，他意外了。那切口不是刀砍斧剁，而像是被什么勒下来的。

正在朱瑱命思酌之时，身后突然有火光闪动。他没有动，这火光离着还远，没有威胁。但如果火光是诱招的话，那么自己的附近就会有危险存在。

后面的火光越来越亮，像是在朝着自己这边渐渐蔓延过来。朱瑱命身形还是没动，但右眼皮子却在跳。有东西，在右侧斜上方。那东西在火光的照耀下闪动着光芒。

他慢慢将倪老七的脑袋放在脚边，然后提气贯力于脚掌，往上个土阶虚落实收地迈出，一节又一节。闪光的东西终于到了脚边，是个窄面平头铲的铲子头。朱瑱命认得。这是“獾行宗”老者短柄铲子的铲子头，从切口的弧线、厚薄来看，它像是被另一种铲子削断的。

倪七的脑袋，背后的火光，削断的铲子头，这些奇怪的事情无法解释，这些奇怪的事情却有像在暗示什么。朱瑱命朝台顶抬起头，他想看到更多，他想了解更多。

“这不可能！这不可能！”朱瑱命嘴中在喃喃着，顷刻间，王者之气、道家之气、儒雅之气、高贵之气全都荡然无存，取代这些的是惊

1　坎面布局中负责操纵机关的人。

愕、疑惑、愤怒。额头青筋跳动，眼神呆滞凝固，这是紧张思考的表现。于是，所有的线索头绪在他的脑子中连接成线，绞编成绳。

高台顶上，有个巨大的八脚吊架，八根高高的架柱粗细都如同殿柱，上面交叉的横梁直径也与盆口相仿。架子柱和横梁都是白色的，被磷光裹围着，其质地就像镶金的玉器。这样一副高大的八脚立架竟然是用骨头做成的。什么骨头可以做成这样巨大的架子，莫非真是什么史前的怪兽，无从可知。

如果巨大的骨架让人惊愕得哑口，那么八脚骨架下面悬挂的巨大棺材就彻底让人震撼得无言。

虽然这棺材也描花涂漆，但外饰斑驳脱落后露出的底色一眼就可看出其真实质地，那是副铅棺！

朱瑱命看得很清楚，的确是铅棺，而且是无缝铅棺。棺盖和棺身浇铸为合，沿合缝处铸印了连续的符咒花纹。

《理余百葬法·恶葬》中有："遇凶尸恶魄，可铅铸为棺，红蜡定封。极凶者，尸入铅棺后，盖棺再铸，盖、身铸合为定。"

四根红晶珊瑚铁打制的暗红色锁链，将无缝铅棺悬挂在骨架上。这红晶珊瑚铁是海底火山喷发，熔岩与珊瑚聚合熔炼而成。茅山法术中就有用红晶珊瑚铁空悬尸身，不沾百气，以绝尸变的做法。

晦骨为架，铅铸为棺，盖、身铸合，晶铁悬空，这是灭绝魂魄的葬法。朱瑱命又暗自盘算了下自己走过的台阶数，总共有三十三节。而悬棺离土在三尺三的样子，台顶平面三丈三左右，难道这是传说中可以锁灭三魂的"锢魂绝气台"？

如果真是"锢魂绝气台"，那此铅棺中的尸骨生前定是杀千人万人不眨眼的恶魔，厉气能冲凌霄，凶心骇镇地府。这会是谁？朱瑱命不知道，但他却知道葬有这样一个凶魂的墓穴中，绝不可能藏有天宝！

朱瑱命额头青筋的跳动突然一停，定定的眼珠也突然间一动，然后他缓慢地转过身。

"锢魂绝气台"禁锢尸骨，断绝魂灵，不入土，无再世，可达到永不超生的目的。为防止借附生灵活气而出，这"锢魂绝气台"以外还该有吸魂、散魂、锢魂、定魂这一类的局相布置。

转身的短暂过程中，朱瑱命恢复了他应有的气相。

火光离他真的很近了，但没有危险。这是有人点燃了断开点另一边的沟槽，而那沟槽一直延伸到了土阶上。朱瑱命看了下，这沟槽还会继续往上延伸。如果不是其中的乌山洞薪油已经干涸，引燃较慢，此时火焰肯定已经遍布高台的顶面了。

乌山洞心油很耐烧，所以不管先点的还是后点的，火光已经遍布了整个如云的白墙迷宫。连成线的火苗，将沿白墙沟槽的走势路线全勾勒出来，形成一个明亮跳耀的阵势图。

朱瑱命站在高台的土阶上，背手而立。他在验证自己的判断，他也在打击自己的心理。面前火光勾勒的不是九转迷魂宫，也未曾外置遁甲八门。图形中的九转少了五转，也就是九星中少了五星。缺太一、天一、招摇、轩辕、天符，只有咸池、青龙、太阴、摄提，这相当于人体无首、无心、无肝、无胆、无根。白胖侍卫说得没错，所余四星组成的局势只剩骨架，而且是断裂叠置的骨架。这种布置应该是天罡道府[1]独创绝技“碎骨迷巷”。

而八门也只有四门：杜门、惊门、景门、死门。也就是说此处其实只有四个通道，四个通道也就相当于人体的四肢。从奇门方位上来说，这四个通道非凶即死，估计道口全被“大夫棺”型地室压着。

最靠近高台的那面墙其实是按传说中阴府入口的“散魂诏”所造，成百上千的死人脸都是无魂颀，要有极具凶力的魂魄过去的话，先要被这许多的无魂颀吸取了大半。

眼前这一切将朱瑱命心中原来预想的概念完全颠覆了。“锢魂绝气台”加上“碎骨迷巷”“棺压肢”“死四门”“散魂诏”，完全是为锁困凶魂而设。此处地室没有坎面，精巧奇妙的布置都是用来对付所葬的凶尸恶魂。防止外人盗入的只有最外层的“流沙填石”。所以不管哪个方面，不管哪条线索，都表明了这里没有天宝。

自己本是诱着鲁一弃而来，难不成被他反落了扣？或者确实是鲁一弃判断错了？

1　道教的一个支派，隋末唐初曾盛极一时。

白墙之间的通道中，鲁一弃和胖子还在缓慢地倒退着走。看样子沟槽中的乌山洞薪油是他们点燃的，面对那么多的毒蛇毒虫，火光也许是阻碍攻击的最好办法。

鲁一弃感觉背后有双利如刀矢的目光盯视着自己，于是他带着满脸的微笑转身了，与同样在微笑的朱瑱命四目相对。

“锁灭三魂，不见来世，永不超生，尸骨无变。尽是破魂之法。”朱瑱命微笑着说。

“缺相九宫八门，炼火骨灰迷道，大夫棺形压门，散魂诏墙为障。都是对付阴恶的招数。”鲁一弃微笑着朝朱瑱命迈出两步。

“你早就来过？”

“没有，但知道。”

“鲁门长，佩服！可是你我之间的绳扣系得太牢，甩不脱的。”

“事情还没了，又何必在乎牢不牢、脱不脱。”鲁一弃继续微笑。

“你认为自己闯得过那些毒扣子？而且还要挡住我们的夹击。”朱瑱命刚说完这话，红眼睛在通道里闪现。

“不能，不过我也没想过要闯出逃走。”从出现毒蛇毒虫起，鲁一弃就已经知道自己所处何种境地。

“如果我没猜错，你的意图是骗取我家屠龙宝器。”朱瑱命语气更加平静，能在愤怒中还将自己控制得如此平静的人非常可怕。

“你错了，不是骗。你家祖辈偷骗天宝，又炼宝毁宝，我只是索取些补偿。用这屠龙器镇西北凶穴，我估摸总会有改善。再说了，你不用屠龙器诱我替你寻宝，我也行不了这险招。”

“步步都在你算筹中，看来我门中有你帮手。”这话连朱瑱命自己都不相信。

“没帮手，是你自己聪明过头了。”

“此话怎讲？”朱瑱命不相信自己哪里出了错。

“有个关键的人，我想你知道是谁。至宝屠龙器可替代火宝镇凶穴是我故意说给他听的，我知道他一定会告诉你。所以接下来你持屠龙器来诱我，其实都是在按我最初的意向发展。你设之局，我正好再反压上一个坎。”这番话一说，朱瑱命彻底明白了，不是环节上岔位，而是从筹划这个局开始，自己就已经错了。

知道自己错了的朱瑱命此时反更加平静，面色静若丹画，周身气相如凝。

“你是如何辨出他身份的？”朱瑱命很想知道，自己几月之前就安排好的暗钉到底什么点上暴露了。

“在我逃离通州之后，你没有继续追赶，而且我西行一路也无惊无扰。这是因为你知道我最终会来咸阳十八里营，而你也早在几月之前就已经在十八里营埋下暗钉等我。这个约定的会合地是如何泄漏的？细想一下并不难得出结果，当时龙门涧道观中听到我安排的人，要么已经西逃，要么随我而行，但还剩了一个，就是道观的老主持。”鲁一弃脚下朝前又迈出两小步。

“这点其实是我疏忽了，龙门涧遭遇后，老道长肯定会被你家控制住。在你们的厉害手段下，他肯定会供出我们临时决定的这个会合点。幸好这个疏忽我在西行路中想到了，所以一到十八里营，我首先做的就是辨出你家暗钉。”

“他说是从龙门涧老道那里打听到你的消息，才来到咸阳十八里营等候，你便从此话中看出问题。”朱瑱命果然聪明，他已经估计出错误所在。

“的确，且不说你派的暗钉来得蹊跷，从时间上推断，他所说见到老道的时间是在我离开龙门涧后一个多月。我想，那老道在我逃离当夜，要么已经被你朱家囚困，要么机警远逃，绝不可能还在观中见到。他就算见到也是在你朱家巢驻中见到。”

朱瑱命微叹一口气，看了看脚边倪老七的头颅，心中真的感到很惋惜。自己好不容易收罗到身边的一个暗影子，竟然被一句错话给断送了。

“你这布局还有个意外，北平院中院你家所布的‘云掩身过’，记录其七种基本针法的白色锦帘是由倪家人从百钺山墓穴中挖出，但在回来的路上莫名其妙地不见了。这事让我怀疑倪家有朱门插入的钉子。到达十八里营后，有了解底细的人告知我，那趟盗墓的人中就有倪老七。”

“他在进入流沙填石坎面时，不但不小心通过，反而加快速度挖掘，是因为他发现到了解他底细的人？”朱瑱命又明白了一件事情。

“不是发现，而是我让那人下招儿诱的他。不过他加速掘进，被埋沙中不知踪影却是得你暗中准许的吧？让他先入地室，既可以为你探路寻宝，又可暗藏为伏。”鲁一弃知道自己说的不会错。

朱瑱命傲然之气收敛了也躁动了。对于他这样自信的人来说，过多了解自己失败的过程是件痛苦的事情。

“好了，现在不管谁诱谁、谁套谁，我们的交易还没结束。你是将我家宝物还我，还是重新带我寻到移位的土宝。”朱瑱命没有将鲁一弃逼死。

这句话让鲁一弃知道，主动权还在自己的手中，他要利用这个优势拖延时间。虽然形势超出预料，对自己非常不利，但只要拖到计划中最后一手，让机栝启动，那么这场博弈的胜方还是自己。

地惊变

“先等下，我也想知道知道自己在什么地方露出破绽，让你早有防范绝了我退走路径。”鲁一弃又迈出两步，傲然而立，气势绝不输于朱瑱命。

“你的破绽太多。”朱瑱命嘴角轻蔑地一撇，“刚入顶面那间地室，你那个凭指力挖透流沙填石的高手就不见了，下面又没有打斗挣扎痕迹，虽说打扫的痕迹可来掩盖线索，可我看了，扫痕深不过针尾，那是掩不住打斗痕迹的。后来我看到窍填口子上有小洞眼，那应该是指插之痕。也就是说，这填口子是有人用手指插入拿起，反抽回窍口的，有这种指力的只有你那手下，所以这人是自己躲起来了。”

“可惜当时你并不能肯定。”鲁一弃也是一针见血。

朱瑱命没有理会鲁一弃，进行往下说道：“入到地室中以后，只见骨架不见头颅。开始也未觉得特别怪异，待见到骨骼上的崭新折痕后便明白这是针对我朱家所为。因为你们知道我手下人会驱动尸骨的蝶婆术，而这蝶婆术的缺陷是无法驱动无颅之骨和无骨之颅，所以你提前安排人将尸骨分体了。”

“这倒没错，虽然你也只下来三人，但要让你那手下驱动了尸骨，那我们间的力量就太悬殊了。不过这事情你也是见到头颅才发觉，进来时仍是疏忽了。”

“下甬道口时，你与那胖子装模作样，其实是要搞掉圆木，把我甩下。”

“那是我失算了，早想到你有这样的挖土高手在，也不必多此一举了。”

“还有那胖子，一会儿说不敢走，一会儿又主动要求领路，所有这一切都是为了把我们带入坎面，然后一个一个撇掉。”朱瑱命已经快走下了高台了。

“朱门长，你让我失望了。这些在过程中只是推断，不到现在这地步无法确定我在骗你。”

“不，你还犯了个极大的错误。从那一刻起，我确定你这趟是在算计我。继续跟你走只是要控制住你，让你带我到真正的藏宝暗构。”

“还有一个大错？”鲁一弃有些不甘心。

“是的，刚入到‘碎骨迷巷’中时，你不该和我说一番宝、凶同存的道理。土宝是移位而来，这里不是镇凶穴的准地儿。如果真的藏有天宝，又有何极凶能与它的宝同存？”

“是，那是我一时言语疏忽，把这里当镇凶穴的准地儿来讲了。”鲁一弃承认了自己的失误。

“不过你的反应也极快，马上改口说不知道是否真有宝，也不知凶至何极，把判断之事推搡给我了。”

“我知道这错犯得不该，但终究还是逃不过你的思网。”鲁一弃完全收敛了微笑。

“还有一件事你可能也没有想到，这一路下来，我至少摸到你半个底儿。”

“什么底儿？”

“你的身手也许和我原来的判断相去甚远，你真不该长时间和我在一起，无意间的呼吸、经脉流转以及肌骨的收放会暴露很多东西。”朱瑱命此时已经有些得意了，饵和钩子都在自己手中，那么这鱼也就跑不掉了。

“所以你现在才如此肆无忌惮。”鲁一弃的语气像在叹息。

“哼，好了，该说的都说了，还是把正事办了吧。”朱瑱命已经从高台台阶上下来了。

鲁一弃知道朱瑱命是什么意思，所以一口回绝了：“这屠龙器我不会还给你了。”

“为什么？”朱瑱命很惊讶，他没想到这种形势下鲁一弃还会如此坚持。

“屠龙器，实为屠龙匕，也叫五音匕，不但匕出天地变色、神鬼俱惊，而且挥动之下可发宫、商、角、羽、徵天成五音，龙、蛟之类闻音即俯首待戮，天下至宝，出其右者无几。而且还有很重要的一点，你主上掖藏‘火’宝，又持有屠龙匕，必定将此二宝存于一处，此器已吸收许多‘火’宝宝气，‘火’宝已碎，要想定西北凶穴，非此宝不可。”

这屠龙器的非凡朱瑱命当然清楚。自己要是依旧将其藏于姑苏城的园子里，那么花费多年心血经营的“囚龙局”也不会尽陷，自己的老娘和几个老婆也不会丧生。

“你真的两者都不舍？”朱瑱命的眼角抖落出些煞气。

“我只是不舍屠龙器。”鲁一弃语气平静。

“你的意思，这土宝……”煞气被疑云替代。

“土宝已经没了。”

“怎么会没了？谁告诉你的？”朱瑱命血气涌面。

“你告诉我的。”

“我？”

“对，你告诉我炼祭火宝，火宝尽散不复收，只能成就一方福泽。而我此前获知，东方地宝未藏之时也遇险散落，数千年后成就通州一方福地。由这两宝现象可知，此地藏宝暗构被黄土堆垒推移，不复存在，那土宝之气也已经成为一方之灵。”

“关中一地无灾无害风调雨顺，是蒙土宝灵气福泽？”朱瑱命思维和他身手一样敏捷。

“也许吧，所以说天命还需人为，你还是绝了对土宝的欲念吧。至于这屠龙器，算是补偿火宝之失也好，算你买个见识也好，我且收了。交易未成，人情却是留下了。”

朱瑱命眼中是愤怒，极度的愤怒。他没有想到这个鲁家的门长不但诡滑狡诈，而且说话竟然如此恬不知耻。其实他不知道，鲁一弃这种改变是短时间中被一群江湖旁类训练出来的，他们正是要以此为手段、为武器，去搅乱朱家这个高手的心境和气息。

朱瑱命的气息混乱，血气乱突，就连说话都有些断续：“如果你继续坚持自己的决定，那么我保证你会像他那样！”他用微颤的手指指了下倪老七的头颅。

“啊！不对！”朱瑱命突然暗叫一声，那头颅提醒了他一些重要的事情。

一口气胸中回荡，然后缓缓吐出。微颤的手指收回时已经稳定得如同钢铸。沸腾的心境在这一个吐纳之间静若止水。而经脉则像奔流的大河，畅行无阻，直至身体的每个末梢。

这是精气神全部发挥到极致的状态。因为朱瑱命突然意识到，此地除了鲁一弃，鲁家至少还有四个高手。那胖子算一个，从他应对红眼睛的镇定气势来看，他完全有把握应对红眼睛的任何夹击。但比胖子更可怕的是另外三个没有露面的高手，其中一个可以用索子一样的武器将倪老三的脖颈生生勒断，另一个所持武器能将那把钢口极好的短柄铲削断，还有就是那个以指挖沙的聂小指，他们都藏在哪里？

朱瑱命的气相瞬间恢复正常，像朱瑱命这样的高手，只要保持好状态，就算再多两三个人，也未必能偷袭成功。

“相信我说的。”朱瑱命像在对镜子中的自己说话，没有一丝烟火味道。说话的同时，他继续朝鲁一弃接近，每一步都迈得平稳坚定。

鲁一弃紧张了，紧张的状态让他的气相突变，如同灿霞喷薄。但这次朱瑱命没有放缓脚步，他坚信自己原先的判断。无意间的表现是最真实的表现，不管鲁一弃现在的气相如何，这都不能代表他是技击高手。

鲁一弃感觉到了无形的压力，这压力几乎让他窒息，思维也几乎被冻结。只有他的感觉还在运转，只有感觉在告诉他，坚持，再坚持，机栝就要动了……

地面上已经天色大亮，下了半个晚上的暴雨让黄土变得很是泥泞。

泥泞上站立的人分作两堆。一堆是以利老头和盲爷为首的鲁家帮手，他们已经离那三堆土丘很远，是被另一堆人逼开的。

另一堆人是朱家的手下，他们的人很多，已经是刚开始挖掘土丘时朱家人手的数倍。其中大部分是天亮之前，从周边各处冒雨赶到的朱家后援。最先赶到的后援是那个萨满打扮的人带来的。与红眼睛怪人恰恰相反，这家伙虽然穿着类似萨满的服饰，却不是萨满，而是极北之地一个希尼亚答族的祭魂师。

祭魂师也叫灵魂酋长。希尼亚答族有两个地位最尊崇的酋长，一个负责管理族人，还有一个负责管理族人的灵魂。也只有这管理灵魂的祭魂师，才能以神奇的法术，在茫茫大海之上寻到魂瓶所在以及所行途径。

祭魂师带来的手下都是失魂落魄的样子，呆滞而缺少灵性，应该是被祭魂师施了什么控制手段。但这样的人可以无所惧怕，甚至不知疼痛，面对危险绝不后退。

利老头和盲爷知道，和这样的对手博命不值得。所以他们避让得远远的，是被逼开，也是有意无意间离开。

朱家门长亲入到险地，他的手下已经多次设法想进入帮忙，可是那洞口他们下不去。不知道什么时候开始，洞中充满了淡淡的烟气，带着浓重的怪味。下去不到两人深，就会昏晕欲呕，全身乏力。

洞下开了顶的暗室中，乱木堆已经燃烧得差不多了。其实要不是那些木料中加了特殊物质，木堆非但早就燃成灰烬，而且那些烟气就是来自这里。

暗室顶面的开口偏在室顶一侧，骨片叠搭的顶面看着岌岌可危却一直没塌，反显得更加稳固。这是因为破损点承受的压力在渐渐变小，上面积压的流沙被雨水挟带，从破口流落下来。

和着雨水泥浆的流沙在暗室地面上堆积得越来越高，也越来越重，重得就像个铅铸的巨大棺材。

重压之下，暗室地面倾斜了。朱瑱命他们下来时，没有仔细查看过这整石面，而整个地下构筑中，只有此室地面是整石，其他都是土质，这个不该疏忽的蹊跷有人却疏忽了。现在整块石面在倾斜、在转动，顷刻之间就将直立起来，翻转过来。

“天翻地覆”，是这古墓中最后一道坎面，是道全毁的坎面。古墓四门都是死门，唯一的出路就在这间暗室中。为防恶魂散出，所以此处是用焦骨为顶。如果有人将铅棺整个盗出，只要铅棺进入此室，“天翻地覆”坎面动作，就会墓室崩塌，古墓尽毁，将铅棺连同一切都深深埋入地底。那样只要无后人挖到那个深度，开启铅棺，就算尸骨魂魄得地气为动，在铅封浇铸棺椁和周围累累晦骨的作用下，依旧无法脱出为恶。

现在“天翻地覆”的坎面动了，在一堆潮湿沙子的重压下动了。

鲁一弃在朱瑱命面前颤抖了，全身不停地颤动。

朱瑱命停住了严谨的步法，他也颤抖了，无法抑制地颤抖。

白胖侍卫在颤抖，红眼睛怪人在颤抖，“碎骨迷巷”所有的白墙在颤抖，“锢魂绝气台”在颤抖，骷髅堆在颤抖……整个的墓室都在颤抖。

鲁一弃脚下的道面突然变得松散开裂，变得像泥沼沙沟一般，很快没到了腰部，接着直直地像个泥塑木偶般整个陷落下去。那一刻，他应该被吓得呆滞了，竟然没做任何挣扎。

朱瑱命在无法抑制的颤抖中朝着鲁一弃纵身而去，他不允许鲁一弃就此消失，更不允许屠龙器消失。

几个骷髅飞砸向朱瑱命背部。朱瑱命根本没回身，他从骷髅飞行带起的风声判断出，这种力道的骷髅无法伤人。骷髅无法伤人，那么伤人的武器会是什么？会在哪里？

虽然骷髅力道无法伤人，朱瑱命还是扭闪身形，将它们一一躲过。谨慎多疑的他生怕其中会有其他暗招子和毒扣子。躲闪导致他的身形变慢，于是一根细长怪异的东西笔直而来，偷偷赶上了他。尖细的头儿用目力不易觉察，带起的风声比那些骷髅要小。

细长怪异的东西赶超过朱瑱命的身形后立刻回转，尖细的头儿像蛇一样径直往朱瑱命颈部绕去。当绕起的圈完全将颈部套住后，便骤然发力收圈，力道极大，带起的风声比钢索划空的劈破声还响。比收圈声音更响的是收圈完毕时的脆亮声响，就犹如开一枪。

这次朱瑱命亲自上前查看。锥底处没有火槽子，磷火之光不足以照明。朱瑱命掏出一个杯口大小的圆牌子压在掌心，一道莹白的光线从他掌心中射出，就像是有支电棒子在手中。

鲁一弃在琉璃厂时听说这样的东西，一般有三种，发白光的叫“井月盅”，发绿光的叫“碧波旋”，发红光的叫“团焰握”。这些都是百年不遇的奇异玉石，可以发光，拢于掌心，光可成射。不过这些玉料很难见到成材的，多为颗粒。像朱瑱命手中这么大这么亮的“井月盅”，那是闻所未闻的。

到了这种地步，鲁一弃不能袖手旁观了，要不然显得太没有诚意。他掏出荧光石一同仔细查找起来。

胖子闲在一边什么都不干，嘴里还不断地唠叨着：“别找了，浪费辰光，我说这里没路就没路，刚开始就走错了，走了望乡台，人都让鬼差拉下阎罗殿了。”

“你好像知道些什么？”朱瑱命突然回头，手中拢住的莹白光线直射到胖子脸上，而他眼中射出的精光更胜于“井月盅”的光芒。

“不要瞎说，这里也没个台子，怎么就胡诌上望乡台了。”鲁一弃在一旁赶紧打圆场。

“不，你让他把话说清楚，我也觉得自己好像什么地方岔了衔口。”朱瑱命的语气很坚定。

“叫我说我也说不清，要么你们跟我走。”胖子的语气也很坚定。

虽然嘴里说说不清，可胖子絮絮叨叨的话还是让朱瑱命非常意外。

“我觉得我们走的路数不是什么九转呀、八门呀的阵法，这就是一副骨架，一副堆压在一起的骨架……”

“这里的断墙是股骨头断了，那里的土壁是脊骨……”

“其实我们进来时的甬道也是骨型，不是腿骨就是臂骨……”

胖子一路说一路走，朱瑱命和鲁一弃始终没有说话，只是朱瑱命脸色越来越难看，而鲁一弃的面容越来越平静。

“此处为肋骨、胸骨、脊骨交叉……”

“等等！”朱瑱命突然一声喝止，然后拔步走向一个岔道口。

鲁一弃和胖子侍卫没有问为什么，都安静地等朱瑱命走去又走回。

开枪般的脆响告诉持拿武器的人，偷袭落空了。只是他自己都没有看清这一下到底是怎么落空的，明明已经圈套住的脖颈恍惚间就闪在了圈外。

朱瑱命知道倪老七的脑袋是怎么被绞断的了，但他没有理会后面偷袭的人，因为鲁一弃已经没入坑中不见，自己必须尽快赶过去。

只又走出了一步，他的双脚就被铐住了。那是从土中伸出的一双手，就像是养尸地的出土养尸一样。不同的是这双手的握力比养尸还要强劲数倍，要不是朱瑱命已经把护体气息运至周身，那双手的十根手指准会瞬间将他脚踝捏个骨碎筋断。

虽然指力强劲，但朱瑱命只是将右脚一跺，抓住右脚脚踝的手便松开了。这一跺还让朱瑱命的身形陡然拔起，顺势将左腿猛然一挑，把暗藏在土中的人生生带出。身形下落时，他右脚朝带出之人的头顶踏去。这是一记迅猛凶狠的杀招，眼下情形，脱开纠缠最有效的办法就是快速击杀敌手。

踏出的脚没到位就转向了，改为一招“反勾圣榻”。这是因为施展杀招的过程中，朱瑱命眼角间瞄到几丝极其细微的锋芒往自己后脊射来。虽然锋芒所射位置并非要害，但他不敢冒险，所以踏脚改反勾，将那几丝牛毛般的锋芒给踢飞。

握住他左脚脚踝的手松开了，土中被带出之人利用这个时间差，带着满身黄土和满心的惊恐急急地翻滚着逃开。

地室颤抖得更加剧烈了，如云的白墙开始像多米诺骨牌一样倒塌。地室顶上也有大块的泥块落下，砸下后扬起灰尘无数。槽沟中的火苗变得扑朔起来，人们的视线也模糊起来。

不过朱瑱命已经盯牢鲁一弃陷下的位置，摆脱纠缠的同时，身形依旧在向那方位扑去。

细长的兵器又赶了上来，这次不是偷袭，而是盘旋成无数个圈儿直攻朱瑱命的上身。同时，十多根牛毫般的锋芒无声而至，攻击的是朱瑱命的下身。

面对如此猛烈的攻势，朱瑱命不得不回身应付，此时只要稍有疏忽，他非但宝器夺不回，说不定连命都要丢在这里。转身的同时他口中发出一声刺耳尖啸，这是给对手的震吓，也是发出的一个指令。

啸声刚刚响起，通道中的红眼睛怪人动了，褴褛的破衣一下子扯开，就像一手持一面百衲的旗帜。然后双手“旗帜”同时挥起，两股劲风平地而起。这两股劲风不是攻向与他对峙的胖子，而是将他面前堆排得密密的“尸血蜈蚣”和“五彩片带蛇”全数裹带进“旗帜”，往鲁一弃陷落的坑中抛去。

如果不能及时擒住一个人，拿回想要的东西，那么最好的办法就是先杀死他，等其他麻烦解决后再去取。因为死人是不会逃走的。

胖子侍卫也动了，手中怪异的小刀直奔红眼睛怪人的右手。没人想到这个臃肿的胖子会这么快，更没人想到他手中的小刀比他人还快。右手“旗帜”裹带的毒虫才刚刚扬起，红眼睛怪人的右手臂已经变成光秃的骨头，并且连腕、肘处的肌腱、筋脉都被轻巧地挑开。所以扬起的“旗帜”变了方向，远远地摔在一侧墙面上，散出的毒虫毫无目的地四处乱爬。

就在胖子动作的同时，左侧的墙体突然破裂开来，其中伸出了一双手。双手距离一尺多，手上也空无一物。这双手没有碰红眼睛，只是在红眼睛左臂肘弯两侧伸缩了下，那左手小臂便随着“旗帜”一同飞出去了。

双臂瞬间全失，可见惯杀戮和血腥的红眼睛怪人竟然没有丝毫惊惧和慌乱。就在他左臂连同毒虫飞出的同时，他身形也动了。抢在“旗帜”改变方向之前补了一脚，那“旗帜”最终还是带着无数的毒虫落入坑中。

胖子面对这突然出现的变化傻了；从墙里探出的双手也凝固住了。红眼睛怪人趁着这机会回身极速逃遁。

朱瑱命在躲避后面攻击的同时，眼睛余光已瞄到另一边发生的一切。虽然坍塌依旧，虽然攻击未止，但他此时却放下些心来。所以这轮攻击过后，他没再往鲁一弃陷入的方位接近。而是伫立在原地，静候针对他的一切攻击。

背后有三个人，土里的是聂小指，除了他，很难找到第二个具备如此指力的。

另两人中有一个是精悍的黑瘦汉子，和胖子一样，穿着一身不合体的侍卫服。他手里拿着一根和他同样黑瘦的长杆马鞭。这马鞭就是最早发起攻击的细长武器。朱瑱命知道，能将一根软长的马鞭使用得直如杆盘似花，此人肯定身怀独到的奇绝手段。

还有一人看起来年近五十，面色白净，颌下稍有黑须。不管是身材、年纪还是气度，朱瑱命都觉得此人和自己很是接近。这人紧抿的唇间压住数十根犹如牛毛似的银针，双手指缝中也夹着无数的银针。从这银针种类以及那人装束上看，他像是个济世行医的。

当看到黑瘦汉子不合身的侍卫服时，朱瑱命心中确定他是另一路挖掘中被埋的侍卫之一。另一路被埋的有两个，还有个在哪里呢？是使针的郎中，还是墙里伸出手的？

“快走，天灵盖碎了片儿，牙颌骨颠了个儿，可别宝贝没得着再把命搭了。”要刀的胖子侍卫边喊边抱着脑袋躲闪落下的泥块。

“对，拿住这老干枣子也换不到什么钱，还是先收摊子吧。”从胖子那方向又传来一个尖细的叫声，话音有些生硬。这是断下红眼睛左臂的人，他双手间看着是空着，其实藏有可怕的武器。否则绝不可能就把红眼睛的左臂断了。

“那就回蹄儿（回头）吧！反正领辕子[1]都被埋了，这趟白溜。”拿鞭子的汉子一口川音，说的是车把式的套子话。

朱瑱命听得懂车把式的套子话，这些人是要退逃。退逃必然有路，他们留的后路在哪里？朱瑱命此时也正想脱出却不知道如何脱出，现在知道有现成的生路怎么可能放过。

鲁家已经出现的高手中没有人的兵刃可以削断平头短铲，也就是说至少还有一个高手隐藏未露面。这个高手为何始终不出，会不会就是留他守住退逃的后路。刚才鲁一弃是想往这边来，而这边的三个高手现在试图往通道那边去，“散魂诏”！退路应该在这个位置。

朱瑱命猛然转身，纵身而出之时正好看到鲁一弃陷下去的坑被旁边倒塌的白墙填满了、压实了。这样最好，只要定了位，自己手下的那些挖掘高手就能将屠龙器重新启出。

背后三个人似乎明白了朱瑱命的意图，他们再次追赶攻击。但朱瑱

1　驾车领头的马，代指领头的人。

命的速度比追赶的攻击要快得多。

“你个杂碎骨头，给老子在这儿抱棺材睡觉吧。”胖子见朱瑱命冲过来了，咒骂着迎了上去。

胖子的刀快，身形也快，被摔出的速度更快。整个过程在眨眼之间，连半招儿都没走完。朱瑱命只是微微一带，胖子就摔了出来，摔向背后追赶攻击的三个人。

嗓音尖细的人破墙而出，他身上穿的侍卫军服全是白灰，就像穿的孝服。冲出两边墙壁不停倒塌的通道，张开双手往朱瑱命跑来，他那样子像是要拥抱朱瑱命。

一线冷芒从朱瑱命眼中闪过，张开的双手间有细如蚕丝的刃光。于是朱瑱命急速侧身，贴着那人伸直的手臂过去。身形相交之时，朱瑱命在那人肩头一按一带，于是，穿墙而出的人又裂空而出。健硕的身形在空中翻转，惨叫声也随着身形一起翻转。

没等惨叫声结束，朱瑱命已经到了“散魂诏”前，此时“散魂诏”也开始倒塌，鲜活的头颅迎面扑来、到处乱滚。朱瑱命快速出脚，将两大片倒塌的墙体踢向一边。

生路肯定就在附近！朱瑱命手扒脚挑，土块、灰尘、头颅四散飞舞。此时顶上的大块泥土如雨点落下，黑沉沉的顶子渐渐压落下来。

朱瑱命一边躲避落下的泥块，一边加快了手脚的动作。咦，那几个人怎么没继续攻击，难道他们不想逃出生天？难道他们一下全被泥块砸中？

朱瑱命骤然转身，纵步扑出。自己又错了，这里没有生路，那么就在高台这边。聂小指是从土中被拔出的，他才是守护退路的人。最后的攻击没有力度和速度，其实是虚张声势，将剩下的两个人让过去。

虽然沟槽中的火光只剩零星几处，但朱瑱命还是借这零星火光找到那几个人。他们缩在高台脚下的一堆骷髅的后面。

“好！”朱瑱命心中暗叫一声，是为自己及时醒悟找到生路而自赞。

“五情五色，相过魂牵，阎殿诏令，散为迷阵……”是一阵低沉的诵念咒符声，却不知来自何处。

还有暗扣子？朱瑱命立时放慢了脚步。

“开！”符咒最后的这个字突然且刺耳，穿透了倒塌的隆隆轰响。

随着这声“开”，又一段嵌满头颅的“散魂诏”崩碎开来。无数的死人脸跳向朱瑱命。跳起的人脸竟然能发出各种不同的怪异声响，配合着喜、怒、哀、乐、愤、吓、狂的面容。朱瑱命快速移动的步法戛然而止，随即变作了恍惚的移动。瞬息之间他感觉各种复杂的情绪一下涌上了心头，堵住了胸口。让他有种抛却一切、舍弃一切的欲望。任凭它天塌地覆，砸向自己，压向自己。

有一张人脸没有跳，这是个无比丑陋怪异的脸，狰狞恐怖得可以吓死活人。它嵌在一堵未被崩碎的残留墙体，一动不动。当朱瑱命恍惚中移步到这脸附近时，那脸猛然怪异地抽搐一下，接着一道弧形金光从墙中爆闪而出，直奔朱瑱命的脖颈而去。

顶上一块不小的泥块砸在朱瑱命的头顶百会穴，这一击让他微张的口型重重闭合，对合的牙齿咬破了舌头。百会被击，浊念突出，舌尖血破，涤洗心窍。这一切是需要一个过程的，但对于朱瑱命这样的高手而言，这个过程只在眨眼之间。

所以在最后关头朱瑱命看到了那道金光。他下意识地仰首后避，只让金光在自己下颌上划出一条细细的血痕。

削断“獾行宗”老者铲头的利器！果然还藏有一个高手，而且对付自己的不止是利器，还有咒符驱动的“摄魂围”。

朱瑱命咬住舌尖细看，这是怕再次被摄惑了魂魄。但这次不是摄魂而是惊魂，他心怯了也心颤了，因为实在不敢确定自己面对的到底是不是人。那张脸实在恐怖，焦黑如碳，肉翘皮张，而最恐怖的是脸上的一只眼睛，尸气重重，紫光若灼，刺人心魄。

这不是人，至少有一半不是人。要是平时，朱瑱命道家之气凝聚，三盘之心收定，不会惧怕这半人半鬼的东西。但此时朱瑱命心神刚刚被惑，正丹之气周天回转未全，心胆无佑，所以只能下意识快速退步，也不管身后会有什么在等待着他。

巨大的土块从顶上落下，挡在朱瑱命的前面，也挡住那个鬼东西。

朱瑱命终于止住了后退的脚步，他的气息已经回转周天，心神俱凝。可就在此时，整个顶面压落下来……

第三章　决战仙脐湖，“鬼骑羊”大破“奔射山形压”

一大片白色从草坡顶上铺盖下来，无声地，快速地。

大高个子站位最靠顶子，所以最先看清那片白色是羊群，卓客维长毛羊。这种羊的特别之处是羊毛特长，一般剪毛时都要超过两尺，这么长的羊毛生长中都自然卷曲成团。另一个特别是羊毛质地特别坚韧，用此羊毛结绳可勒奔马。

面前的只是羊群不是狼群，可大高个子还是一动都不敢动。因为他看出这羊群和平时的绝不是一回事。首先是这羊跑得太快了，他从没有见过有羊可以跑这样快的。还有就是羊身上在冒着烟，很淡很轻的烟。

人迹西

地面上，日已过午，爬出云层的大日头把吸足半夜雨水的黄土地再次烤热。泥泞的地面不再湿滑，凝固了许多脚印。被日头从土中吸出的热湿气缥缥缈缈，大白天就模糊了人们的视线。

鲁家的人退离三座土丘足有三四百步远，与他们对峙的仍是祭魂师和那群失魂落魄的人。而朱家其他的高手都聚集在土丘旁，想尽一切办法要进入到地下。

三座土丘突然跳动了几下，让人恍惚间以为自己产生了错觉。但接下来持续不断地颤抖跳动证实这不是错觉，而是发生了一件难以置信的事情。

眨眼间，洞穴全被填满，丘面也布满深沟裂纹。三座土丘像是顿时变得松软，随着黄土巨浪般的翻腾，快速下陷，最后直落成一个巨大的土坑。

土丘边的朱家手下，几乎全都落在这坑中，裹混在黄土中翻腾、挣扎，惊叫声连绵不断。及时逃出的则满怀惊恐，谁都不敢下去施一把援手。因为没人知道这是危险的开始还是危险的结束。

“退！”利老头果断挥了下手，面前这情形是一个约定。不管下面的人此行会不会成功，能不能逃出，他都必须带着剩下的人立刻离开。

祭魂师也被身后发生的事情惊呆了，平地三座高大的土丘转眼间都不见了，变成了一个翻腾不息的巨大土坑，这让他感觉是在做梦。但鲁家人一撤，他却是首先回过神来。

随着祭魂师手中羊皮鼓一阵响，那些失魂落魄的人变成了最勇敢的战士，持着各种奇形兵刃朝利老头他们极快速地围杀过来。

鲁家的人有条不紊地迎击。原来围成一圈的人迅速拉成了长型队列，断后的利老头和盲爷在原地一步未动。这样的话就算朱家高手冲围过来，也只能圈住最后面的两三个人，而没被圈住的随时可以掉头反杀，形成里外合击。这是马队攻杀中常用的“蛇钻蛋”战术。

镇定严密的步数让祭魂师知道自己面对的不是泛泛之辈。

断煞之气！这让祭魂师愕然、惊骇。鲁家断后的笑脸老头，所持鬼头刀的红绸帕突然展扬开来，上面竟带有凝重的断煞之气！这红绸帕定是浸透了无数失魂落魄之人的断头血。断煞之气是他那些失魂落魄手下的克星，他们无惧生死，不知苦痛，却唯独对这样气相有感觉、有惧意。

与此同时，左侧土沟下冒出一股阴寒鬼气。祭魂师感觉这鬼气的浓重程度和朱家养鬼娘相仿，但如果是养鬼娘的话，她早该现身来助自己阻住对家。既然没有，就只会是对家暗伏的帮手。

右侧土壑后面有一股凌厉剑气，只有绝世的宝刃才具有这样的剑气，也只有绝世的高手才能驾驭这样的剑气。从迹象上看，这高手也是对方暗藏的后援。

失魂人已经追到鲁家队伍，手中的兵器也蓄力待杀。但羊皮鼓响了，随着鼓声，追赶和攻杀都戛然而止。

该走的已经走远，该留的还留着。有人觉得事情已经结束，有人感到事情才刚刚开始。

翻腾的泥浪很快平静，朱家的手下从黄土里爬了出来，一个个就像泥塑陶俑。没有什么伤亡，却有不小的惊吓。但他们很快意识到，必须赶紧行动，救出被埋的门长。

朱家果然势力强大，就这破土挖掘的高手人数就极为可观。原有的，后来的，加上周边紧急调集的，聚在此地快速挖掘的人数已近两百人。

下陷的面积很大，而地下陵室的范围更大，要想从土里掏出个人几乎是大海捞针。不过朱家还有高手，寻到被埋之人位置的高手。

祭魂师铺开了一张暗红布帛，撒上了一层薄薄黄土，然后点麻香，丢骨骰，抖布帛，念咒语，然后趴在地上细看红布帛上黄土的变化，辨别地下魂魄的所在。

祭魂师的手段果然非同凡响，不管是死是活，只要魂魄不曾飘移和飞散，就有找到的可能。在他的指示下，挖掘高手直奔主题。他们先是在一片灰夯土与黄沙混合的泥层中挖出十多个死人。这些人是另三路掘挖入丘中的两路。

又过了半天，在一个小室中挖出气若游丝的红眼睛怪人。小室的面积小，整体支撑力大，虽然也压塌了小一半，却给红眼睛怪人留出一个存活的空间。

红眼睛怪人受伤很重，双臂齐毁，大量失血导致他生命垂危。特别是他右臂的伤，皮肉被削，肌腱、筋脉被断，整个就是被剔了骨。而且胖子的刀子怪异刀法的确怪异，被他割断的血管竟然无法愈合，就算是点穴闭住血管经脉，那断口处还是不停有血渗出。朱家众多高手竟然想不出一个妥当的止血法子，实在没招了，只好从他肩臂处再次砍切，才得以止血。

之后他们找到了死去多时的"獾行宗"老者，从他青紫色的面容看，是窒息而死的。可口鼻中非常干净，这说明他是死在地室塌陷之前。检查尸身后发现，没有勒痕、掐印，可咽喉部气管却是瘪闭的。有细心的人在他小腿后面发现扎有一根针灸银针，不知从何而来。

朱家东部堂口的高手认出此为沧州怪医易穴脉所为。易穴脉颠倒医道的"倒拔穴"针法，是刺要害救人命，刺无穴要人命，刺下及上，刺上及下，针入血肉倒拔穴脉，牵动其他相关部位的肌肉、穴位动作。所以老者虽然被刺中无关紧要的小腿，却导致咽喉气管瘪闭。可是那易穴脉只研医道不问世事，从不出沧州地界，又怎么会出现在这里的墓室之中?

朱瑱命的位置是最难确定。连倪老七的尸身和头颅都分别找到，却偏偏寻不到朱瑱命。祭魂师告诉大家，连他都找不到魂魄，只有三种可能：门长已经脱出，不在下面；门长死后被某种手段封住魂魄；门长没有死，他的魂魄还固守泥丸宫，未曾出体。

三种可能，给了朱家手下更多希望，于是他们不分昼夜连续挖掘寻找。到了第三天，祭魂师终于抓住了一点游魂的尾梢，迅速确定了朱瑱命的位置。

朱瑱命是在一个斜搁的地室顶面下挖到的，那是个很狭窄的空隙，不过周围松散的黄土都已经被朱瑱命拍实，另外为了多存活气，他还拍击出一个个与狭窄空隙连接的凹洞。挖出朱瑱命时已经探不到他的气息，脉搏也是隔好长时间才微微跳动一次。这是龟息之法，要不是这种龟息法，就算周围再多拍多少凹洞，都不够他两个时辰呼吸的。

地面上的空气输透下来，龟息状态的朱瑱命立刻感觉到了。鼻翼抽动了两下，眼皮下的眼珠转动了几下，喉间轻“咯”一声。然后平静缓慢地睁开眼，就像是睡足后慵懒地醒来。

睁开眼的朱瑱命盘腿而坐，深吸缓吐，让周身气息流畅，经脉尽数贯通。许久之后，他抬手指向一个方向：“往那里挖，给我把东西取回来。”

手下人没有问要取什么，只是按他所指方向继续开挖过去。

又是一夜过去了，这期间朱瑱命吃了东西喝了水，却始终没有离开现场，他要亲自确定挖掘的方向和位置。

挖开的土中有“尸血蜈蚣”和“五彩片带蛇”的爬行痕迹。

“看看百足与片龙的痕迹是从哪里过来的。”朱瑱命觉得范围已经差不多了，现在只需根据毒虫运动痕迹确定最终位置。

“报门长，百足与片龙是往下去的。”有寻痕辨迹的高手过来报告。

朱瑱命眉头一下拧紧，自己亲眼看到裹着毒虫的布包被踢入陷坑中，那时就算鲁一弃已经被埋，最多也就在半尺土的样子，毒虫钻爬土隙的距离不会太长。而从他们发现爬行痕迹到现在挖到的地方已经有近两丈距离，自己原以为是毒虫回爬的痕迹，可现在所报却是往下去的。也就是说，百足与片龙钻爬了近两丈都没有追到鲁一弃，难道这鲁一弃会土遁？

朱瑱命回身，朝着祭魂师狠狠地说出两字：“寻魂！”

祭魂师又是一番神神叨叨地忙碌，铺八向布，撒碎骨头，抓沙抓土，嗅味辨形。最后却是给了朱瑱命一个很有些打击的结果：“无魂。”

“不可能！就算他不死，也无法钻行无痕，怎么就不见了呢？”朱瑱命的自信与他要寻找的人都蒸发了。

“报门长，这里有挖掘痕迹。”朱家手下终于有了发现。

“啊！下面有暗道，可一人爬行而过。”又有一人发现情况，讨好地向朱瑱命报告。

自己在此处又被下了一坎！朱瑱命幡然醒悟了。一时间恼恨之情无处可发，便在报告之人的胸前按了一掌。

报告的人无声地瘫倒在地，身体蜷缩得像个球，七窍之中污血喷射，暴凸的眼球和咬碎后迸出口外的碎牙让人知道他痛苦之极。

“从我下去之日算起，几天了？”朱瑱命到此时才问起个和自己相关的问题。

“天明就是第四天了。”有手下离得远远地答道。

“还来得及，他夺了屠龙器，必会前往西北凶穴位。飞鸽传书，令西北线各堂口尽出，昼出‘飞马铜车’，夜出‘人影子’，拦截阻杀鲁家人等。再令最靠近此地的白马堂、西华堂、壶口堂聚集高手火速往西北一线追赶。同时传江湖暗金令，任何截住朱门所发画影之人及所携之物的，付银票十万，不分生死，以验为准。”

布置完这一切，朱瑱命轻轻叹了口气，但在这口浊气之中，他品出一丝腥甜的血味。自己伤了，连续三日的龟息让浊垢不散，阻滞了血脉的畅通。然后乍惊、乍惑、乍恨乱了经脉的条理，道家之气与杀伐之气对冲，世命之欲与所修之静对冲。自己心中忍受和深埋的种种情绪和欲望会在某一时刻迸发、毁灭，这就是走火入魔。朱瑱命预感，这一刻离得近了。

“通知海外线上堂口，带悟心回来，是该他担大任了。”朱瑱命此时想到被自己放逐在海外的儿子朱悟心。

朱家已经连续三代一脉单传。而朱瑱命唯一的儿子又偏偏是个怪胎，常常凝坐如石，三日才出一言，言出必逆。可奇怪的是，那些逆言却总是一语中的，就像能洞悉别人的思想。朱瑱命的母亲说此子天赋异能，于是他便遣几大高手带此子远赴海外，刻意地培养和磨炼他。

隆起的三个高丘已经变成布满枯骨的泥潭，随着风吹泥流，这泥潭很快就会被黄土再次填满。而这地下原有的东西将不再会重现人世，它们已经与这片黄土地融为一体，成为一个无解的谜，成为后代人无法相信的传说与传奇。

《隋禆记事·赐葬》：“……杨素杀戮四方，视腥血腐骨如美炙，其威震主。暴病卒，隋文帝惧杨素性凶，信巫言，赐棺封葬，择于西北方三百里数，积三丘，墓中所置不知……”

《隋帝野史》：“……多赐葬，是为压凶稳皇气，地择僻恶，铅棺吊置，入土墓不近土气。如此葬杨素、窦方石、李翼多人……”

隋朝时大将杨素征战杀戮多方，平复无数异族暴乱和疆域之争。被称为自古第一凶将，死后隋帝赐葬。不过“碎骨迷巷”是唐朝天罡道府创显于世的，这和隋棺又对应不上，此中说法又是一个需要破解的谜。

“土”宝更无觅处，也许真的成了一方福灵，泽润着苍生无数。

落夕镇，在镇西路口有一块突兀的圆形红石，很像快要钻入地平线的落日，镇子因此得名。

镇子很大，各种商家店铺齐全，街上人流不停，其繁华程度不输关内任何一个大镇。此地是来往藏地商贾、行客的重要站点，所以鱼龙混杂、藏污纳垢，什么底儿的人都有。

控制此镇的帮派就有三个，一个是由流落此地的破败商队组成，叫“护商帮”，这个帮派多善于使用火器；一个是关内外流的马匪“大嚼头马队”，他们中的刀客高手居多；还有一个是以藏民为主的“高包子”帮，这个帮派很诡异，不但帮众技击功夫怪异，而且毒、麻、蛊、迷、兽俱全，很是难缠。

鲁一弃一行人逃遁出三丘土已经六天，可刚在镇上露面，全镇人就都知晓了。

但鲁一弃他们并不忌讳自己行踪暴露，进了镇子中心的大酒楼吃饭喝酒、猜拳行令，很是高调。大酒楼二楼临街的厅房全被他们包下，这位置可以将镇中东西宽、南北窄的十字路口尽收眼底。

这群人中最兴奋的要数盲爷，因为从这落夕镇稍往北去百十里，就到他家了。而下一步要办的事情，必须出了镇子西口往偏北方向而去，这样再走天把工夫他就能见到自家婆姨和女儿。大半年没见，老盲爷心里怪想得慌。

最沉稳的是利老头，沾满累累尘土的头发梳理得一丝不乱，脸上的微笑也一丝不乱。每次酒杯端到唇边都只微抿一口，一副悠闲笃定的样子。也难怪他会这样，早在他们往咸阳的路上，鲁一弃就已经凭超常的感觉探出几处暗斗，掏出不少好物件让大家分了。鲁一弃把自己那份也给了利老头，让他委托镖局把这些东西送回去。利老头知道，这些东西的价值足够自己女儿带外孙外孙女一辈子的花费。鲁一弃把事情办到了这个份儿上，他便没了后顾之忧，铁了心留下来帮衬鲁一弃。

聂小指把自己分到的好东西全找古玩行换了银票。他单身一个，到哪里只要自己吃好穿好就行。而且他觉得，只要跟定鲁一弃，不要说吃好穿好，就是攒个金山、银山都是可能的。

另外几个人鲁一弃原先都不认识，不过他们都持有《班经》六工中的某一技。而且通过他们对鲁家技艺的了解可以确定，这些人的确是鲁家的朋友和帮手。

身旁靠着根长柄马鞭的黑瘦汉子叫卞莫及，四川人，是川西一带“赶山走”大车连铺的掌鞭会头，车赶得好，鞭甩得好，还会辨识良马、伏地听声。

卞莫及之所以与鲁家有渊源，是因为小时胆大顽皮，独入玲珑山九曲搁棺洞玩耍，结果迷路，数日未能转出。幸亏当时鲁盛义正往西南查寻异象，古道热肠的他带领卞莫及的父母乡亲，用五色线定道之法寻到卞莫及。为谢救命之恩，卞莫及收下《班经》中定基一技，答应协助鲁家完成大事。

胖子不合身的侍卫服早就扔了，换成一身油腻的黑色大挎子单衣，还斜肩挂一个油布褡裢。他是个鼎鼎大名的屠夫，会“剔毫刀法”，名叫杨小刀。

杨小刀的父亲也是个屠夫，有一年他父子两个在西皇山脚下杀牛时，不小心血溅佛像，结果被一个游方僧人下了“杀生咒”，见血即晕，提刀头痛。屠夫见不得血和刀，那全家都断了活路。幸亏鲁盛孝从尧山佛泉寺涅回大师处讨得一副“三道轮回帖”，虽然只解了杨小刀所中“杀生咒”，也算得是与他全家有恩，所以杨小刀收下六技中固梁一技，承诺鲁家之事，必定是以命相付。

杨小刀旁边坐着的是个回回儿，近三十的年纪，白净秀气，分外的干净。惹人注目的是他左手中指上的一枚硕大指环，是头尾相接的苍龙吞月。指环被摩擦得锃光瓦亮的，外行都可看出是年代久远的古器。这人是杨小刀的朋友，姓年，是个卖切糕的。西安小市的人都知道：“年切糕，不用刀，手一开，糕就掉，要多少，切多少。”就是说他卖切糕时不用刀切，只要像在“碎骨迷巷”中那样，双手张开一伸一勒，切糕就会像红眼睛的胳膊一样掉下来。其实奥妙在他的指环上，这件元末年间的异形器物，叫做“火蚕蜷龙腹”，在它中间卷藏了一根“焰湖火蚕丝”，其韧胜钢，其利如刃，可在指环中伸缩自如。

年切糕和鲁家没什么渊源，不过他却和杨小刀的关系非比寻常。他们青梅竹马断袖之交，杨小刀走哪儿，他就跟哪儿。杨小刀冒十分险，他会替他担七分。

遇到这几个高手算是意外，而让鲁一弃真正意外的是，他在十八里营还见到两个已经“死去”的人。

一个是“死去”的莫天规，白龙涧冰封石梁上他剑劈“铁鹰云”，被撞落山崖。多亏石梁流水冻结的冰柱让他插剑受力，减缓了下坠力道，变坠为滑。虽然内腹经脉受了重伤，却保全住性命。

受伤后的莫天规强撑着逃出龙门涧，逃赴到沧州，寻到“倒拔穴”易穴脉给他疗伤，并邀“倒拔穴”同往西来。那易穴脉就是用银针袭击朱瑱命的儒雅郎中，他家也是得过墨家恩德，所以便随莫天规一同西行。

还有一个“死去”的人更加意外，竟然是鬼眼三。不过已经没有人认得出他了，他的整个面容已经和地府中的鬼魂没什么区别。

北方“金”宝镇凶穴之行，他为救水冰花，跃入地裂深沟，幸运的是一番拼死挣扎让他落在溶浆边的一块凸石上。

下陷的山体并未将下面的裂沟填满，这就形成了一个巨大的空穴。空穴中给了他足够氧气维持生存，让他凭着超强的挖掘功夫和任火狂打制的梨形铲，挖出一条洞道逃出生天。

世事总是此得彼失，性命虽然保住，可是溶浆的极度高温传导在土石上，将鬼眼三烫烧得面目全非，浑身伤痕。

虽然鬼眼三已经全无人相，但鲁一弃还是把他认出来了。因为鬼眼三身上有“尸犬石”，因为鬼眼三脸上有“尸王眼”。而且“尸犬石”被高温炼制后其尸气更为炽烈凶猛，“尸王眼”遭受熏蒸后也更加凶芒难抵。

正因为鬼眼三的出现，鲁一弃才确定了对倪七的怀疑。也幸亏聚集了这么多的高手，才让鲁一弃有信心利用倪七，给朱瑱命摆下一个大坎，骗取了朱家的屠龙器。

眼下鬼眼三坐在酒厅的一角，独自守着一壶酒、一盆子肉。他的黑披风缠头裹脑，只有口鼻和单眼露出。这是怕自己吓到人，也是怕自己的样子让大家没了胃口。

但莫天规不在这里，他带来的“倒拔穴”易穴脉也不在。

也没见到吴副官和他带来的大帅府侍卫。鲁一弃从地下“囚魂墓”中逃出后，就用十多件古器把吴副官和他的手下打发走，让他们先行赶到川藏接壤的鼓马山萨月额草场。告诉他们自己会先甩掉朱家钉尾的，然后绕过藏地入川，到那里与他们再会合。那个草场算是卞莫及的地盘，管马场的寡妇半山蓝是卞莫及的相好。

鲁一弃没有喝酒，他只喝了一碗大叶儿麦粉茶，吃了两个肉夹馍。然后便靠在黄杨木的包背椅里，静静地看着这些陪着他出生入死的人。这一刻他的心中很是欣慰，从鲁家先辈手中继承到的东西中，最好的不是《班经》、弄斧，而是这些生死与共的交情。

“大少，硬蹄子显声相。”盲爷咽下嘴里的酒肉说道。

“西路有二十多骑马匹，东路过来的在三十骑朝上。”卞莫及伏地听声术能准确辨别出远处的是什么牲畜兽子，以及数量、距离，就算不认识的兽子牲畜也能辨出大小、分量。像这种大街上走的马群，根本不用伏地听音，竖耳一听就能辨出数量。

“我说的不是马队，是对面铺子和隔壁房中都有金刃出鞘的颤动和碰撞声。”盲爷的耳力无人可比，辨别的声响种类也比卞莫及要广。

“楼下也有刀气涨烁。”利老头对刀气的感觉无比敏锐，“是想断我们退路。”

杨小刀朝利老头挑起大拇指，又回头对年切糕憨然一笑。

虽然出现了状况，但大家依旧是肉来酒往，和刚才没有两样。

以计究

鲁一弃还是靠在黄杨椅的椅背里，只是将怀中见血封喉树皮布包抓得更紧了。前些天“囚魂墓”中那个坎子设得仓促了，也牵强了，太多意想不到的情况让整个过程惊心动魄。特别是最后自己利用地陷之坑逃遁，可没想到对家给抛下一包毒虫毒蛇，非置自己死地不可。幸亏是有包裹楠木匣的见血封喉树皮布。这种剧毒之树树皮打制而成的布竟有百毒不侵的神效，用它包裹住身体，毒虫毒蛇遇到均纷纷逃避。

“这趟又要靠这块布了，但愿此计能成。”鲁一弃心中暗自祷告。

酒厅一角的鬼眼三突然站起身来，单手横提梨形铲：“尸气！”

鲁一弃见鬼眼三单眼中流露的是惊异，心中不由“咯噔”一下，是什么尸气让拥有“尸王眼”的鬼眼三都如此紧张？

很快鲁一弃也感觉到了，那尸气是从楼下传上来的。而且他马上也明白鬼眼三为什么会有如此表情了，因为那尸气极其复杂。都说一人一味，一尸一气，可下面传来的尸气竟然是成百上千种混杂在一起，是来了太多挟带尸气之人吗？

面对弥漫而上的尸气，鬼眼三没敢从楼梯正面迎出，而是躲在楼梯栏杆一侧，随时准备突袭。

吃肉喝酒的人终于紧张了，鬼眼三的动作是警示，意味着危险，他们都不由紧握住自己的家伙。

连鲁一弃也站了起来，他松开抓住树皮布的手，顺手从腰间拔出了上满子弹的驳壳枪。

盲爷挪了下屁股又坐了下来，只有他不以为然。

利老头站起身，刀把上的红绸帕抖甩了一下，随即便也缓缓坐下了。

楼上的人蓄势待击，楼下却已经大打出手。先是桌翻盆砸、兵铁交击之声，接着便是哀号惨叫。有人被摔出了店门，有刀剑远远地甩到了街上。楼梯上有急促的脚步声，是有人想冲上来，但没几步就被更急促的翻滚声代替，一路滚了下去。

楼上的人开始觉得奇怪，特别是鬼眼三和鲁一弃。因为奇怪的尸气竟然是守护在楼梯半腰处，而下面原本涨铄的刀气在尸气的扫荡下不复存在。

楼下变得变得很静，不但楼下很静，连店外本来喧闹的街道也静了下来。大街两头的马队也停止了前行，谨慎关注着酒店这边的情况。

那股尸气蛰伏不动了，但其中蕴含着的杀机和力量仍是可怕的。

聂小指从桌上捏起一个大花粗瓷盘，手腕一抖，瓷盘带着小半盘的鸡块往楼梯下飞去。

没有一点声音，那盘子就像落入无尽深渊，始终没有坠落到底。

就在大家诧异之间，那股尸气动了，骤跃而上，速度极快。

鲁一弃只来得及扳开驳壳枪的保险。

鬼眼三占据着有利的位置，他打算当尸气上行到二楼楼面时给予突袭。但就在他梨形铲作势要拦腰横拍的节骨眼上，他那被黑布掩盖着的“尸王眼”突然发出一阵刺痛。刺痛的感觉直射入大脑，让他在那一个瞬间呆滞了、迷糊了，手脚都不听使唤了。

一片红云飘起，当红云超过二楼栏杆瞬间，一盘鸡块朝聂小指劈头盖脸打去。

聂小指左手抢入，抄住那个大花粗瓷盘，右手如电闪，五指齐动，将那些散开的鸡块一一夹住，放入了盘中。

那片红云飞出盘子的同时，在栏杆上稍一点踏，便朝鲁一弃他们这边飞纵过来。

年切糕双手一张迎了上去。这样子是门户打开的招式，而其实双手间有根胜过钢刃的火蚕丝。只要对手从他敞开的门户中攻击，手来断手，脚来断脚。

那片红云不知道是看出年切糕的伎俩还是根本没打算与他纠缠，一晃一扭，从年切糕胳肢窝下钻了过去。年切糕吓得一身冷汗，红云贴身而过，只要手中有把刀子，自己软肋便随他割刺了。

鲁一弃举起了枪同时，忽然觉得那红云的动作招式很是熟悉。

尖细的盲杖压在鲁一弃的手臂上。盲爷虽然看不见，却能知道鲁一弃举起了枪，所以他赶紧阻止。谁都没有绝对把握从鲁一弃的枪下逃脱。鲁一弃射击凭的感觉，而这些日子江湖上的学习和历练已经让鲁一弃的感觉控制得更加随心所欲，射击技巧也大大提高。特别是对付速度极快的高手，他已经琢磨出自己的一套办法。

“胖妮儿，住了！再闹可要下不了台挂不住面儿。”盲爷叱喝一声，语气中却是充满怜爱和自豪。

对了，鲁一弃突然想到，红云的动作招式与盲爷踏“飞蛾索”施展“平步青云纵”是一样的，只是红云的动作更加飘忽敏捷。

“咯咯咯！爹呀！你早知道是我来了吧？要不不能大咧咧坐那儿不动！”随着脆生生的声音，尸气停了、散了，飘拂的红云也变成了垂挂的旗面。

一身红色的密纱绸小褂裤，滚黑色云形边，腰间黑色宽束带。头上红绸帕横结包裹，露出一束油黑发辫。脚下薄底红面黑色云纹帮的小靴子，有皮有呢有布，既轻快又耐磨。背上背一个杯口粗细的长条鹿皮囊，暗红色，三尺多长，里面应该是什么兵器。

姑娘衣着打扮红得刺目，脸庞子却是白得耀眼，而且还是鼻挺眼凹，长得是一副异族的模样，非常漂亮。脸庞子像异族，身形也像异族，偏健硕那种，臀圆肩厚，胸挺腿粗，可极为匀称健美，与盲爷昵称的胖妮儿相去甚远。

鲁一弃知道盲爷的婆娘是个维吾尔族女人，生下的儿女相貌与他有很大差异。可怎么都没想到差异会这么大。

在座的所有人都没想到盲爷能生出这么漂亮的女儿。

只有鬼眼三最为肯定。当年盲爷盗取了捆绑僵尸王的嵌金刚链，做成一件武器给自己女儿。那钢链可以制住僵尸王，那么用钢链做成的武器当然也可以制住僵尸王。而鬼眼三的尸王眼原来就是僵尸王的，所以他刚才想要出手时，突然感到“尸王眼”刺痛，这应该是盲爷女儿携带武器带来的反应。

“难怪坐着不动弹，原来已经晓得是自己女儿。”聂小指有些不满地嘀咕着，“你个老利头肯定也知道，所以坐着不动，盲爷给你暗示了吧。”

“没有！”笑佛儿利老头眯眯笑着，“是我这刀给我暗示了。”

“利老爷子的血魂帕子一震即垂，是觉出尸气对我们没恶意。”盲爷眼不能见，可发生的一切没能逃过他的耳朵。

盲爷这个女儿叫夏枣花，就是她从小陪同盲爷住在千尸坟里。盲爷的几个儿女中，只有她有意无意间学到了盲爷的本领，并且还熟读典籍融会贯通，青出于蓝而胜于蓝了。特别是鲁家辟尘一技，盲爷没在意练，她却是学得炉火纯青。千尸坟中待的时间长了，让枣花不可避免地沾上各种尸气，而盲爷从倪家手中盗取的嵌金刚链，本是锁扣僵尸王的，更是吸收了极重尸气。

大家重新坐下，胖妮儿却早已经赖在盲爷身边，嘴巴咯咯嗒嗒没个停歇：“我今儿一早从‘高包子’帮众那里打听到巨额暗金的事情，就猜想可能和老爹有关系，于是就在这镇上候着，没想到真就见着老爹了。刚才楼下‘大嚼头马队’的刀客要上来对付你们，我就给他们都扔出去了……”

胖妮儿聒噪个不休，鲁一弃却在一旁静静地看着这个率真的姑娘，心中若有所思。她的皮肤真白呀，比养鬼婢还白。是了，她有一半维吾尔族血统，又从小和盲爷躲在不见阳光的千尸坟中，当然白了。不知道养鬼婢的白是天生的还是因为不见阳光。这女孩身材健硕丰满，这与水冰花倒有一比。不过大大咧咧、性格率直，与水冰花的缜密谨慎大不相同，与养鬼婢的温纯清静也有所不同。

胖妮儿停住了话头，她发现旁边一个年轻人正傻呆呆地看着自己。

鲁一弃省悟过来，他也意识到自己的失态。

“对了，还没给你介绍几位呢，你还记得早年间来探望过我们的鲁家大爷吗？这就是他老给你唠叨的一弃大少。那一位呢是移山断岭倪家三叔，为了你的兵刃，还累他伤了眼睛，这边几位……”盲爷趁着女儿言语暂停的间隙，赶紧介绍在座的人。

刚介绍完鲁一弃，胖妮儿雪白的面容立刻泛起了一丝胭红，眼神也变得迷离，盲爷后面介绍的人全没听到。更奇怪的是打这以后，她便抿住俏丽嘴唇，静静地坐在盲爷身边，只时不时偷偷瞄看鲁一弃一眼。

“鲁大少，咱们这形儿已显了。妮子刚才大动静地一闹，什么深底子（暗藏的势力）都得起浑。是时候拖发入盆[1]、收刀抹血了。”利老头觉得时机到了。

这话提醒了鲁一弃，心中暗骂自己没出息，见着个漂亮姑娘就差点把正事都忘了。

其实这也难怪，鲁一弃毕竟江湖走得嫩。再说一个血气方刚的年轻人，贸然见到个漂亮姑娘乱了心思也属正常。要不然要这么些老江湖帮衬着做什么？

利老头话才说完，盲爷就已经在掐指盘算了。角落里的桌上，鬼眼三也用现成酒水起了个茅山术中的“通活咒”。

“镇口到酒楼，辕马行了二百三十五步，而此时东面马队距这里不过百二十步左右，我们从店口上车，不管如何快速，都无法避开他们一轮冲击。”盲爷原先是西北贼王，最熟悉马队攻杀。

“而且他们不用赶百二十步，东面过来的是‘护商帮’，他们会在几十步外就用火器攻击。”许久未说话的胖妮儿开口了，看来她对这里的江湖帮派很熟悉。

“是啊！况且西面也不能去，那边也有个马队堵着。最好是出店门不驾车，直接转入朝北的街口，冲出镇子再说。”卞莫及的计划很实际。

“要不就守在这儿，等天黑了再往外冲。”杨小刀刀子一挥，桌上的烤羊腿便飞起一片嫩滑的肉，直接落入他的口中。

“这不行，这酒楼东、北两面连屋，西、南街宽不过双车，易攻难守。”盲爷和利老头都不同意。

“往北也不行，我们这趟的活路只有往西去。”鬼眼三说话时没有抬头，始终盯着“通活咒”。

“倪三叔，你真行，怎么算的？我亲眼看见‘高包子’的人马在北面道上挖腐坑，布‘裹蹄毒刺’。而南面是‘大嚼头马队’的连栅口子马栏，梁头粗细的栏子有十七道，中间还圈了上千匹待驯的野马，根本

---

1 刽子手常的暗语，砍头时用根红绳拴住囚犯头发，刀落下后，前面人一拖红绳，将砍下头颅拽入准备好的木盆中。这里利老头的意思是牵着人走。

走不通。”胖妮儿对同样携带尸气的鬼眼三很是钦佩也很是尊敬。

“看来只有从西面硬拼出去了？这趟形儿显得不是地方。”鲁一弃像在自问。

“这趟形儿择时不择地，时间对了，地方就没得选。只是没想到此处的帮派力量会如此集中，布置也很是严谨周密。”利老头是在安慰鲁一弃。

“什么集中周密的，这镇子三帮共存，相互间钩心斗角、暗争高下，乌合之众而已。”胖妮儿随口说出的信息非常有价值。

“那么他们这三帮子是共管此处还是各管一面？”鲁一弃瞧着胖妮儿微微泛蓝的眸子问，语气虽然平静，心中却不由地一荡。

胖妮儿见鲁一弃问她，脸不由地又添胭红，不过西北女儿家毕竟不扭捏，反将一双微蓝眸子盯住鲁一弃答道：“三帮各管一面，就以这镇心为界，利益、利害都分割清楚，不得越界。”

“不会相互援手，联合夹击？”鲁一弃不爱发问，可问胖妮儿问题时却很是自然，其中缘由一时无法说清。

“这种情况从未有过。”妮子也盯住鲁一弃的眼睛，像要从这里看到心底。

“那我有个法子也许可以全身而走，你们听听行不行……”鲁一弃放低了声音，大家都围拢过来，包括独坐角落的鬼眼三。

过了一会儿，红云般的夏枣花重新冲到了楼下，冲到街上。见到“大嚼头马队”的刀客就连打带踢。

街面上这么一打，大家都觉得好笑，一大群汉子被个女娃儿扔得满地都是。特别是另外两帮的马队，更是幸灾乐祸，指手画脚，讥笑不断。“大嚼头马队”的刀客们挂不住了，他们被打或者群起打这个女娃儿都不妥，最好的办法是避开。所以他们决定先退到自己的地盘，等这个疯丫头离开后再采取行动。

“大嚼头马队”往南边退去，那里是他们的连栅口子马栏。利用那里的大栅栏子和野马群，应该可以避开这个疯丫头。

胖妮儿见“大嚼头马队”的刀客往南逃，便不远不近地跟在后面。

转雕鞍

胖妮儿进入南面街才一小会儿，其他人也走出了酒店。最先出来的是鲁一弃，他丝毫没掩藏裹扎在胸前的树皮布包，出来后径直往东面的街面走出十几步。

东面是“护商队”的马队，他们眼见着人和东西都送向自己嘴边，反倒显得无措，因为太轻易得手的东西往往会藏着陷儿。所以虽然群马嘶、乱蹄迈，他们却始终勒在原地打旋儿，不敢轻出。

终于有匹彪悍健马拉勒不住，扬前蹄纵跃而出。

那马只纵出一步，当第二步的蹄子才刚扬起，鲁一弃手中的驳壳枪响了，声音清脆。

这一枪也惊不到人和马，因为他们个个身经百战。但如果是怪异、刺耳的铜铃声，却是可以惊吓到马匹的，特别是这些马自己脖子下悬挂的，一直发出正常声响的龙眼黄铜马铃。

鲁一弃一枪射穿奔马脖下铜铃，这声怪响让那匹马的第二步转向了，调头了，然后带些疯狂地冲进身后马群，更加拉勒不住。

马队有些乱了，有的马匹在避让，有的马匹在蹦踢，一时嘶叫连连。

枪声再起，随着枪声，铃声如沸。

这一次鲁一弃连续射出了六枪，六枪的枪声听起来像一声长音。随着枪声，又有六只马铃被击飞。飞出的铜铃不但发出尖利怪响，而且还在空中相互撞击，把那怪响变得更加喧闹嘈杂。

马队彻底沸腾了。特别是最先冲出的那匹马，它调头撞倒一匹正在侧转的马后，便冲进了旁边的布料铺子。当它再出来时，各种颜色的布匹缎子被它拖带得远远近近、长长短短。奔撞中，布匹和缎子缠住了其他马匹的马腿、脖子、缰绳。

鲁一弃从容开枪中，卞莫及也从容套好马车，将马车从容地停到贴近酒店大门的一侧。其他人都从容地坐上了马车。

马车车头朝着西面的街口，这让西面“高包子”的马队提足了精神，各持刀枪谨慎地戒备着。马队后面更有人布下多道绊马索、套骑网，还从旁边店铺中搬出些桌椅板凳架在街中，这一切措施都是为了防止马车突然冲过去。

东面马队的混乱很短暂，有经验的骑手懂得快刀斩乱麻的道理。一阵刀光闪烁之后，布匹、缎子全成了碎片，花花绿绿地铺满了道路，马队解脱了束缚，重新整好队形，蓄势待发。西面马队的身手也很快，不一会儿，拿人取货的准备都做好，阻止大马车奔出的绊脚料也都下了。

卞莫及安抚了一下拉车的四匹马，然后提着鞭高高地站在一侧车杠上，继续等待。

东面的马队开始慢慢朝这边逼压，虽然刚才的枪击让他们心有余悸，但是衔在嘴里的肥肉怎么着都得往下吞啊。

马队越来越近，速度也越来越快。马上的人都已经端起了各种火器，黑洞洞的枪口对准马车上的人。

马车上的人还是没动，他们像已经准备好束手就擒了。

但马队在没有完全逼近大车时就停住了，因为他们的坐骑开始变得焦躁不安，怎么都不肯往前行。也就在这个时候，地面开始震动起来，两边店铺的招牌、桌椅、柜台乃至房屋都在跳动。一阵洪流般的声响从南面道路上传来，那声音越来越近，越来越急，转瞬间就变得震耳欲聋。

“走野流子了，快躲呀！”有人在嘶喊尖叫，但这声音在洪流般的声响中几不能闻。

南面道路上冲出的野马真的像是洪流，又快又急。可是卞莫及却像是分开洪流的砥柱。从岔路口出现第一匹马开始，他手中的长杆马鞭就像鞭炮一样响开了，鞭声清脆响亮，竟然是那洪流般的声响无法掩盖的。随着鞭声，冲出的野马群快速分作两股，往东西两边奔涌而去。

东面“护商队”的马队像是被洪流冲击的破烂小船，裹扎在野马群中眨眼间都不见了。

西面“高包子”的马队离得远些，所以他们的人还来得及逃上屋顶、钻进店铺，至于他们所设的索儿、网子，还有那些桌椅板凳，在马群冲过之后，荡然无存。

分开的洪流中飘出一朵红云，轻巧地落在卞莫及的大车上：“该走了！”

“呦喝！驾！”一个并不太响的大鞭花，只有不响的鞭花才是真正打在马身上的甩鞭。卞莫及手中有数，马儿被打得并不疼。而久经训练的辕马也有数，于是步蹄一致，在极短时间中加速再加速。大马车混在野马的洪流中朝着西面狂奔而出……

密布的灰色云层压得很低很低。人出西关，像是天都变矮了。一望无际的天地尽头抽冷子拂过的一丝小凉风，让身上裹住的暑热褪去了一些，也让思维冷静了些许。马队的领头是正是朱瑱命本人，他抬头看看前方，勒住了口鼻间喷溅白沫的坐骑。

四天前，陷落的三丘土前一番周密的安排布置之后，他亲自带一众高手连夜往西北方向追赶。朱家的传信手段要比奔驰的马匹迅捷，天色未明之时，西北线上各个堂口都接到门主指令。时未过午，西北以及正西、正北所有江湖帮派也都接到了江湖帖和暗金令。

在朱瑱命出发的第二天下午，多道消息通过朱家堂口反馈到朱瑱命这里。说是有一队人全是快马掩面，从兰州一线直出西北。先后与多个拦截的帮派交手，一路破了朱家嘶烈堂的“无驾铜车马”“突地荆棘”。同天夜里还在绿毡子滩破了朱家撒出的“人影子”。

在“人影子”被破的消息传来之后，朱瑱命心中有八九分把握断定那是鲁一弃他们。朱家的“人影子”不是传说中的缥缈鬼影，而是鬼影般缥缈的人。这些人都是被毒物泡制过的各种江湖高手，不但本领高强，而且不惧死伤疼痛。这“人影子”可能类似于欧洲传教士在非洲驱用的“僵尸工人”，是使用河豚毒素混合其他材料做成的药物，服用一段时间后会让人神经麻木，没有思想，让做什么就做什么，不知疲劳痛苦，犹如僵尸。这些“人影子”所布的“若隐现”坎面，需要对阴阳命理之数了如指掌的高人才能够破解。在朱瑱命印象中，具备这样能力的没有几个，但鲁一弃也许可以。

而今天下午传来的消息让朱瑱命再次兴奋起来。说是那群掩面而行的人在射狼口外沙驼凹，被朱家射狼堂联合专门劫杀商队的“扬沙帮”，用“烈日沙暴”和“钻沙铁狐”双坎合力伏击。杀死对方一半人以上，生擒了三个，只剩四五个人逃入了“风魔海子[1]”，现已围住，等调来更多人马后马上进入搜寻。“风魔海子”地形奇异特殊，没本地向导，可以说是举步维艰，所以不用太着急。

“门长，前面不远就是沙驼凹了，从那里再往北转过去三里多路就是‘风魔海子’。”一个男生女相的漂亮小伙提醒朱瑱命。于是朱瑱命幡然收回思绪，带手下继续朝前纵马急赶。

可刚到沙驼凹口子前的朱瑱命却再次勒住了马匹，他诧异地查看了一下周围地势形貌。这沙驼凹看起来简直就像个缺个口子的大面盆，四面环合，果然是个设坎伏袭的好地方。

“你们谁知道对家先后在几处抖膀子（动手过招）的？”朱瑱命问身边的人。

“和我们门中‘嘶烈堂’是在草背岭，破‘人影子’是在绿毡子滩。”旁边一个大高个子答道。

“和其他帮派分别是在半崖山、跪马塬、古马干河和无水渡。”回这话的还是那个漂亮得像姑娘的小伙子。

朱瑱命一时沉吟不语，心中疑云浓盛：怎么几个交手点都是帮派贼匪聚集的险要之地？这些地方江湖人一般都知道，是昼不独行夜不行，要不就是提前寻江湖关系上了奉供才能走的，还有这一眼就能看出不能硬闯的沙驼凹，他们却偏偏往里闯？

等见到被生擒的那三个人后，朱瑱命已经肯定自己上当了。那三人全是穿着一色的亮黄色骑衣和披风，如此招摇惹眼的装束怎会是要暗行。

“有没有问他们都是什么人？”朱瑱命已经失去亲自审问三个人的兴趣。

在朱瑱命到来之前，这里的朱家手下就已经查问清楚，马上有人把讯问结果汇报朱瑱命。这三人中有两个是兰州“平福”镖局里雇来的镖

1　西北沙漠中一处独特的地貌，沙波连续如浪，沙丘如堡，且沙质开始固化。

师，还有一个是远途赶送马牛的骑手，是在大霍布集市上被雇来的。

雇用他们的是两个人，一个背着剑的老头和一个像郎中模样的人。给了他们不少大洋，说是只要带他们用最短时间赶到答哈噶木，就会再付给他们双倍的大洋。虽然到答哈噶木路途艰险，而且赶时间抄近路的话，还要闯好几个大把垛子[1]，但瞧着这么丰厚的酬劳，这些人都捺不住贪心冒险而来。途中果然是遇险无数。没想到的是这老头和中年人是绝顶高手，一路遇到的凶徒悍匪都是他们两个料理掉的，而自己这些许以重酬的帮手似乎只是为凑人数。朱瑱命不知道背剑的是谁，但说到郎中他马上猜到是墓中以飞针袭击自己的高手。

只有两个鲁家的帮手，雇用了一帮人故意招摇闯险，诱自己追踪而来。而正主儿鲁一弃却一下子人间蒸发，不见踪影。好个“举旗疑兵”，绝对的厉害招数！

朱瑱命轻叹口气，有血腥味冲口而出，但他没有在意，他现在迫切需要考虑的是如何找到鲁一弃。先抓住躲进“藏魔海子”里的两个鲁家帮手，也许能从他们口中掏出鲁一弃的去向。但这两个人又岂是那么容易捉住的，从他们连续冲破凶狠拦截和奇异坎面的手段来看，定是厉害角色。

就在此时，一匹快马飞尘而来，给朱瑱命带来一根鸽足信管。当朱瑱命将鸽足信管里的信看完后，他心中再次被兴奋填满。

“门长，肯定是什么好消息吧。”旁边那个漂亮小伙问道。

“嗯，鲁一弃显形了，在入藏道上的落夕镇。”

“那边目梢子能确定是他吗？”

“至少有百人以上看到。人与图影相合，断右腕，怀中裹带见血封喉树皮布包。”

“怎么会跑到那里去了？”

“是的，按常理他该往西北，这样他取我家的至宝屠龙器才能为用。但他却偏偏选择往正西方向，而与此同时他用其他人骗我们先往西北追赶，等发现上当再另从其他方向寻他时，他便可利用这个时间差，

1　匪帮盗贼控制的险要地段。

绕到西北，从容宝镇凶穴。”朱瑱命知道自己这分析迟了半拍。幸亏鲁一弃没能完全把踪迹掩藏住，幸亏是落夕镇的三个帮派发现及时，幸亏的是落夕镇离此处不算很远。自己快马换骑，最多三天便能追到他们。

“飞信通知正西堂点预备更换快马。把这里局面留给‘扬沙帮’收拾，其他人都跟我走。”朱瑱命吩咐完后长舒了口气。

心中的欢愉只是瞬间，长舒那口气带出的浓重血腥味让朱瑱命不由地眉头惊皱如川。这时他才发现，长途奔波劳累和短时间中心绪的大起大落让内伤加重了。

当旭日又一次与如同落日的圆石面对面时，晨晖沐浴中，一辆四驾大马车滚破稀疏的野草毡子，在已经远离落夕镇百里开外的荒野中缓缓行进。

车厢很宽大，坐上七八个人后仍显得宽绰。鲁一弃还是习惯地坐在车尾，手中摩玩着玉牌，思绪万千。

胖妮儿也挤在车尾一侧的栏架上，呆呆地盯着鲁一弃。她此刻脑中反复在想一句话，那是当年鲁盛孝对她说的：“妮子，长大了给我鲁家做媳妇儿。”

胖妮儿挤到车尾，若有所思地凝视，但这些鲁一弃都未发觉，他现在完全沉浸在对玉牌的思考中。

玉牌上面的文字虽然不能全识，但先后给过鲁一弃很多重要提示。而这几日入藏的路途中，他在路边碑文的提醒下又认出了上面几个字。这几个字在玉牌上代表正西的是先天八卦震木位爻形后面，是整句话中的五个：“巅之渊”和“梯起”。

但认出这几个字之后，鲁一弃反感觉不对劲。原先莫天规告诉他宝构情况时，他的第一反应就是那地方不适合藏祭宝物。从风水学上讲，那里叫做“内合气通”，就是采不到日月精华之光，汇不到风、雨、露、雪四净，只有上下气道可通，还是走气不聚气。据说反倒是在此处下方山脚位是个可以日月光照、四净尽泽的吉地，并且还后建有一处藏宗喇嘛庙。

而现在从认出的文字上来看，“巅之渊”三个字，莫天规根本没有提及与之相关的任何情况。至于“梯起”，莫天规曾说在那喇嘛庙背后有一道阶梯，为墨家祖先建藏宝暗构所留，这也是那座山峰唯一可上行的道路。但不知从何时起，攀上此阶梯的人都会消失得无影无踪。所以当地人都叫这阶梯为“天梯”，说是通往天界之梯。如此看来，“梯”字可以理解为天梯，那“梯起”是否就是天梯的起始处，也就是喇嘛庙的所在位置?

复虞诈

“大少！前面就要到德萨额尔山口了，那里有三条转绕山道，是下行的，可以往南、往西南、往西北，两道直翻岭山道，是往西和往北的，我觉着追赶的对家离着不远了，是不是就在那地界亮眼子，我们顺势遁形？”

“哦！”鲁一弃从沉思中拔出，转头间却首先看到了胖妮儿的一双亮眼睛正直盯着自己，心头不由一阵微颤。

胖妮儿没有回避鲁一弃的目光，依旧绵绵地盯着他。这西北贼王家的女儿到底不同一般，敢想、敢看，却不知是不是还敢说、敢做。

鲁一弃却是什么都不敢，他逃一般避开目光，匆忙答道：“我对周围情形不了解，你和夏叔商量着办。”

盲爷眼白乱闪，思量了一会儿才开口：“再往前去有没有可遁形的巧步子（可利用的好地段）？”

“没这么好的。因为在德萨额尔山口还有一家很大的车马店，入藏驮子都在此处换牲口吃饭补水。可以借到‘走板凳’（可骑乘的牲口）。”卞莫及答道。

“那后面追蹄的点儿可要把握合适呀。”盲爷又说。

卞莫及纵身跳下马车，往车后跑出二十多步，伏身侧脸，将耳朵贴在地面上仔细听了一会儿。然后又快步赶上马车，纵身上车。

“都合适，就这么办了！”卞莫及这次没有再征询意见。

“只可惜了你这车子马匹。”杨小刀不由得替卞莫及惋惜。

“只要对家看不上眼，这四个辕蹄子会自个儿回马场。”卞莫及似乎并不担心。

说话间已经到了德萨额尔山口。鬼眼三最先下的车，他把鲁一弃给他的见血封喉树皮布挂在山口一侧的尖石上。

等所有人都下了车后，卞莫及将大车赶到往西北去的下行道上，然后甩鞭抽出两个响亮的鞭花。四匹训练有素的辕马撒开蹄子往前跑去，这一跑，不到天黑那马车是不会停下的。

下了车的人快速无声地朝大车店靠近，等店里的人听到鞭声时，他们都已经贴身在店房的墙边了。

门帘一掀，走出个人来，被盲爷盲杖在后脑处轻轻一敲便就地晕倒。一个女人正从窗口往外看，胖妮儿伸出手掌，掌根在那女人额头摩擦了一下，那女人哼都没哼就昏跌在地。聂小指从后院翻墙而入，人未落地就已经看到一个正低头铡饲料的汉子，脚才沾地便闪电般到了汉子背后。弯臂反扣，食指、拇指像蛇口一样捏住喉咙，将气脉恰到好处地捏闭了一半，那人顿时气滞而晕。

“赶紧拉牲口，从后面院门走。”最后进到店里的卞莫及说道。

“等等，掏了柜台里的钱，再拿些吃食和水。”盲爷有贼路的一套经验，“给他们摆个浑局，至少拖他个大半天时间。”

等把钱掏了，吃喝都收拾了，利老头和聂小指、年切糕也已经把马匹骡子都牵出了后院门。

大车店牲口栏里骆驼、牦牛居多，将所有骡马都牵了还是少了一乘。胖妮儿轻身一跃，骑在鲁一弃的身后，他们两个共乘了一匹白蹄枣红大马。

“这丫头没羞臊！”盲爷微笑着轻骂一声，然后领头赶着座下的大青骡子往朝西的山道跑去，其他的人紧随其后。

马没动，胖妮儿在鲁一弃背后一坐，双手将他腰间环抱，一双饱满挺立的双峰紧紧贴住他的后背。那两大团绵软温香给鲁一弃的刺激特别清晰强烈，让他紧张得有些僵硬，连催动马匹都不会了。

见其他人都走了，胖妮儿双脚踢马肚，把马赶跑起来，追了上去。

他们刚走，马厩旁的草堆中露出了一双黑乎乎的眼睛，这双童稚的眼睛茫然而诧异地看着那群骡马绝尘而去。一群江湖老手把个躲在草堆中睡觉的娃子疏忽掉了。

当看到尖石上飘荡的见血封喉树皮布时，朱瑱命脑中迸闪而出的是“愚弄”“挑衅”，一团浓重的血腥味道止不住地在胸腹间剧烈翻腾。过了好长时间，他才将气息平复下来，把四处乱窜的气流重新收敛到丹田之间。

“大车轮印下行，是朝西北方向去的。”那个漂亮的小伙儿向朱瑱命汇报。

“店里的人都被击昏，没人见到袭击者。店里的钱财全被掏光，净水和食物也被搬拿了许多。后院门有骡马的蹄印，从走势上看，是往西面去了。只是出门三十步就尽为硬石山道，无法进一步确定。”大高个子寻查一番后，也回来报告。

朱瑱命沉吟不语，手指有力地捻捋颌下黑须，一下又一下。周围很静，除了偶尔刮过的风声和马匹的喷鼻声外，就是店里女人的号啕，钱财、骡马都被卷了，老板娘当然会像丧了爹娘那样伤心。

“这大车店每天都有骡马进出，你可瞧准了。蹄印能尘盖[1]吗？”漂亮小伙问道，语气里可以听出，他在朱家的地位比那大高个子高。

“能尘盖，应该走不多久。”大高个子回道。

“看来他们这是用马车诱我们往西北，实际是抢了骡马往西去了。”小伙判断道。

“不一定！”朱瑱命思忖好久后终于开口，“挂树皮布的用意，是让我们确认前面的人是鲁家正主。抢大车店钱财，故意闹得像个匪事。可我朱家江湖令一出，哪个匪帮有胆子在我路经地段叼食？这情况鲁家那帮老雀子[2]不会不知道。还有那些可以尘盖的蹄印，你们觉得那帮子

1　判断蹄印时间的一种简单方法，在蹄印旁吹气，浮尘能将蹄印掩盖抚平，说明是新印痕。

2　同戏班中角儿、重要角色的意思。

老雀子会疏忽掉这细节吗？他们这是在摆局子，是要继续把我往坑里绕。”

“那么实际是怎样的？”大个子有些糊涂。

朱瑱命再次沉默，他没想到一个或左或右的问题会这样难判断。或许不只是两个选择，不是还有三条没有痕迹的道路吗？简单的棋步谁都能多想好几层后步，可难点是对手会在哪一层上变招。

“黑娃！黑娃！”大车店里又传来嘈杂的呼喊声，损失了财物的父母这时才意识孩子不见了。

听到呼唤，孩子自己从草堆中出来了，孩子的出现替父母补偿回来许多的损失。信誓旦旦的孩子话是不容置疑的，那群人确实是从后院门骑着骡马往西去的，其中一个没了手的人还和一个浑身红衣的姑娘共骑一匹马。听到如此确切的消息，朱瑱命示意手下塞给那黑娃子一大捧的银元。

朱瑱命带着人也从后面山道追上去。平心而论，如果没有那个娃子，自己最终的判断很可能是错误的。鲁家人将一个路口都设计得如此繁复难料，那么之前自己会不会也有二选一的错误？

“门长，我已发飞信通知离此最近的‘据巅堂’，让他们在前面择有利地段布‘奔射山形压’与我们合围鲁家的人。”漂亮小伙赶上朱瑱命后汇报。

“在什么位置？”朱瑱命沉声问道。

“仙脐湖……”

鲁一弃他们一口气奔出了一个多时辰，累得骡马粗喘不止、口喷白沫才放慢了脚步。马蹄声稍弱，卞莫及突然变了脸色，身子一侧从马背上滑溜下来，趴伏在地，侧耳聆听。

“追上来了，诱子没起效。”卞莫及说。

“不会吧，我们掏钱物，又留蹄印不抚，是故意往这边诱他们的样。再加上另外三条无痕迹的道路，朱家人那么多疑，就算被辨出，也没这么快呀？”盲爷也觉得奇怪。

“对家有高人。”鬼眼三简单回了盲爷一句。

“要我说他们根本没想，抓个阄儿抛个铜板就可以决定该往哪边追。”胖妮儿这话看着外行，其实却是好多会方术、法术的江湖人常用的方法。

鲁一弃弃车乘马时就想到会有这样的结果。朱家门中有太多不可思议的能人异士，正确找到他们的走向并不是意料之外的事。眼下最迫切的事情是如何摆脱他们。

“此处有其他路径可以甩落坠子吗？”鲁一弃悄声问胖妮儿。

胖妮儿常在这一带走动，对这一带的地形比较熟悉，略思索了一下，想到一个地方：“再往前几十里路有个仙脐湖，周围是大片的草滩子。此处连接着好几个谷道，是多个游牧部落共用此地水源踩走出来的。那地方倒可以和坠子周旋下。”

仙脐湖，藏地人也叫它脐海子。从高处看，它的水色瓦蓝瓦蓝的，怎么都不像个肚脐，而像个异族少女的眼眸。

鲁一弃站在离湖边不远的草坡上，目不转睛地盯着湖水。此时他有些疑惑，怎么突然感觉如此恍惚？怎么无法确定是虚相还是实气？突然间他意识到什么，于是猛然抬头，朝仙脐湖的远方望去。

“停住。瞧瞧再走！”鲁一弃声音不高，但所有人一下都勒住牲口的缰绳。大家都已经习惯从鲁一弃平静的话语中体会到危险和紧张。

也就在此刻，利老头背上的笑脸鬼头刀发出一声低沉的嗡鸣，刀把上的红绸帕子骤然抖晃。

“有杀气？”盲爷问利老头，他听到刀鸣和帕子抖晃声了。

“不止！”利老头答道。

“那还有什么？”盲爷感到奇怪。

“有大量新鲜的马粪味儿，还有浓重的腐肉味道。”杨小刀杀过无数驴马牛羊，所以对这两种味道都很熟悉。

“还不止！”利老头又说。

“还不止？”杨小刀也感到奇怪。

“还有人的味道，活人的和死人的都有。”鬼眼三受过熏烫的嗓音很怪异，但大家都听懂了。

“对，还有畜生和连畜生都不如的人。”利老头补充道，他的判断来自于他的刀。此刻鬼头刀似乎感知到另一把刀的存在，那刀也是杀人的刀，不但杀活人，连死人都杀。

利老头没见过那把刀，但他祖辈曾给他一个告诫：遇到那刀要远远避开，笑脸鬼头刀远不是这刀的对手。而现在，这可怕的刀就在不远的前方。

鲁一弃在和胖妮儿耳语："你有没有瞧见水中有个黑色山体的倒影？"口中喷出的热气在胖妮儿的耳边刮过，撩弄细密的毛发，刺激着敏感的神经。

"嗯！"妮子的回应像是舒服的呻吟。

"可我怎么看不到那座山在哪里？"这是鲁一弃真正的疑问。

"那是归界山，要绕过前面的那座草坡子才能见到。此处地界看似连绵，其实是有山谷断开。所以草坡子的排布是以湖为心旋叠，就像是肚脐的皱褶。站在一个点上无法将所有围绕的山体都看到。而看不到的山体，却或许可以从湖中看到倒影。"

"那归界山与周围草坡可不一样，黑石嶙峋，峭壁如刀，看着根本无路可上。"鲁一弃又轻声说着。

"所以才叫归界山。一种说法是放牧之人见此山就该调头回家，因为往上无路，且无草无食。另一种说法是谁要攀登此山，也相当于寻死。不过这归界山也不是无人上、无人住的，听说山腰处就住着个天葬师，附近藏民还时常请他在山上行天葬之礼。归去之界，以天为葬，如果从这方面来说，我倒觉得这山名还是名副其实。"胖妮儿娓娓道来，跟她性格大不相同。

"对了，妮儿，你刚才说这周边山体有山谷为断，以湖为眼旋叠而布，那此处不就是风水中所说是那种磨盘地嘛。"杨小刀突然插问一句，他竟然是在偷听鲁一弃和妮儿耳语。

"不是磨盘地，是磨轮地，出自汉末陶宁之的《堪舆择避法》。是取磨碾轮压之意，属于六种杀伐地，走气散魂，为阳宅阴宅都不宜选择之地。但在兵法上是为卧兵摆阵上好地界，可攻、可退、可藏，出如龙驾潮，收如龟入甲。"妮儿越说越显出胸怀锦绣。

"这样个地方，对家会不会下坎落扣？"卞莫及的担心不无道理。

“应该没事，一则对家不具备大量训练有素的人马。二则此处磨轮地中水眼阔大，水沿不规则，大型坎面的运转会有缺漏处。”

妮子的分析有根有据，只是她疏忽了一点，对家如果是只围不攻，那你这几人又能往哪里逃？

“是否必须从此地穿过？”鲁一弃感觉有种不妥。

“是的，摆脱背后追蹄子也好，继续朝西也好，我们都必须从另一边的谷道过去。”妮儿答道。

“也必须经过归界山吗？”鲁一弃又问。

“那倒不一定，共有三个谷道能到达布喀赫草场，可以避开那座山。怎么，你瞧那山有不对吗？”妮儿感觉鲁一弃心中存着某种担忧。

鲁一弃没有说话，却点了点头

虽然坡度不大，但他们乘骑的骡马还是走得很小心很缓慢。这些骡马确实累了，无力的蹄步要想在光滑的草皮上保持稳妥，只能哆哆嗦嗦地往前挪。

终于走到了坡底，鲁一弃却突然大声地喊道：“不对！”随即一下子从马背上滚落下来，就连身手敏捷如电的胖妮儿都没来得及将他抓住。

鲁一弃身体刚着地，就立刻往湖边奔跑过去，不知所以的妮儿只能紧跟其后。

山形压

鲁一弃在湖边站住，眼神有些无措，看一看湖水，又抬头看看远方，此时夜幕已然降临。

胖妮儿一个轻巧的旋步落在鲁一弃身边：“一弃哥，哪里不对了？”

“不对，真不对！妮儿，你瞧见水中那山动了吗？有一部分山体突然散了，散成一朵黑云。”鲁一弃说的情景像幻觉。

“哪座山？”妮儿有些茫然。

“就是归界山。”

“管它呢，反正我们不从那边过。”妮儿消除顾虑的方法很简单，但说话的语气也表明她对鲁一弃的说法并不相信。

“不从哪边过去？”后面几个人都赶上来了，盲爷听到胖妮儿的话，便顺口问了句。

“哪边都过不去了！”语气很绝望，是卞莫及。话音刚落，四周马蹄声洪流般响起，由远及近。马蹄声中，还夹杂了金属碰撞的喧嚣，像马铃却绝不是马铃。

鲁一弃聚气凝神，一下进入到忘我的状态。杀气！无穷的杀气！不管马蹄声还是金属声，都充斥着毁灭一切生命的杀戮之气。

“跑！散开了跑！”盲爷经验丰富，他知道针对这种大型马队的合围，最好的方法就是分散开跑，让对家的大围子顾此失彼，这样被围的人才会有突破口。

动作最快的是胖妮儿，她像一支红色的箭射出，朝着蹄声最弱的方向而去。接着是盲爷和卞莫及，盲爷的轻身功夫不比妮儿差，卞莫及常跟着重负的马车奔跑，脚力也是非同小可。其他人也动了，虽然慢了些，却都是像演练过一样四散奔逃开来。

他们动的同时，马队也出现了，是从仙脐湖四周的谷道口中鱼贯而出的。马队看起来不像马队，更像一堵堵铜墙铁壁。

铁甲马，从高度来看，应该是西域洋马种，背高头昂、蹄粗步阔。身上披挂着过腹的叉接锁子铁叶甲。骑手身材瘦小，但用蒙面铜盔和四联铁牌甲把全身罩住后却显得有些臃肿。

卞莫及是最早与马队相遇的，他知道要想从围圈中出去，就必须快速从前后两匹铁甲马的空隙中钻过。这样冒险的法子一是要快，再就是时机要准，要不然会被铁甲奔马撞击、挤压得内腑尽碎。

奔跑的马队训练得再好，在地形、地面的差异下，前后马匹之间肯定会出现空隙。于是卞莫及找到了机会，纵身而出。

两匹马之间的空隙不但没有缩紧，反而拉得更大了。卞莫及感觉蹊跷，于是纵出之力收回三分。

一时间血光迸溅，卞莫及倒翻着跌出，在草坡上滚出一道宽大的血道。浑身浴血的卞莫及一边往草坡下滚落，一边竭力嘶喊着："别钻蹄缝！有刺挡子！"

听到了卞莫及的喊声，盲爷立刻身体以足尖为旋，像个陀螺般卸掉前冲力道，然后迅速朝后滑步，后退的速度不比奔出时慢。

也就在此时，马队形态快速变化，队伍间隙、长度迅速拉长，马匹之间出现了三道耀眼的寒光。

"刀棘链"，最早见于明代工部所出《兵伐工械集》，主要用于布防和围杀。此链收时可叠为一盒，拉展开来宽有一尺，长度可根据需要制作。链上每隔一尺设梅花状五片刀朵。触链中刀，链上机栝收放，会让刀锋内钻，翻转铰戳，直至颈断臂折，胸腹洞穿。

三道"刀棘链"，从上中下三个层次完全将间隙封死，如同刀墙。

卞莫及确实倒霉，他虽然速度比不上胖妮儿和盲爷，却是最先与马队遭遇的。但卞莫及也算是幸运，最后一刻收力三分，所以未待"刀棘链"刀锋内钻，便借助这收力拔身而退。虽然中刀十数处，却都是皮肉伤。

胖妮儿动作最快，方向也正确，所以只有她还没完全被马队围拢在其中。此时她正施展轻身功夫与奔驰的马队争夺最后的出路空间。而且她只要保持现在的速度，再稍稍顺马队的奔驰方向斜线而行，完全可以赶在马队合拢之前逃出。

眼见着妮儿就要突出口子了，突然马队前端的几个骑手抬起了粗重的铁甲手臂，从那铁甲臂中连续射出了数十支三棱羽短弩箭。箭雨在她前行的路线上交织成一张网，封住了她的出路。

在马蹄和铁甲的喧嚣声中一阵枪声响起，鲁一弃想帮助胖妮儿逃出围困，他的射击枪枪都准确命中骑手头部，但只在骑手的铜盔上溅起一溜儿火花。

有更多骑手射出了弩箭，这是对枪声的回应。箭雨完全阻止了胖妮儿的步伐，最后一点空隙被合拢了。

"退到湖边，以水为靠，不能被他们圈了。"利老头喊道。于是大家牵着骡马迅速奔到湖边，在一个湖边一个内凹的地方立住。

杨小刀他们把骡马排在外侧，但这样的阻拦和掩护只是形式，根本不堪一击。

到了这个地步，鲁一弃反倒平静下来，镇定地看着铁甲马队。山谷中继续有马匹奔出，马匹越聚越多，铁甲马队越拉越长，依次串联成圈。一个圈接一个圈，从里到外足有六七层之多，将他们几个人连同不大的仙脐湖围得水泄不通。

“错了！完了！”胖妮儿知道自己错了，对家不但有大量训练有素的人马，而且还是个巨型的铁甲马坎面，“出不去了，一弃哥，我们这下可要死一块儿了。”

“别瞎说。”鲁一弃语气很平静，语调听起来像是梦呓般的哀叹，幽幽的。

朱瑱命很满意眼前的情形，“据巅堂”的“奔射山形压”果然建下奇功，把这群难缠难捏的滑子全锁死了。朱瑱命没有马上接近坎面，而是下马背手站在草坡顶上。他平静地看着铜墙铁壁似的坎面，看着被坎面死死锁困住的猎物，就像在欣赏一幅自己亲手所为的杰作。

世上有许多的杰作都不能细看，不能长时间看，看着看着就看出瑕疵，甚至看出是赝品。

朱瑱命也一样，他对自己的杰作也越看越觉得什么地方不对，越看越觉得不够完美。差在什么地方了？他不断地自问。

是坎面不密？不对！是对家有反扣？也不对！那会是什么？是坎面没围实，显得坎相太虚了？

是的，太虚了！不过不是坎相，而是气相！那其中少了屠龙器灼盛的肃杀气相？

“没有看到要拿回的东西？”朱瑱命悄声问，像是怕惊醒了坎子中的人。

“回主上，确实没有，要不早就驱动坎面夺回了。也正是因为这个，才先困住他们。等门长前来定夺。”“据巅堂”堂主高奔雷小心答道。

“入坎的木瓜没漏吧？”朱瑱命又问。

“一个没漏，二十里开外的点儿上我们就有暗翎子盯住了。全都裹扎齐了。”高奔雷恭敬地回道。

“哦！”朱瑱命点了点头。

“门长，宝器未露相，肯定是藏到其他什么地方了。把他们活捞了一个个拷问。”漂亮小伙插嘴说道。

朱瑱命没有理会，他感觉在这之前就有环节出岔，错过了他们要找的东西。

“鲁一弃从开始就给了我们一个错觉，让我们觉得他和宝器不会分开的。而其实他正是要以人为饵，把我们从追夺屠龙器的线儿上诱开。”朱瑱命很少如此直接承认自己的过失。

“会不会是在德萨额山口摆了我们一道，用大部分人诱我们往这边来，却让一两个贴信之人携带屠龙器坐原来的车子走了。”大个子的分析不无道理，但朱瑱命却摇了摇头。

“怎么都不会是在德萨额山口放的岔儿，要么更早，要么是在这之后觉得逃不出我们的套索子，这才把东西藏了。”漂亮小伙儿的分析也有道理。

“为什么？”大高个子问。

漂亮小伙儿瞧了朱瑱命一眼，看他眯目捻须，是在静心聆听，便接着说下去：“对家在德萨额山口的布置其实是个两可之局，他们没有把握确定我们会往哪条路追下去。所以也就绝不会让其他一两人带东西走，要是我们选择那条路，他们更无法应付。再说了，东西握自己手上是最放心的，他又为何不用一两个人诱我们而自己带东西走呢？”

朱瑱命微微点头，看来他很满意漂亮小伙儿的分析。

“可后来我们走的那一路地势地貌无处可掩藏屠龙器呀，贫瘠之地更易显出屠龙器肃杀气势来的。”大高个子依旧认真表述着自己的观点。

“你这话不对，贫瘠荒芜之地本身就有种阴瑟、死衰的气相，在这种气相笼罩中，屠龙器的气势反不易显露出来。就好比我们先前所见的‘藏魔海子’，其势更为凶煞，沙丘连绵，枯热如蒸，滴水不寻。其本身就是个杀戮无数生命的利器，与我门中的屠龙器有异曲同工之妙，二者相融必定是势不凸现。”漂亮小伙子说。

朱瑱命眯闭的眼皮突然间睁开，一双精光像是要刺透黑夜的苍穹。

不容轻

朱瑱命声音很平静："藏魔海子与我们家的屠龙器有异曲同工之妙？"

漂亮小伙儿下意识地点点头，在这样的目光压慑下，他有种中了魔障的呆滞感觉。

朱瑱命的脸色阴沉得就像夜色中的归界山，眼睛就像阴云飘动中顽强扑闪的星星。线索在他的脑海中串联拼接，于是一些细枝末节合上了拍，一些习惯性的手段对上了号。

一个朱瑱命最担心的结果，这会让他难以面对。如果真是那样，鲁一弃就又一次把坎扣摆在了最前头，摆在自己意识不到的阶段。

往西北方向去的莫天规和易穴脉带着一群雇来的镖师和骑手，招摇着踏险闯恶，其真实的意图不是为了诱朱家人往西北追，而是要朱家人误以为他们是诱饵。

其实真正的饵引子是鲁一弃这群往正西而来的人。他们在落日镇高调显形，不掩见血封喉树皮布包，脱身后不匿迹，而是一路掌握节奏缓速奔逃，所有的一切却是为了把朱瑱命引到这正西方向来，给莫天规和易穴脉留下机会。

一群人直奔西北，其中却没有正主儿，而且行动装束都可以断定是饵引子，另一路正主儿出现，带着众多的高手，还带着见血封喉树皮布包。朱瑱命理所当然认为要追回的宝器在鲁一弃这里。

又是一个局中局、坎中坎。时机和地点都选择得那么合适。屠龙器不在鲁一弃手里，而是在"藏魔海子"里，在逃躲到"藏魔海子"里的人手中。大自然的肃杀之地，一个枯杀绝灭的环境中，屠龙器的杀戮之气可以完全融入，不能凸显。这就导致已经到达"藏魔海子"外的朱瑱命都没能感觉出它的存在。

当一切真相都在朱瑱命心中显现，一团甜腻的血腥浮上他的舌面。他用鼻中透入的一丝清新气息压服胸中的翻腾，强行将这口血腥咽回喉中。

他冲口而出满带血腥气的第一句话就是：“速讯狂沙帮，务必将‘藏魔海子’中的人尽数擒获。”说完这句，他闭紧嘴巴调整了一下，“不能擒获，就尽数见尸。”

话音刚落，一声尖利的啸声由远及近，从远处天空直落下来。

“是信枭！”漂亮小伙以指撮嘴，也发出一声尖利的哨声，手臂一抬，信枭轻巧地落在他的手臂上。

紫色泪斑竹做的信管打开，展开卷起的奶脂密绸信笺，漂亮小伙儿没有马上把信递给朱瑱命，而是自己先细细看了一遍。

“是不是西北方的事？”朱瑱命微闭起眼睛，他感觉自己最不愿意见到的事情可能已经变成事实。

“对。”小伙儿悄声回道。

“是不是屠龙器显形西北？”朱瑱命用力吸入一口气息。

“是。”听得出来，小伙儿在极力控制语气的平静。

“有没有入凶穴？”这是最后的侥幸和祈盼。

“……”没有回答。

长长的一声叹息，那血气粗重得已经能凝捻成绵长不断的血丝。

“愧对祖先啊！非但未曾得遂祖愿，反倒将祖宝遗落。”朱瑱命情绪出现了少有的激动，黯然神伤间眼角有晶莹渗出。

朱瑱命刚来，鲁一弃就知道了，心说，这个朱门门长果然不那么容易就死了。

其实鲁一弃此时很矛盾，他希望见到朱瑱命，因为他的出现说明自己前一手的坎面已经落牢，另一路顺出，自己从此处大坎中脱身的把握还在。但他又真不愿面对朱瑱命，这样一个厉害对手，谁都不会乐意碰上。

所以鲁一弃在极力调整自己的状态。躺在柔软的青草甸子上，闻着野花的香味，聆听着湖水轻漾的声息，可以忘却烦恼忧愁，忘却危险和杀戮。他的心窍整个被清空了，每一个连接心窍的神经都变得无比敏锐。

从朱瑱命到来之后，每一丝情绪起伏都没能逃过鲁一弃的感觉。

时机到了！鲁一弃依旧保持着状态，可脸上的微笑却禁不住地展现开来。朱瑱命已经是个快溃塌的堤坝，自己应该在这个时候恰到好处地再给他来一个决定性的冲击，加速他的崩溃。

鲁一弃缓缓站起身来，整个过程中他依旧聚气凝神，尽量保证自己动作的从容和自如，将心境放到空灵的状态。他非常清楚，自己只要稍有慌乱和错愕，都会被对方瞧出心中别样的企图。

“朱门长，来了。”语气平淡得没有一丝人情味。

“是来了，你才知道吗？”答话间已见兵戈纷舞。

朱瑱命与鲁一弃距离很远，但说话根本不用高声。太静，他们两个开了口，就再没人敢出大气了，就连这许多的马匹牲口都像是被某种力量压制着，连个微弱的鼻鸣都不喷。

“来了好，省得心中总挂着，了一事少一事。”鲁一弃劝解道。

“不是了事，是遂心吧。”虽然朱瑱命也想保持平静，但胸气的起伏却强压不住。

“那也真是没法子，天下无数宝贝，就你那屠龙器千年之间与‘火’宝同存，已经尽染‘火’宝之灵。而且这屠龙器上五音奇窍正合了受气发音的理数，为吸蕴宝气的绝佳圣品。最初‘火’宝为哺，屠龙匕为受，到后来却是两者宝气相恒。这也正是你朱家虽有‘火’宝依仗，仍必须以杀伐得天下的缘由。除去此宝，又有何可替已毁的‘火’宝镇得西北凶穴？”

鲁一弃的话让朱瑱命更多地了解到自家屠龙器是怎样的圣灵之物。如若这宝物不为自己这一脉旁支带出，说不定借它宝气还能多维持朱家皇朝几百年运道呢。而自家带出后，也没能好好利用，现在更无从寻回。想到这里，他心中最伤之处再次遭受重击。

“难得朱门长遵循天道大义，把这宝物舍予我等镇了西北凶穴，这福及世代子孙的好事，只有朱门长这样道深心慈之人才会做，佩服呀！与朱门长这一趟交易我真是所获匪浅。”鲁一弃句句都是犀利的攻击。

朱瑱命此时不但感觉喉中的血气要喷涌而出，就连五脏六腑也都要爆裂开来，而现在唯有杀死对手，才能解恨。

朱瑱命踉跄着往草坡下冲出几步，胸腹间的翻腾再也无法控制，堵住咽喉的血气勃然喷出。他迅速转身撤袍掩面，让那鲜血尽数落在衣袍内侧，然后缓缓放下衣袍，顺势擦去嘴角的血渍。再次转身时，他只是脸色稍显得青白了些。

血气喷出，反倒去掉胸腹间的郁闷，反倒让郁积的气息流转起来，平伏的心境也让思维活跃起来，他意识到自己不能随着鲁一弃的话语去愤怒。

朱瑱命没再看鲁一弃一眼，而是缓缓抬手，示意漂亮小伙子将刚才的信笺拿给自己看。

“朱门长，你且不要激动。这场交易圆满了，也就意味着另一场交易可以开始了。此处往西去，还藏有‘天’宝未启，你助我把那宝贝取了，然后借你重聚爆散的‘火’宝灵相，复你家道……”鲁一弃在继续，但很快就打住了，因为他发现朱瑱命没有在听。

朱瑱命捏住信笺看了许久许久。他有些奇怪，藏在“藏魔海子”里的到底是什么高手？能在短短四日之中逃出“藏魔海子”，穿过数百里沙漠，到达西北凶穴所在的冰封城。

“火”宝爆散，东北、东南所藏天宝都已入凶穴，现在连屠龙器也被骗取镇了西北凶穴，朱家手中无一件依仗之物，鲁一弃现在是唯一寻到下个宝贝的线索。曾几何时，鲁家是被自己朱门追逼剿杀得如同惊雀街鼠，可现在怎么自家会处处受他所制，这又是在什么地方出了差错？

朱瑱命想到此处，暗黑的脑海中似乎见到了一丝光亮。他的思绪飞速回拉，拉回到起点，拉回到一个自己没有重视的地方：北平的院中院。

“你刚才说什么？”朱瑱命终于开口了。

“我在说下一个交易。”鲁一弃的心也终于放下些。

“先前的交易完了吗？”朱瑱命这话问得很蹊跷。

“怎么？朱门长觉得还有什么尾市儿没扫？”

“你觉得我会轻易相信你的人那么快就能赶到冰封城。”

“噢！”鲁一弃明白了，朱瑱命这是还没死心，看来要想顺利实施自己下一步的计划，安全脱出眼前杀坎，首先就是要让他彻底对屠龙器死了心。

"从'藏魔海子'至'鬼吼滩'为顺风顺沟的沟漠子，用小个子河套马拉沙板橇，应该在一个白天就能赶到。'鬼吼滩'再往前直到'狼烟堡'是碎石滩加十九处草滩沼泽，这段路我们预先请了跑长途赶牲口的向导，准备了草皮筏子[1]，还买了两只训练过的沼狐探道。这一段路程虽然走得慢些，还是可以直穿而过的。"

朱瑱命在不停地微微点头，他的江湖阅历让他相信这些都是真的。

"'狼烟堡'过后，全为崎岖山石路和无人烟的荒原，最要注意的是阴背处的常年积雪，防止发生雪崩。此段路程可以用十数匹维吾尔族特产的'旱海轻舟[2]'不断替换前行，只要带足水和饲料，一个昼黑，可以抵达克伊卡尔纳山（幻象山）的冰封城。我所委托之人知道凶穴所在，到了这里便可以直奔主题。"

鲁一弃说得轻松，实际上这一路莫天规和易穴脉历尽艰难险阻，没日没夜，累得几度虚脱，坚持到目的地，把要办的事给办了。

"我还是不信，你的帮手有如此道行？"像朱瑱命这样的身份本不该如此没道理地坚持。可谁都没有注意到他嘴角显露出的笑容中有一份阴险存在。

"所有这些是我在他们此行之前授意好的。"鲁一弃说谎了，这一路的走法都是莫天规告诉他的。他现在之所以说谎是希望朱瑱命相信自己的能力，相信自己同样能将正西的"天"宝启出。

"好了，且不管西北如何，眼下谈到这正西的交易，我想瞧瞧你有没有撑底儿的货色呀。"现在秤杆在朱瑱命手中，所以这生意做不做、怎么做还得他来掂量。

鲁一弃已然感觉出些不对劲来，但他无法判断岔点儿在哪里。

"鲁门长，你磨叽个什么，是不是全靠两张唇子掌着脸，没什么货色拎得出？"那漂亮小伙子也开口了，这是在激鲁一弃。

"一座庙，一张梯，没有修佛向天意，却有登梯启宝心。谁曾想，登天无路，启宝无门，我守千年亦是无知，你探百年亦是无货。"鲁一弃这番话也是莫天规告诉他的。正西藏宝之处，墨家世代有人守护。百

1 用于沼泽中滑行的工具。

2 一种耐力速度都很好的青皮驴子。

年之前此处却建起一座喇嘛庙，虽然庙中喇嘛平时也功课正常，但墨家后人却发现他们暗中在周边到处寻访。因此莫天规断定这是朱家闻到味儿，在此伏下一个暗窝。

“就这点料，那这交易是做不成了，因为你所说的这些我也知道。”没等朱瑱命说话，漂亮小伙儿已经替他否定了鲁一弃。

“可是如果我告诉你们，天是颠倒天，上天不用梯，你们觉得这交易能不能做。”鲁一弃这次所说完全是从那块玉牌上的“巅之渊”和“梯起”随意推断出来的。

“我信！可你这又是从何而知？”朱瑱命的回答很干脆，反问也很迅速。

鲁一弃脑海中闪出那块玉牌的影像，闪出玉牌上那些清晰的字体，口中却说：“朱门长，你多问了，只要信了就行。”

朱瑱命身边的漂亮小伙儿眼中异光一闪，随即咯咯地笑出声来。听到他的笑声，朱瑱命也笑了，不过他的笑却含蓄得多。

鲁一弃的心猛然一悬，暗叫一声：“上当了！”

断然杀

是上当了，而且很致命。因为鲁一弃不知道，这漂亮小伙是个识宝灵童。

“识宝灵童”，此类异人在春秋战国时期就有，那时的称呼为“识宝候”。他们可以看出宝贝所在，还能知道是何等宝贝。与鲁一弃不同的是，他的的确确是在看，而不是感觉。也正因为是看而不是感觉，所以他看出的宝贝掩藏得不能太深。

这种人的眼力始终是个谜。到底如何看出，真正原因无人知晓。

有人说是看的宝光，宝贝之光是外物很难遮掩得住的，这就是为何有人能在黑夜中见奇怪光泽，翌日前往挖掘，一般都能挖出宝贝。

还有人说他看的是宝动，宝物成灵，是由死返生、由生返圣的过程，成灵后的宝物会动。开始时不是真的动，叫“意动”，但到了一定阶段，就真的动了。所以有人虽然见到宝光，等下手挖时却挖不到。还有就是挖参人发现到大棵宝参后系红绳防止参逃，也是这个道理。

但还有人说他是看的宝相。所谓宝相，分作三层：本相，生相，神相。本相为物之实体，生相敛伏纵跃在实物周围，为本相生色炫彩之现；神相则飞凌与实体之外，是宝物拒妖邪、趋净圣的一种外在表现。宝相中，本相明眼人都可见，生相慧心人可见，神相只有像识宝灵童这样的灵通之人可见。像鲁一弃感觉出的宝贝气相，也只是介乎在生相和神相之间。

“识宝灵童”的本领七分是天成，三分是后天训练的。朱家这个识宝灵童最初是选来做祭坛灵童的，有高人说他是目灵连窍的脉象，可以与异世魂魄交流，但朱瑱命无意中发现了他对宝物的超常目力。对于朱家而言，识别宝物才是最重要的，于是使用各种手段从这方面刻意培养他，同时亲自传授他技击、坎面之术。严格意义上讲，这识宝灵童算是朱瑱命的亲传弟子，所以他在朱家的地位别人无法相比。

鲁一弃是上当了，正是他一再从最始之处就给朱瑱命下坎套扣，反也提醒了朱瑱命该从哪里寻找回手的先机。朱瑱命想到了北平的院中院，鲁一弃拼死博命杀进杀出，肯定是从里面取出别人找不到的东西。

鲁一弃自作聪明了，他为了让朱瑱命相信自己有能力取到正西“天”宝，不但将莫天规告诉给他的一切侃侃而述，还将西北之功也归于己身。正西、西北宝构都该为墨家所为，这一切让朱瑱命误打误撞地认为鲁一弃手中有指示全部宝构方位的东西在手，而且很大可能就是从北平院中院取出的。

在朱瑱命语扣牵拿之下，鲁一弃下意识地想到了玉牌，而他的超常感觉不可避免地诱导玉牌宝相突涨，神相飞现。这便让识宝灵童一下捕捉到宝物的气息。

识宝灵童的笑声未止，朱瑱命的手臂已果断挥下。“据巅堂”高奔雷将手中的两盏牛皮灯舞动起来，给出的指示只有一个：“杀！”

朱瑱命决定不再给鲁一弃一点机会了，他怕那样会让自己失去最后的机会。

鲁一弃黔驴技穷了。他不知道机会其实就在自己身上，也不知道朱家人如此快速地发动攻击，就是害怕他会以毁灭玉牌作为要挟，换取脱身的机会。

得到指令的“奔射山形压”坎子迅速移动换形，每圈中正对鲁一弃的一部分铁甲骑手驱马突出往前堆拢，这样数道马队堆拢起来的攻击队形就像无数山头。

鲁一弃他们的骡马似乎意识到了什么，不断打圈嘶鸣，最后甚至屎尿不禁。也许面对死亡的恐惧，所有生灵的反应都差不多。

胖妮儿挡在鲁一弃的身前，背上的长条鹿皮套已经横在手中。其他人也都各自亮出兵刃，准备做最后的拼杀。但面对如此庞大的坎面，他们的心理底线已经彻底崩溃了。

就在这关头，鲁一弃的脸色突然变得非常非常的惊异，目光也游离到一个难以理解的方向。可那里是无尽的苍穹，是无人的草坡。

铁甲骑手中有人发出一声响亮的吆喝，随即整个山形动了，速度并不快。“奔射山形压”启动后，气势如山而至。

众人在无形与有形的压力之下，尽量往湖边退。鲁一弃没有退，他屹立在原地一动未动，目光依旧朝着草坡的方向。

妮儿微愣一下，随即坚定地站到鲁一弃身边，就像在守护一个前世的信念。

一声尖利的啸声，识宝灵童臂上那只信枭惊飞而起，就像被暗夜中的恶鬼拔落了翎羽。朱瑱命身边的手下瞬间都感觉汗毛倒竖，一股阴寒在后背脊梁游走。

“有鬼邪！阴慌得很！”大个子有过类似经历，立刻左手捏守心指符，右手抽撤腰后横系着的白鳞蛇皮鞘，抖弹出无穗的乌雀飞云宽刃剑。然后左手翻转，指符倒按额头穴门，右手斜下拖剑式，脚下碎步草上飞，直奔斜后方的一座草坡顶而去。

朱瑱命只缓缓地转身，他也感觉到了身后的异常，但更感到了自己内在的异常。多年苦修的道家心气与杀伐之气此刻到了对冲将毁的地步，自己的身心已然薄弱得如同一张宣笺。为了避免走火入魔，他绝不允许再动一点怒忿之心，此时必须能将心境调整到趋乎于极道的境界。

轰然的爆响声中，耀眼的光华喷薄而出。这巨大的声响，这骤然的光华，在宁静的黑夜里，幽宜的山谷中，震慑了一切，凝固了一切。

正在往草坡顶上冲去的大高个子立时停住脚步，矮下身形，剑护胸前，就像一座雕像一动不动。

“奔射山形压”整个山形还未走出两个马身，就被这一声响、一团光制止了前行的脚步，因为马匹的天性就是怕火怕响的。如此突然的情况出现，这些马匹能够不出现太大慌乱，站立原地静待变化，已经是被训练到了极好的表现。

鲁一弃静静欣赏那团光华的腾起、涨大、飘散，他长这么大头一次见到如此漂亮绚丽光亮持久的烟花。

有人动了，因为这突然出现的情况让他们觉得这是个机会。于是几个灵动快速的身形利用草坡顶子覆盖下的阴影和惊躁的骡马为掩护，直扑“奔射山形压”。

这次杨小刀跑在最前面，借助烟花的光亮，他看清了大片林立的粗健马腿……

烟花爆散，耀眼光亮之后的黑暗是人眼一时间无法适应的，那个瞬间将是个最好的攻击时机。杨小刀将速度和计算好的步数对应好，他就是要利用这个时机出击。因为设计好的动作在黑暗中一样可以实施。在杨小刀眼中，这些马腿仿佛已经褪去了皮肉，只有骨骼、关节和筋脉，而且所有马腿关节的位置在他心中形成了一个连贯的图形。现在只要按自己计算好的步数逼到马队前，按自己设计好的动作挥舞小刀，就可以用挑、割、削、刺、刮等各种刀法让这大片的关节筋脉轻而易举地断裂分离开来。

空中的绚丽光团无声地散成点点星火，朝着鲁一弃他们飘洒过来，并渐渐熄灭。之后短时间的极度黑暗是意料之中的，但随之而来的寒冷却是谁都没料到的。几股阴寒的风从草坡顶子上旋刮而下，带来的寒冷直透内腑心脉。风中还掩藏着某种力量，草坡上凝守不动的大高个子被这股力量推动得直往下滑。

朱瑱命身旁手下都抽拿兵刃，一半人以三分兜抄阵形往草坡顶子上冲去，另一半人在朱瑱命身前摆开两组卧虎探爪的防守阵势，谨慎戒备着。

“奔射山形压”坎子后面的队列出现了些骚动，马匹和骑手都感觉到阴风带来的寒冷，也感受到晦涩的压抑之力。骑手顿时魂散心悸，动作反应都滞缓下来。而训练有素的马匹也惊栗颤抖，如果不是有“刀棘链”相连，它们恐怕就要惊跑开了。

鲁一弃在凝神感觉，从那些阴风之中，他看到了别人看不到的脸，鬼脸！可是这些鬼脸绝不是养鬼婢控制的，因为它们的面容更诡异、凶残。面色也不是青白的，而是墨绿的。有好些脸都破损得厉害，缺耳裂口，眼挂眶外。鬼脸的飘移速度极快，看上去更像是冲击。于是鲁一弃想到一个驭鬼能力更高的高手，养鬼娘。养鬼娘是朱家少有的高手，只有朱瑱命这种身份才能驱用。可如果真的是她，那又怎么会对朱家坎面反戈一击的？

“退！”盲爷是在阻止杨小刀，他听到了簧弦的释放声。

杨小刀对盲爷的喊声不太敏感，幸好是他身后有鬼眼三。鬼眼三顺势将杨小刀推倒在一匹健骡的腹下，同时单手挥圆梨形铲拨打掉大片的弩箭。

朱家“据巅堂”是外堂，久经江湖。虽然单人能力不如总堂的高手，但应变能力和实际对敌能力却是高人一筹，所以背后的异常虽然让一些骑手惊疑不定，但同时也是对他们的提醒。自己的职责应该先快速灭杀坎子里的目标，不让他们有丝毫反击突出的可能，然后再转身回攻后面的威胁。于是不用命令，不用带头，“排射管弩”中的三羽短杆箭雨点般射出。

杨小刀倒地后立即一路后滚，即便这样，还是有一支三羽短杆箭钉在他的腿胯上。

鬼眼三边挥动梨形铲，边从背上扯下“雨金刚”。刚才是想快速偷袭，所以使用的是梨形铲，现在要遮挡如雨的弩箭，最好的家伙当然是“雨金刚”了。他原先的“雨金刚”在启东北“金”宝时遗失，现在这把是倪老七的。虽然式样分量相差无几，但使用时还是觉得不够顺手。要不然在展开“雨金刚”的瞬间中，他也不会让一支短箭钉上左肩。

一轮弩射之后，坎子开始继续朝前移动。紧接着，二轮弩射的箭雨也开始了。

“往后退！快往后退！”鬼眼三护在鲁一弃身边高喊，只有他能够看清披盖过来的箭雨。可是身后已经没有可退的地方了，聂小指和年切糕已经站到了湖水之中。

就在此时，草坡顶子上又有烟花飞出。这次不是绽开的一个光团，而是连串光球滚动而来，电闪般飞到坎子的后沿，然后再爆散开，变成星星点点长久不灭的冷光。

“有迷障！屏息，含药！”识宝灵童高叫道。虽然迷药药料的品质很好，味道极轻，掺在烟花的火药中几乎闻不出，但识宝灵童还是辨别出来了。

但是那些穿盔甲的骑手，刚才已经被阴风吹得有些反应迟钝，再加上铁甲装备臃肿，使得他们无法及时取出御毒药丸。

烟花中的药料并不重，吸入迷药的骑手并没有跌落，尚存的意识让他们还能坚持趴在马背上。不过那烟花成串飞入坎面，让吸入迷药的骑手排列呈一个长道形，这就像在铁磨盘般的坎子上切开个缺口。

前面的骑手意识到后面情况危急，他们已经顾不上“山形压”的整体坎形，将停滞的马队迅速催动起来，要赶在情况变得更危急前把目标赶尽杀绝。

一大片白色从草坡顶上铺盖下来，无声地，快速地。

大高个子站位最靠顶子，所以最先看清那片白色是羊群，卓客维长毛羊。这种羊的特别之处是羊毛特长，一般剪毛时都要超过两尺，这么长的羊毛生长中都自然卷曲成团。另一个特别是羊毛质地特别坚韧，用此羊毛结绳可勒奔马。

面前的只是羊群不是狼群，可大高个子还是一动都不敢动。因为他看出这羊群和平时的绝不是一回事。首先是这羊跑得太快了，他从没有见过有羊可以跑这样快的。还有就是羊身上在冒着烟，很淡很轻的烟。

后面三分兜抄的阵形停住了，卧虎探爪的防守收得更紧，就连朱瑱命也都勉强提起口气息，提聚精神关注着那些羊。

羊群快速绕开这些静止的人，就像绕开石头。羊群闯入了铁壁铜墙一样的坎子面，就像泼进一桶鲜奶。

射向鲁一弃的箭雨，全是鬼眼三和胖妮儿在应付。而他只管欣赏草坡上发生的一切。坎面和字画、文章在某种程度上是一样的，需要有人欣赏。但如果一件作品还在创作过程中就有人欣赏了，那么这个人要么是灵犀相通的知音，要么就是旷古难觅的奇才。鲁一弃算是奇才，因为他有超常感知的能力，因为他已经将《机巧集》烂熟于胸。当见那群白色铺下，他满怀兴奋和钦佩喝了声好：“好！坎壁撼，鬼骑羊，如丝缠，散药狂。”

“你发什么呓障呢？”胖妮儿不是什么时候都能理解鲁一弃的言行。

“别急，看，有好看的。”

半坡处的朱瑱命从口鼻间哼出三个字：“鬼骑羊。”三个字一出口，胸中血气翻滚如潮。

“鬼骑羊”在很多地方都出现过。一般是天黑之后羊不归圈，反向荒野走去。还有就是羊群突然间失去温顺本性，奔走如飞，人不能撵。有人说这种情况是鬼附羊身，还有说这种羊是野鬼所化。但此处所说的“鬼骑羊”却不是上两种情况，而是以所蓄养的鬼力来驭控羊群。

和鲁一弃想的一样，羊群是从那串烟花破开的长道形缺口进入的。最初阴风惊魂是为了下一步烟花散药，而烟花散药则是为给羊群开道。

鬼扣子落先手，让那些骑手来不及取药御毒。而烟花散开的药料让坎子后列的大片骑手失去意识能力。这样当羊群冲入坎面时，既不会发弩箭阻挡射杀，也不会驱动马队将坎子变形。骑手不射，铁马不动，长毛羊群的高度又合适，于是顺顺当当地从马腿间、马肚下直钻入坎面中。

疯绞杀

看到了“鬼骑羊”，也看准了羊群走向，朱瑱命立刻明白这意味着什么。但他真的说不出，因为内元气脉此刻已经完全被又一种愤怒冲撞着、填塞着。

如果再不阻止那些羊，这趟事儿真就要前功尽弃了。朱瑱命想到这，强挣着闷咳一声，喷出一口鲜血。血花溅落在识宝灵童后脖颈上。

识宝灵童一惊回首，他看到了朱瑱命正在做的手势。于是毫不迟疑地对高奔雷吼道：“让山形头子后撤！山腰队列收紧！后列尽数散开，互不关联！”

朱瑱命果然厉害，羊群才下坡，就已然看出“鬼骑羊”将怎样破解“奔射山形压”。而且他转念间以手势部署的都是针对破解的补救措施。

可是晚了，虽然只晚了一点点，但确确实实晚了。“奔射山形压”眨眼间成了个坍塌的大山，更快更直接地崩裂碎散了。

一时间，血如雨洒，坡如血洗，仙脐湖殷红如胭。

一直静观的鲁一弃看出来了，草坡顶上的人不但会养鬼驭鬼，而且非常熟悉“奔射山形压”的坎理。长毛羊在鬼力控制下，速度可达到极高，所走方位线路也丝毫不差。阴风与烟花的两次预袭，让部分骑手失魂失力，也让山形前端加速攻杀。这样前后左右便配合不上，队列拉开距离，合拢的“刀棘链”重被展开，鬼力操控的长毛羊便可以随着队列拉开，快速挤满前后列之间的空隙。

时机的选择也是恰到好处，撒出“鬼骑羊”的高手似乎知道朱瑱命会采取后退收缩的补救措施。错过时机的补救再去做就是大错，长毛羊已经填进坎子，这时收缩坎形，长毛羊不但会磕绊铁甲马的马腿儿，而且还会挂上“刀棘链”。长毛羊的长毛裹住刀棘，再难解脱。“刀棘链”挂住了肥羊，也就失去了伸缩功能。

变故出现得太突然了，还没等坎中骑手们意识到这群羊为何而来，“鬼骑羊”和“山形压”已经完全纠缠在一块儿了。

而“鬼骑羊”最为厉害的一招其实连鲁一弃都没看出来，就是羊身上淡淡的烟雾。这些羊身上都藏着“捂焾儿[1]”，而焾儿是用“风麻草”捂的。

“风麻草”又叫“疯马草”，是藏地独有的植物。

《藏药秘医》中有过记载，说此“风麻草”是：“食即眠，死活数日后才知。熏烟促狂，力数倍，行不歇。”

《灭佛战录》中有为驱马送信，燃疯马花促马狂奔，直至累死方歇的故事。这疯马花，也就是“风麻草”。

羊群带有“风麻草”捂的焾儿，这是导致“奔射山形压”被彻底摧毁的重要条件，也是前面各种手段万一发生意外后的最终保障。

凝滞如山的坎形开始起伏，开始颠簸，开始跳跃。铁甲马由少渐多地发疯、发力，左突右冲，狂奔乱跳，不断将骑手掀落马下。身着铁甲的骑手落地之后随即便被踏在马蹄之下，或者裹入“刀棘链”之中。挂上肥羊的“刀棘链”没法收拢，疯狂的马匹便又牵扯这着“刀棘链”将其他没有发狂的马匹和还没来得及发狂的马匹缠裹在一起。清醒的马在疼痛后也会疯狂，“刀棘链”刀片的强烈刺激让它们拼命挣扎，这就又将链子上更远处的铁甲马给裹带进来。

如果说“奔射山形压”的坎子是一挂强力运转着的螺旋桨，那么“鬼骑羊”的羊群就像一团乱水草、破渔网，而“风麻草”捂的焾儿就是让这挂螺旋桨在被缠绕后还加速运转的动力。在这样的动力下，原本如山般气势的坎面在转眼间变成一团血，一堆肉。血如泉溪不息，人肉、羊肉、马肉绞碎在了一道，惨不忍睹，腥不堪闻。惊恐声、惨叫声、哀嘶声先是连绵不绝，后是此起彼伏，最后便逐渐微弱了。

只有湖对面极少数的铁甲马和骑手及时将“刀棘链”解脱开了，远远地逃开，心有余悸地看着血肉的飞溅，看着湖水越来越红。

1　用草或纸搓捻而成，明火极小，却能持续长久地散发烟雾。

草坡上的朱家门众全呆住了，一切发生得太快、太突然，让他们无法相信自己的眼睛。

朱瑱命也流血了，一滴，只有一滴，从他的鼻子中流出。血的颜色红得发黑，沿着他梳理整齐的细柔胡须滚下，最后在他苍白的左下颌凝结住。这是他胸腹间翻腾憋闷得太久的血，虽然紧闭的嘴唇不让它们喷涌而出，却无法阻挡其中一滴溢入鼻腔，偷偷流淌出来。

又一朵烟花窜出，这次不是在草坡顶，而是从仙脐湖北面一个半坡上。如果这烟花和刚才的是同一个人燃放，那么能在这么短时间内移动那么远，此人的足下功夫可见一斑。这次升空的烟花不大，没绽爆开来。不过很亮，滞空的时间很长。这倒有些像河北“祝融祖室”和湖南浏阳“火雀馆”制作的号信子，而不像是烟花。

借助这光亮，人们可以将破碎了的坎子看得更加清楚。可有人已经不再关心眼前的坎子，他需要发现的是新的危机和新的生机。

鲁一弃借助这光亮看到了一个人，一个在心中时不时会念起的人。就在那烟花蹿起的位置，养鬼婢娉婷而立。也是借助这光亮鲁一弃看出了变化，养鬼婢的身上没了鬼气，这让他不禁愕然。

见到了养鬼婢，鲁一弃的感觉很复杂。但是刚刚经历的事情却提醒他，自己要做的事情很多，此时需要的不是感情而是感觉。眼前危机虽然解除，但对家很可能还有后着援手，朱瑱命很可能正在思考布置更为巧妙毒狠的手段。再次的危机也许就在眨眼之后。

聚气凝神，鲁一弃的感觉在仙脐湖周边的种种气相中左突右冲，此时这里已经被巨大的血气、死气、怨气、杀气所笼罩，所以他必须去辨别，去查找，去突围，及时从中感觉出一条没有危机伏蛰的出路。

当升空的烟花渐渐落下熄灭，当一切再次完全没入黑暗之中，凝如磐石的朱瑱命骤然而动，身形如电般穿过守护阵形，直扑向坡顶。就在这快速移动的过程中，他大口呕喷出数碗的黑色淤血。

朱瑱命身形轻飘地跃上坡顶时，草坡的另一侧一个更加轻飘的黑绿色身影也同时飘落。看不到那身影的脸，因为都被“包魂巾”遮掩了。能看清楚的只有一双眼睛，一双月牙一样的眼睛，弯弯的，看不到黑色瞳仁。

“果然是你，养鬼娘。”朱瑱命声音平静。

“是我，门长。”养鬼娘呼出的气息都像是黑绿色的。

“为什么这样做？”

“真的没法子，我也是到今日方知，世上最难之事是儿女之事。”

“是为了他？”朱瑱命知道只会是鲁一弃。

“更是为了她。”养鬼娘语气中显出一丝无奈。

“思虑周全了吗？”朱瑱命还是平静淡然地问。

“周全了。”养鬼娘脸上的月牙更弯了，“我以前的确欠过你人情，不过给你办了那么多事，还那份人情绰绰有余，多下的就抵了今天这场亏欠。婢儿自小无父无母，而我无儿无女，是我把她从小带大。反言之是她陪了我十多年，这段亲情今天也用这场亏欠了结了。从此不管是门长你的事还是她的事，我再不插手。”

“养鬼之人，生意也做得鬼精得很。”朱瑱命说。

“那也是向门长学的。”养鬼娘的谦逊却是刺激了朱瑱命。

“想过后果了吗？”朱瑱命语气突然变得阴森起来。

“想过，但至少今天不会有后果。”养鬼娘没有一丝怯意。

“为什么？”朱瑱命虽然问为什么，其实心中已然明白八九分。

“要我明说？门长没觉出自己连说话的断续都不在点上。其实有好多内岔入魔之事不是去淤固本就能缓解的，那反会加倍触发内疾。门长本门功，以沉稳固健为上要，现在也变作了飘忽轻悠，这是破功之相，底儿泄了。”养鬼娘语气带些惋惜之意。

朱瑱命没有答话。

“算不如信，做不如看。我虽然做的鬼事，却是说的人话。既然思虑周全了，话也出口了，这就退走，你不用将我拢在盘算之中。”养鬼娘说走就走，黑绿的身影忽闪一下就消失在草坡之后。

人走了，话却没说完，养鬼娘用“鬼音回壁”的功力将心中一句肺腑言朗声吐出，其声遍及仙脐湖谷子的每个角落：“丫头，是福是祸，我遂你愿了。鲁门长，这丫头为你生为你死现在起都是江湖事，但如果你辜负了她，那就是我的家事，你给我记好！”

余音未了之中，养鬼婢高声回喊：“师傅——娘——保重！”

又是一朵烟火升燃，不过这次却不是直升半空，而是射向仙脐湖对面的一道草谷道口。

“是了，就是那里！”鲁一弃也不知道有没有听见养鬼娘临走时说的话，只是指向道口，“四周的坡谷、坡后都暗藏杀机，对家藏伏着后手坎，只有那个口子杀气最弱，可以从那里突出。”

话说到一半，鲁一弃就已经开始拔足沿湖边朝那个方向跑去，他知道自己的脚力差，只有先跑才不会拖了大家后腿。还有就是他想借机避开胖妮儿灼热的目光，刚才养鬼娘的一番话，那么聪明灵巧的胖妮儿怎会听不出来其中意思。

鲁一弃跑得再快，胖妮儿也就是腰肢扭两扭就追过了他。追过鲁一弃身边时，她的一双明眸意味深长地地看了他一眼。鲁一弃想对她笑一笑，可尴尬窘迫得只能撇一撇嘴角。

胖妮儿跑得再快，却没有朱瑱命说句话快，也没有高奔雷甩出的一支响箭快。

随着响箭尖利悠长的声响划破夜空，四周的草谷、坡后有呐喊声和马嘶声轰然而起。

鲁一弃他们只跑出一半不到，马蹄声便像滚雷巨浪般朝他们直冲过来。没有阵法队形，没有辅助杀器，所以这不是坎外坎，而是二道杀。

二道杀也有叫二道栅的，广义上说它应该算是坎面子的组成部分，是布置在坎面之外，用于剿杀漏网之鱼，或者直接灭杀对手。也就是说二道杀是前一个坎子的补充杀扣，也是第二个坎子的预设杀扣。

朱家的二道杀，冲在最前面的是前一个坎面中没有消耗尽的扣子，必须将功补过。虽然“奔射山形压”剩下不多的骑手扣子对破坎的惨烈相还心有余悸，但二道杀的指令一下，他们立刻驱马勇往直前，义无反顾。

鲁家这边冲在最前面的是胖妮儿，看得出她心情不好，有股子怨气在胸腹中冲荡，想找到发泄的口子。面对铁甲马和铁甲射手，她步法非但未缓，反是一下提到极速。但这做法却不是发疯撒气，而是一个实战高手最明智的表现。铁甲骑手的弩箭是远距离攻击兵器，对付这样的敌人，就必须在避开弩箭的同时，以最快的时间接近骑手。

奔跑着的胖妮儿从鹿皮长囊中抽出了自己的兵刃，那是根“桌边长”（大约一米左右）的棍子，淌溢着浓重的尸气。

但这根棍子有带血槽的锐利尖头，通体直线棱纹，每条线沟都直贯顶尾。锐利的尖头也不是圆尖头，而是以三棱为点开磨的月牙平快口。而最值得一提的是，这棍子是由“关外奇工”任火狂用捆锁僵尸王的嵌金寒铁链融料制成，是他费劲心力的得意之作，叫做“裂魄凤喙刺”。

为什么会将这兵刃叫“裂魄凤喙刺”？是因为它的造型，也是因为它的杀伤力。三棱为刺，月牙开口，犹如凤喙。通体棱沟导血，刺入和拔出非常轻松，一杀之下裂人魂魄，而且这样造型的武器刺伤身体后，伤口无法自然愈合，敷盖再多金创药都没用，必须西医缝合。在那个西医还不为太多人所知的时代，这样的武器真的太可怕了

妮儿只是在快速奔跑中稍稍一个矮身，就躲开对面骑手的一排弩箭。等射过的骑手转提机栝，将弩管填满要继续发射时，极速接近的妮儿离他只有两步了。

没有刺杀，也没有劈砸，只是将短棍般的“裂魄凤喙刺”对着那骑手一指，那“裂魄凤喙刺”便魔术般地变成双倍的长度。于是在没有躲闪招架的状态下，“裂魄凤喙刺”刺进骑手护面的铁罩，刺穿了他的头颅和铁盔。

胖妮儿的技击招法来自家传，“关外奇工”任火狂当然不会给她做一件比盲爷的盲杖短许多的尖头棍子。所以需要它真正成为杀戮武器的时候，机栝弹射，短棍立时比盲杖还要长出许多，成为一件大阵仗中使用的兵器。

“裂魄凤喙刺”刺头的寒光只是在那骑手脑后一闪即逝，因为一穿之后，妮儿马上轻松拔出，转向侧面。此时她手中已经是一支真正的长矛大刺。刺头微抖，便又从旁边骑手的耳位扎入，穿透头颅。

杀戮开始了。都说女人在感情所挫时而起的杀心，将是所向披靡的。

毒火烈

虽然胖妮儿的身手极快，招式铺开范围也很大，但是凭她一个人根本无法阻住所有铁甲马。而且经验丰富的骑手都迅速避开她的锋芒，绕开她攻杀的范围，直奔后面的几个人而来。也有骑手绕过她后回转马匹，反将她与后面的人隔断开来。

“圈栏杀，横散开，单直对，不能被分割圈住！”盲爷是西北贼王，从马蹄声中立刻辨别出对家的杀法企图。

但鲁家这些人都是步行，用的大多是短兵刃，像聂小指连兵刃都没有。而盲爷所说横散直对是马队对仗时的打法，如果真照他说的去应付，对家根本不用弩射，光是铁甲马直撞，他们就无法抵挡。

现在的办法要么有数量相差不多的马队与铁甲马群正面阻杀，要么就是有人能一下子把所有奔驰而来的铁甲马阻止住，但这情形除非是有神仙相助。

鲁一弃没有慌，他大声问了杨小刀句什么，杨小刀立刻大声回答着。

也就在此时，左面草坡顶上飞速奔下两个人影，一个是养鬼婢，她奔出的方向是鲁一弃。另一个身影是往仙脐湖另一面跑的，这身影看起来累累坠坠地，跑起来速度却不慢。很明显，他是朝暗伏之处冲出的二道杀马队去的。这些人马数量更多，比“奔射山形压”整个坎面数量都多。不过骑手不再铁甲披身，而是半肩藏袍，露出一个光膀子以便灵活挥舞手中的马刀。马匹也没披挂铁甲，奔跑更快，转动更灵活。如同潮水般的人马已经冲杀过来，而那人独自一个去应对他们，难道就不怕瞬息之间被刀砍马踏如泥？

潮水般的马队眼看要将那人淹没，马刀的寒光也已经将他的面色映照得铁青。就在这当口上，那人掌心中暗香熜子苗头一跳，十数支炮筒一起点着。哨响声直落入马群，随后便在轰然巨响声中绽爆开来……

鲁一弃也知道自己该怎么做。他聚气凝神，所有奔驰的马腿在鲁一弃感觉中放慢、拉近。他预算到马腿下一步的动作位置，结合子弹的速度，确定了子弹与马腿相遇的点位。

枪响了，子弹的射程比弩箭要远些。所以没等骑手近到可放箭的范围，他们就纷纷从马上跌落。弹仓里二十发子弹尽数射出，二十匹铁甲马马失前蹄，子弹全部准确击中蹄膝。蹄膝，是个损伤后会让整条腿立刻失去知觉和功能的位置。这就是鲁一弃刚从杨小刀那里得到的答案。

奔驰中摔倒的是披着铁甲的马匹，马背上摔下的是穿着沉重铁甲的骑手。地上这一片乱滚乱挣扎的人和马，阻止了后面继续奔来的马匹。有一些跑得快来不及勒住的，也被前面躺在地上的绊倒了。

铁甲骑士们完全被震慑了，因为使用弓弩的人更能体会到鲁一弃这种远距离的杀伤力。在这样一位高手面前，他们已然失去了信心和斗志。

盲爷、鬼眼三他们冲了过去，不管是对地上的还是马上的，都是招招夺命。要想不让落水狗咬，就坚决不能让它上岸。

胖妮儿回杀过来，她一招致命的辣手杀法让对方有生力量迅速消逝。

养鬼婢从侧面杀到，长绸缎子飘飞而出，骑手们便像被一只无形的巨手高高抛起又摔落。不过她的招法却是最仁慈的，中她招儿的人只受伤不丧命。

这样一来，局部形势发生了根本的变化。原来要对鲁一弃他们进行“圈栏杀”的铁甲骑手，反而遭受到三面的合击。一群钢铁包装的攻击力量，最终只有零星几个逃出。

“快！往西北草谷口子跑！”养鬼婢见到鲁一弃，说的第一句话竟然是如此的惊恐。因为朱瑱命已经带着手下高手掩杀过来。

二道杀的溃败太出人意料了，狂突如潮的人马刹那间如同水入沙地，变成一片焦臭翻滚的肉体和撕心裂肺的惨呼。

燃放烟花的高手以一敌数百，让二道杀彻底散了。

从半坡冲下之前，烟花高手已然清楚自己对付不了铁甲马。虽然自己的“满地星河”中含有“鬼火粘”，但这东西对铁甲不起作用。所以他才和养鬼婢分道而行，独自去面对没有铁甲的大批人马。

“鬼火粘”原先叫“附骨火蛆”，最早见于宋末，由川人贵得尔所创。有传说这贵得尔是四川唐门的弃徒，但出唐门后却连创奇术，一时名望甚至超过唐门。后来突然间销声匿迹，从江湖中蒸发。贵得尔留下一部著作叫《得尔其一》，记录了他一部分的奇术秘要，这“附骨火蛆”就在其中。朱门藏有明代东、西二厂搜罗的各种秘籍，其中就有《得尔其一》的残本。养鬼娘从那残本上抄录了配方。

“鬼火粘”厉害之处是火中带腐，灼中带毒，粘身不落，缺点是不粘金铁瓷石。

但二道杀的杀手们都是藏袍半披，裸肩露膀，所乘马匹也都没有任何保护遮拦。因此烟花高手对付这些奔骑杀手有百分的信心。

“满地星河”的烟花像是一条绚烂的天河，无数萤火虫般的星点光华把仙脐湖的一侧完全浸没。二道杀的杀手们熊熊大火也曾闯过，所以根本没在意这些细小的冷光。可当这些星点的冷火黏附在皮肉和衣服上后，他们瞬间失去了理智。那冷光竟然着了，变成了蓝滢滢的火苗。火苗蔓延的速度极快，粘上冷光后的马匹在惨嘶中发足狂奔，骑手们也根本无暇顾及到马，他们的意识已经完全被剧烈的疼痛占据。

马乱跳乱踢，不单是撞到其他杀手、马匹，而且导致黏附的鬼火互相传播。

有杀手摔在地上，不断翻滚着、嘶嚎着。鬼火粘身后，他们用手拍打，或者乱舞乱挥，结果反而引燃了其他部位。另外有些杀手一下被太多鬼火粘上，他们直接被烧得知觉尽失，连惨叫都来不及发出。

也有些经验丰富的杀手一感觉到疼痛的异样，就立刻挥刀削切掉粘火的皮肉，撕脱粘火的衣物，粘火面积太大的，索性就挥刀切腕断臂，宁残不死。

当鲁一弃走过这片焦臭时，能挣扎的人和马已经不多。虽然还有一些在抓挠着、抽搐着，但这并不能阻止他们被慢慢烧成灰烬。

鲁一弃感到自己要呕吐，但还没有等他张口，一个黑色身影挡在了他的面前，一双挑剔好奇的目光将他上下仔细打量。

“这是我干爹，浏阳炎化雷。”养鬼婢的介绍简单平淡，因为她不懂惯常的客套礼仪。

“‘九天火鹰’炎化雷？”盲爷声音怪异地问了一句。

“正是在下，西北贼王我也是慕名良久，今日得见三生有幸。”炎化雷言辞谈吐听起来很是儒雅，像个教书先生。

“你们酸个什么劲，赶紧脱身走人。”卞莫及催道。

“鬼丫头，领大伙儿往前面谷道里拐。”炎化雷并不惶急，语气很是镇定。

鲁一弃经过炎化雷身边时，看清这是个五十左右的汉子，红色面皮坑洼不平，稀黄的细须卷曲着。一身典型的湘民装束，身上零零碎碎地挂着许多东西。在他左手掌中始终拢着一团轻淡缥缈的烟雾，应该是握藏着暗香捻子。

朱瑱命和那些高手追来了，炎化雷在心中暗自度算他们的步数、距离和速度。还有百二十步的样子，他左掌一翻，拢住的烟雾中闪出一点红头，燃信子出手了。接下来便是“掠地麻雀”牵带着三道“平地倒瀑”如天河落地。

连续三道倒喷火瀑，都是从一侧草坡顶直拉到湖边，蔚为壮观。三道火瀑相互间的位置距离也是恰到好处。百步一道，九五步一道，九二步一道。这需要“掠地麻雀”药量准确、燃放手法巧妙才可以做到。

但这次的烟花中没有“鬼火粘”，因为这药料配置复杂，材料稀缺，只能偶尔用。炎化雷撒出火瀑后立刻转身奔逃，他怕朱家高手察觉出这次火坎中没有“鬼火粘”的药料，会快速穿过三道火瀑圈住自己。

朱瑱命从炎化雷的手法技巧以及烟花绽放出的苗花上判断出，这是湖南浏阳“火雀馆”的顶尖高手。而炎化雷撒完爆器转身就走，也给朱瑱命发现一个破绽，制作烟花的人与火药打交道，一般都有极好的心理素质，举手投足极为稳妥。而这个顶尖的烟花高手为何如此慌乱地急于逃走？

想到此处，朱瑱命随手将旁边一个手下的后脖子握住，然后手臂潇洒挥摆，把那人扔进了火瀑。

“啊——”先是一阵惨叫，但这惨叫中更多的不是痛苦，而是恐惧。

“啊！啊！没事！我没事！这火里没料！这火里没料！”接下来是

那个高手狂喜的叫声，比刚才的惨叫还要声嘶力竭。

见触火之人没事，大高个子一马当先，提剑穿过倒挂火瀑往前冲去。其他朱门高手都紧随其后，个个奋勇。极少数残余的铁甲骑手和二道杀的人马也驱马跟了过去。

识宝灵童没有动，是因为朱瑱命没有动。识宝灵童很聪明，他知道该动不动意味着会有变化。

朱瑱命没打算继续朝前追。说实话，现在就算是追上鲁一弃他们，也不过是一场对自己不太有利的厮杀。鲁家现在陡添两个好帮手，养鬼娘虽说不管这里事了，可这个说鬼话不做人事的娘们儿，说不定就在什么地方偷偷窥看着，随时根据局势出手。

不用太急，事情要慢慢来。鲁家人最终逃走的路径正是自己所希望的，而且自家还有极好暗钉没露芒尖儿，局势目前对自己来说不算太坏。想到这，朱瑱命发话了："吩咐下去，命杨青幡（大高个子）带人咬住他们不放，让他们没有缓劲儿的机会。命高奔雷通知阴世间的两位老人家，人已过了奈何桥，能拿住活的最好，拿不住也务必留下全尸。再发飞信给金面活佛，让他做好准备。鲁家这帮人要真能从阴世间爬过去的话，最终是要往他那边去的。你做完马上往回赶，把祭魂师领来，放引儿启暗钉子。"

第四章　阴世更道，通往天梯山的死亡之路

梦是从脸颊触及的黑色石面延伸开的，沿着两条岔道一直向前。于是在其中一条岔道上，他看到一座地府中才有的阴森宫殿。在宫殿里，刀光烁烁、魂魄纷飞、血肉成渣。鬼哭魂号惨不忍闻。而那刀，是在一个高大的黑色恶鬼手中。

世人传说阎罗第八殿下有碎剐小地狱，操刀之鬼叫“利剐生”，是个高大的黑色恶鬼。

梦中的恶鬼长发遮面，隐约露出的一对雪白獠牙。恶鬼似乎也觉察到了鲁一弃的存在，慢慢回头望过来。獠牙颤动，这是在笑，无声地大笑。

阴世道

鲁一弃气喘吁吁地跑入草谷，人刚掩到草坡的阴影中，就立刻停下脚步，他实在是喘不过来。他这一停，差点被兔跃鹰扑般冲入谷口的炎化雷撞到。

“快走呀，他们很快就会追来的。”炎化雷动作快如闪电，说话却不快。

见鲁一弃停下，养鬼婢和胖妮儿也转了回来。她们站在鲁一弃的身边，却都没说话。

“先缓一下，这里已进入了谷道，他们的坎面摆不开的。”鲁一弃喘着气说。

“谷道里对我们并也不十分有利，这里面地形复杂，我们缺少了解，更有利于熟悉地形的对家设伏偷袭。”胖妮儿说。

养鬼婢在微微点头，朝胖妮儿投去钦佩的目光。

“那么就只有赶紧往前走，抢在对家设下埋伏之前走出险恶之地。”炎化雷所说更有道理。

“也对，那我们就赶紧往前。干爹，你就在此处寻个岔道遁形回转了吧。”养鬼婢的说话声像磬音飘过。

“咋说话呢？嫌干爹烦了？你师傅已经走了，我再走，谁护着你？”炎化雷话说得很凶，脸上却是怜爱温然。

养鬼婢转头看了鲁一弃一眼。炎化雷立刻明白什么意思了：“你指望这小子，我还不放心呢，等我瞧清了他的心梢子和功底子自然会走。”说完后，他转身就往前赶。

养鬼婢没再多话。回头看了看谷口，随即从身边白绸包袱中掏出一叠白纸出来。左手将那叠白纸扇形捻开，右手单出食指，指地、指山，却不指天、指人，空画的图形也都是半边圆，而且画的全是下半边。手指点划之间，口中念念有词：“孤魂野魅，在我左右，地府凭奏，阎令在手，借阴之力，还尔正循，乌古西皮，腊母良钦……”念着念着，最终食指对准了那些白纸空画起来。虽然没有笔，虽然手指连纸都没碰到，但是所有纸上同时出现了图案，这些图案是表情相貌各不相同的鬼脸。

“鬼画符！”妮儿在旁边轻轻发出一声惊叹。这早已失传的方术技法，养鬼婢却正娴熟地施展着。

养鬼婢未曾发力挥洒，一片片白纸便自己从她手中飘飞开去。随着白纸落地，纸上的鬼脸消失了。不过鲁一弃依旧可以感觉出来，那些白纸此时已经被一团团白蒙蒙的气息笼罩住了。那些气息团有大有小，其中蕴含着某种怪异力量。

“前些日子我放掉了蓄养之鬼，所以只能就地借阴魂之力。此处阴魂鬼气不足，不能立‘鬼打墙’，只能撒弄‘鬼绊脚’。”说到此，养鬼婢羞涩一笑，抿了抿干燥的嘴唇。

难怪养鬼婢身上鬼气几不可见，原来是散放了蓄养之鬼。鲁一弃突然明白了什么：“你是不是一直都随在我后面呢，只是没了鬼气我感觉不到？”

养鬼婢没说话，只是抿嘴笑了下。她为了不对鲁一弃造成伤害，这才忍痛割爱散放了蓄养之鬼。

“啥辰光？还在聒噪什么呢，赶紧跟上来。”说话的是盲爷，他已经走出一段，发现自己丫头和鲁一弃没跟上，就又转了回来。

就在此时，草谷口有脚步声和马蹄声涌入。

鲁一弃跑再快也无法与奔马相比，既然朱家人马再次集结追杀，鲁一弃其实是逃不如打。凭他的枪法，加上几个高手的协助，再利用草谷的地形，不管伏袭还是阻杀，都是占尽优势。

但是实际的交锋并没有发生，奔驰的马蹄声在草谷口就受阻了。是养鬼婢布下的“鬼绊脚”起了作用，马匹经过那些白纸时，就像有无形的手突然拽住了马蹄，人和马便一起翻摔在地。

骑手们被这诡异的现象惊吓住。这是撞鬼了，的的确确撞鬼了。

听到后面的喧嚣，养鬼婢反倒变得焦急起来，不断地催促大家快跑。“鬼绊脚”虽然起到作用，但持续的时间不会太久。朱家这么多人马汇聚在谷口，挟带的大量阳气很快会让聚合的鬼气溃散。

前面开路的卞莫及领着大家尽量从比较陡的半坡上走，这样的位置马队追击会更加困难。而且只要过了这段草谷路段，就是崎岖的山壁碎石道，那是马匹根本无法通过的，这就能彻底摆脱对家马队的追击了。

草坡走尽了，前面果然都是紧贴山壁的羊肠碎石道。

刚刚踏上碎石道，一直气喘吁吁埋头赶路的鲁一弃突然间停住了脚步。他一下子屏住了粗重的喘息，盯住脚下好一会儿，然后才缓缓抬起头来。

是的，铺草的路径突然间变成了黑色的碎石路。这样的分割太明显了，没有一点过渡和衔接，就像是阴阳相隔、生死两断一般。本来已经被鲁一弃搁置的凶险感觉一下涌满了心窍，错了，肯定是错了！自己在奔逃过程中疏忽了一件非常重要的事情！可是怎么妮儿也疏忽了？

鲁一弃心中祈盼抬头后看到的情景不是意料中的，但事实总是在不断地摧残一些人并不强悍的心灵。

归界山，漆黑突兀的归界山，就像个竖起后正要拍下的鬼怪手掌，而鲁一弃他们就像是掌心下随时会被拍成齑粉的一群蚁虫。

后面已经没有追兵的声响了。鲁一弃在想，是自己已经如他们所愿才不追的，还是前面有什么让他们不敢追了？前面的路可能是与死亡相伴的，但回头的路却是必死无疑的。朱瑱命带着人逼堵在后面，朱家各处堂口增援的高手也都在往这里聚拢。

“我大意了，脑子一浑，没注意是走的这条道。”胖妮儿脸涨得红红地，她心里清楚自己是因为什么大意的。

“回不了头了，只能往前走。也说不定是我闹心鬼，瞎担心。”鲁一弃这话其实只是为了安慰胖妮儿。

可这句话一说，胖妮儿脸色立马白煞了，她恨恨地瞪了鲁一弃一眼：“你心中只有鬼呗。”说完自管往前走，再不理鲁一弃。

面对多少危机都声色不变的鲁一弃脸上燥热，心中烦慌。他暗自提醒自己，女人比坎弦扣触更敏感难料，以后每说一个字都得预先想想清楚。

路越来越难走，领头的卞莫及已经退到了后面，他毕竟受了不小的皮肉伤，失血很多。而走这样危险的山道领头很吃力，需要时刻戒备，还要不断察看，心力和体力消耗都很大。杨小刀义不容辞地走在了最前头，他与卞莫及相比有优势，除了受伤较轻，还有就是刀短刀快。在这样狭窄的路径上，使用短兵刃可以对突发的袭击更快地作出反应，也能更有效地对敌攻杀。

庆幸的是，这段崎岖的碎石道上没发生任何事情。走到石道尾端时，他们看到一点晨曦从东面起伏的山峦间挤出。这情景让大家感到希望的存在，禁不住有些兴奋。只有鲁一弃依旧面无表情，只是微眯着双眼，用超常的感觉在周围警惕地搜寻着。

往前的路径已经不能叫路，只是一条凹下的风化痕迹。大概是某次地质变化后留下的泄流冲道，其面光滑，寸草不生，只有些风化脱落的碎石铺在浅浅的凹底里。

但是这条光滑的凹痕，却是他们唯一可走的路径。因为两边石层叠置、立石如刃，上不能攀，下没有路。稍不小心就会摔下数十丈的崖壁，落到不知哪个石缝、夹沟中。

另外这也是一条黑暗之路，它是沿山阴而行的。在山体阴影和漆黑山色的覆盖下，这整条道路不比其他地方的夜间亮多少。

“妮儿，你看看，这有些像风水学中的‘阴世更道’。”鲁一弃主动跟妮儿说话，是想缓和之间的尴尬。

胖妮儿没有理睬鲁一弃，而是往周围看了看，又伸出手指比划了下，用的是正宗的鲁家“指度”手法。最后还往几个方向丢出石头，听石落之音，这却是天山一带山民判断高度的方法。完了后，她回头对盲爷说：“爹呀，真是个‘阴世更道’，从此道走，按正常人的步法速度，会始终在日阴之中，被石影所覆。不过从日起至日落，日照阴线是否正好切在此道首尾，却是要到另一头才知道。”

“‘阴世更道’的说法是从《青囊经》中‘钟馗巡更’而来，主霉晦运道，但是至阳火性之人反能借用此种风水和顺运道。”盲爷更关心实际的情况，“这种风水地比正天龙脉都少。你们看看，背阴内凹山形是双夹还是多夹。”

"看不出，太暗。不过能见的道路已有很多小折转，估计是多夹内凹。但确认的话要走一段才知道。"妮儿答道。

"那就走吧，反正又没其他路。"杨小刀说完便开道向前。还没迈出步去，一支双头短杆无缨标枪破空飞来。

卞莫及马鞭一挥，脆响声中抽断了那支标枪。但这才是开始，紧接着无缨标枪夹杂着麻棘弹杆、雁羽箭如雨而至。

"后面追上来了，快走！"养鬼婢双臂白色绸带飘舞，旋成两个大圈。标枪、弹杆、羽箭在这两个柔软绸带旋成的大圈前纷纷落下，就像射上了两扇铜钉包铁的大门。

胖妮儿此时再顾不上生气，右手一把拽住鲁一弃，抢在最前面冲入"阴世更道"。

石面光滑，碎石绊脚。所以鲁一弃走得跌跌撞撞，几次差点摔倒，全靠妮儿提拉才稳住。即便如此慌乱，鲁一弃在走入黑暗时，还是感觉到有种非同寻常的寒冷扑上肌肤，并且顺着衣领衣袖往里钻。寒冷最初在脊背处聚集，而最终是蔓延到全身四肢乃至指尖。

大家在养鬼婢的掩护下，都走上了"阴世更道"。躲入黑暗后，标枪和羽箭失去了目标，攻击立刻停止了。

追杀停止，大家进入了一个暂时安全的环境。但不知道为什么，这些走惯江湖不惧杀伐的高手们，却始终放不下提起的心。并且随着黑暗和寂静的包围，他们的心跳越来越快、越来越响。

鲁一弃感觉脊背处的寒冷积聚得太厚重了，压得他透不过气来。冷汗就像蠕虫在身上爬动，不止不歇。手掌可以感觉到，妮儿手心也是冷汗腻滑，手臂也在微微颤抖。很明显，这里存在着一种无形的力量，给人心理和身体都造成不小压力。难道已经接近正西凶穴了？

"啊——"就在此时，利老头对着旁边山势发出长长一声呼喊。呼喊之后的利老头气息明显平复了许多，"要觉得心跳难止，胸口憋屈不畅，就发声吼上一吼。"

话才说完，其他人几乎是一同出声吼叫，无形的力量已经压迫住正常运转的气息，而滞动的气息又堵住所有血脉穴眼，他们急需以某种方式发泄出来。

几个人一齐嘶喊的声音本该极为高亢，但在这里却显得微弱无力，也没有回声，就像一团棉花坠入深潭。

等大家声音都住了，利老头说：“这里有很强的死气，会压得人心跳过速，血气不畅。我第一次执红活时也是这种的感觉，当时我老爹就教我以呼喝之法泄内压。”

鲁一弃没有呼喊，因为他感觉目前的状况和“五鬼推倒山”的压迫很相似，于是将身心趋于自然，所有不适便慢慢消退了。

“《青囊补遗》中有记，‘阴世更道’风水处如果有过无数凶杀，其凶煞死亡气息会拢聚不散，经其者身伤魂哀。大家须调整血脉气息，尽量转移注意力，不要被气相所引成为心障。”鲁一弃用自己记得的典籍内容提醒大家。

“还有，此处既然会有无数凶杀，必藏有极凶的杀器或杀戮之人。大家小心戒备，遇袭尽量逃避，切莫贪战，走出这‘阴世更道’我们就算赢了个大筹。”妮儿的话语中带着些愧欠之意，她将错走此路的责任归罪于自己的失态和失察。

路径很曲折，有上坡有下坡，沿着山体的凸凹而行，这是“阴世更道”的一个特点。曲折后的路程长度按普通人的脚程差不多走一个白天，这正应合了阴世轮转之说，这是“阴世更道”的另一个特点。

归界山上几座略微倾斜的山峰，像随时会拍下的手掌。就在鲁一弃他们慢慢行进的时候，有个“手指”的最上一节微微动了。没错，黑色的峰顶，黑色的巨石，动了。

朱瑱命没有追着鲁一弃进归界山。他只让大个子扬青幡带人在后面紧逼着，自己却走另一条路。虽然绕得远些，但有马有车，肯定会抢在鲁一弃前面到达正西大道，来得及再次组织人马迎头阻杀。前提是鲁一弃能逃过阴世间两位老人的厉害手段，走出归界山。

几个时辰之后，识宝灵童带着祭魂师和三辆大车也赶到了仙脐湖边的草谷口。其中有两辆大车上满匝匝地坐着人，那是被祭魂师控制了魂魄的杀手。还有一辆大车上除了祭魂师常使的器物用品外，还装了好些鸟笼、蛇罐、虫盒之类。

到了草谷口，大车就没法再往里赶了。于是识宝灵童和祭魂师用听不懂的异域话商量了一番，随即祭魂师从第三辆车上拉出一个十格鹰笼，从中放出五只长白花喙鹰。花喙鹰振翅飞了一圈，然后齐齐地落在大车的车架上。而就在五只鹰舒展羽翼的时候，祭魂师又捧着一个金丝锦囊又唱又跳、拜天拜地。仪式结束，从囊中拿出一个个白色的小管子，系在鹰脚上。五只鹰再次展翅飞起，往归界山方向而去。

在归界山西面，通往藏地的大道上，几个身着藏服的汉子正驱马快速往东赶过来。东起的旭日照在这些人的脸庞上，让流下的汗珠晶莹闪亮。这些人是墨家门人，收到莫天规手令前来接应鲁一弃。

墨家领头的是个中年汉子，虽然一身藏服，却是个标准的汉人。他是莫天规的徒弟刘之守，河南尧山人。河南尧山是墨门的祖地，也是刘姓的起源地。刘之守外号“六只手”，因为他制扣技艺神鬼莫测。曾用“回抽刃扇门”和“醉仙凳”两道扣子将朱家中州堂两大护法和六大高手尽数灭了。

莫天规派遣刘之守先期到此，是要他探明宝构情况，扫清外围障碍。但他到达此地后却发现，朱家在此的力量已经发展得太大。不说其他的，就是天梯峰下的金顶喇嘛庙，他们连接近的机会都很少，更不要说探宝构、清障碍了。

就在刘之守不知何去何从之时，莫天规的手令到了，说鲁家门长鲁一弃带人往正西赶来，正西宝构之事可由他定夺，墨家人全力配合。

接到手令后的第二天，刘之守和墨家其他人都觉出不对劲来。分布此地各处的“据巅堂”门众，大部分悄然间不知去向。天梯峰下的金顶喇嘛寺从第二天下午起不再让信徒香客进入。刘之守意识到朱家开始动作了。于是他留下部分人继续在天梯峰下密切注意动静，自己则带着几个熟悉入藏路径的高手往东来接迎。

“黑娃，瞧瞧该往哪边走？”刘之守知道，要想抢在朱家人之前把鲁一弃他们接出，就绝不能顺着大道走，而是要走一条更近更快的路。

“看，血隼朝那边飞，那里该是出事了。”黑娃的汉话很生硬，但还是能听懂的。

刘之守顺着黑娃手指方向望去，果然有三只褐红色的血隼正振翅摇翎往东边飞着。血隼、雪豹、五彩狐都是藏地的稀有品种。特别是血隼，几乎已经绝种，整个藏地恐怕都超不过十只。这种鸟儿有个特长，能在百里之外察觉到血腥和腐肉的味道。现在一下有三只血隼被诱引出来，那么它们所去方向一定有大血腥的事情。

“那方向是什么地界？”刘之守问。

“归界山，仙脐湖。”

“归界山！这鲁家门长可千万不要走到阴世路上去了！”刘之守一脸惊骇，满怀焦急。

可此时鲁一弃他们不但走上了阴世路，而且差不多过了一半路程。

伏石梦

“阴世更道”给人的压迫感断断续续，刚开始也许会有胸闷、烦躁、透不过气等症状，进入一段时间后就渐渐适应了。但适应了环境并不一定就是好事，这样至少在戒备状态上会稍有放松。

相反的，本来最善于调节自身来适应环境的鲁一弃此时却出现了不适。首先是头疼、耳鸣，晕乎乎地想睡觉，然后胸闷恶心，气接不上，干呕无物，这是很强烈的高原反应。过了仙脐湖后，不管是进草谷还是上归界山，他们始终走的是上行路，海拔高度上升，而且鲁一弃不断出现幻觉，有黑云攻击，有刀气扑面，有路却不能拔步向前。

“咦！这‘阴世更道’怎么会有岔道？”胖妮儿一声轻呼让鲁一弃勉力清醒过来。

“是吗？难道此处‘阴世更道’只有半幅，未曾全成？”盲爷也感到奇怪。

鬼眼三放下鲁一弃，走到前面仔细查看一番，然后提出自己的看法：“摩崖山后汉孝济王古墓中有九折墓道，那九折墓道最终的设计就是岔道而行，一条至天庭墓室，这叫升天道；一条至凡居墓室，叫做还阳道。这‘阴世更道’会不会也是这种设置？”

“不会！绝对不会！天然‘阴世更道’依更而变，其中只有天色明暗的变化，绝没有路径的交叉错落，更不要说分什么升天、还阳了。另外就算这‘阴世更道’被利用为坎，这也才走一半多，不到破阳尾见五更晓的位置。”胖妮儿坚决地否定了鬼眼三。

鲁一弃挣扎着开口，气息沉重：“《堪舆阴阳形后辨》中有种说法，‘阴世更道’中如有接天触地之绝径，可从中分出主道和分道。主道叫循轮道，分道叫永沦道。循轮道有与阳明相接的出路，永沦道却为绝路死道。我觉得这岔道口或许就是循轮和永沦之分。”

“你说这两条道有一条是死路？”炎化雷说。

“就说该走哪条吧，废话太多没用！”杨小刀显得浮躁起来，也难怪，置身于一个如同地狱般的地界，面对可能死和必然死的抉择，有几人能守得住心性？

沉默无语，杨小刀的问题很实际，而这个问题没人可以回答。

鲁一弃很茫然地往两个路口看看，说：“我想躺会儿。”便直接软软地瘫倒在地，旁边人想扶一把都来不及。

山间有彻骨的阴风旋刮而过，让鲁一弃的头发和衣襟像孤弱的乱草瑟瑟发抖，而他侧卧在冰冷的黑石上，却显得很是惬意放松，就像到了家，投入亲人怀抱一样放松。

胖妮儿和聂小指想去将他扶起来，年切糕则脱下外氅，想替他盖上。

养鬼婢绸缎一挥，拦住那几人：“别动他，让他入静。”声音轻轻地，是怕打扰到鲁一弃。

于是没人动了，也没人说话。人们的思绪在飞转，而转得最快的竟然是沉睡的鲁一弃。

此时，在归界山的另一侧，五只花喙鹰像五个鬼影般向上爬升，当飞过归界山最高峰后，又一同直落下来，一下隐没在山峰顶处的黑色岩石之间。

在鲁一弃他们身后不远，大个子杨青幡带着人正掌灯而行。他们所掌是带罩火盏，风吹不动，摇摆不灭。罩子上三朵焰的朱家标记在灯光映射下很是扎眼，但因为道路曲折，光线被山体遮掩了，鲁一弃他们看不到。

在鲁一弃的前方，刘之守正带着人一路快马加鞭，用最快的速度抄近路赶来。归界山这一处的凶险他早有耳闻，自己以及其他墨家高手平常都是敬而远之、绕路而行。可是现在他必须拼命冒险闯一闯。鲁家门长是启出正西宝物的关键，要不惜一切代价保全他出来。

鲁一弃在沉睡，沉睡时脸颊贴近黑冷的石面，冥冥之中的感觉很是亲切，就像与久别的至亲好友相拥。

一个梦，一个身在地狱中的梦，让他的每根脑神经都绷得紧紧的。

梦是从脸颊触及的黑色石面延伸开的，沿着两条岔道一直向前。于是在其中一条岔道上，他看到一座地府中才有的阴森宫殿。在宫殿里，刀光烁烁、魂魄纷飞、血肉成渣。鬼哭魂号惨不忍闻。而那刀，是在一个高大的黑色恶鬼手中。

世人传说阎罗第八殿下有碎剐小地狱，操刀之鬼叫“利剐生”，是个高大的黑色恶鬼。

梦中的恶鬼长发遮面，隐约露出的一对雪白獠牙。恶鬼似乎也觉察到了鲁一弃的存在，慢慢回头望过来。獠牙颤动，这是在笑，无声地大笑。

“利剐生”无声笑着，慢慢朝鲁一弃迈动步子，慢慢举起持刀的手臂。鲁一弃想逃跑，但这一刻他发现自己根本动不了。“利剐生”越走越近，已经和鲁一弃脸对脸了。鲁一弃眼睁睁看着刀光朝自己头顶落下，只能惊恐地大叫……

“啊！”鲁一弃一下醒来。

“怎么了？”养鬼婢轻轻扶住鲁一弃肩膀，柔声问道。

“快往那边走！”鲁一弃语气夸张，所指的是梦中没有“利剐生”的岔路。

养鬼婢、鬼眼三他们从没有见过鲁一弃如此的恐慌，哪怕是面对死亡。所以大家也都被鲁一弃的情绪感染，没人说话，只是迅速架起鲁一弃朝他所指的道路走去。

“有刀气！”“好利气！”笑佛儿利老头和杨小刀几乎是同时喊出声来。与他们喊声一同响起的还有刀鸣之音。

利老头裹刀的血帕子一下绽散开来，鬼头刀亮刃，发出阵阵颤鸣，“嗡嗡”作响。杨小刀手中所持的剔毫小刀，像有尖利的东西从刀锷直划到刀尖，发出短暂一声尖利脆响，如同哨鸣。

“刀气诱冲！”利老头沉声说道。

杨小刀也一收玩世不恭的外态，持刀凝神，眉目间精光四射。

“快走，我们能挡住！”利老头冲鲁一弃他们喊道，话中的气息虚泛得很，他心中一点把握都没有。

早在距离归界山很远的地方，利老头就已经感觉出这种犀利刀气的存在，那是一把什么都杀的屠刀。进入“阴世更道”后，这刀气反倒隐蜇不见，而现在突然暴涨显现，并且已经离很近很近，就连刀器自身都已经刃气相互诱冲了，根本没有机会避让。可他的祖辈曾告诫过他，不要与挟带如此刀气的对手相碰，没有胜算。

利老头把希望寄托在杨小刀的身上了。自己的刀是斩杀之刀，在《逍遥奇兵谱》上归于刚猛迅杀一类的利器。而杨小刀的刀是巧破之刀，归于灵巧诡杀一类的利器。自己和杨小刀联手，刚猛灵巧相补，也许可以与那把可怕的刀抗衡一下。

杨小刀没有利老头知道得多，但他对刀的感觉却是非常准确的。岔道上突然显现的刀气，其挟带的戾煞锋锐程度是他这辈子从未遇见过的。于是，他将身体调整到最佳状态，每根神经都如同拉满的弓弦。

“不错，难得中原江湖还有这样的刀手。”从那条不能走的道路深处远远传来说话声。这声音是一种刚劲的瓮响，如同在铜磬内壁敲撞。一字一顿，没有一点起伏平仄，初听上去都不像是人在说话。

声音的高低和声音的方位始终不曾有丝毫变化。也就是说，说话的人根本没有动。可事实并非如此，说话的人不但动了，而且极其快速。从大家见到身影，到这身影如岳般静立在利老头和杨小刀十步开外，整个过程也就是眨了下眼。

从身影出现的刹那开始，所有人都感觉有种无形的劲道压摄住身心，就像被锋利的刀刃按住脖子、抵住喉咙。

鲁一弃挣脱鬼眼三和养鬼婢的扶架，往那人出现的方位走出两步。他想看看，那人是不是梦中见到的“利剐生”。

“哦！难得难得！”见鲁一弃朝自己走出两步，那个身影显得兴奋起来，话语声也起伏鼓荡起来。

虽然“阴世更道”山形交夹难见天光。但鲁一弃还是能隐约看清那个身影的容貌。此人也是黝黑皮肤，其色不让“利剐生”。也有一头长发，却不像梦中“利剐生”那样垂挂掩面，而是很顺直地披在脑后和耳际，并且有金箍裹额。因为没有长发掩面，所以可以看到他阴戾的面容，眼窝深陷，鼻耸如钩，颊如刀削，好一幅毒横面容。

“天葬师？可传说归界山天葬师已经年过九十了，这人可年轻得多。”妮儿在一旁说道。

半肩披衣，脖挂骨符，腰系牛皮围裙，从装束上看，的确是天葬师。但是从容貌来看，此人头发漆黑，肤紧无纹，最多也就是四十开外五十不到的岁数。是胖妮儿从前听错了，还是此天葬师非彼天葬师？

“你未见我形，便知我所在，意感之力是我从未见过的。”天葬师瓮声瓮语地说。

鲁一弃知道这话是对自己说的，但他面对这样的对手却不敢轻易答话，而是聚气凝神，暗自小心地调整自己。

“看来你的确是我要等的人。”天葬师的语调开始变得像人了。

鲁一弃依旧没有说话，一个猎物面对要捕杀他的猎手能说些什么？这种状况下猎物应该逃跑，所以鲁一弃转身走了。

天葬师没有动，直到鲁一弃走出十几步后，他才再次开口：“就这么走了？不说点什么？”这次的语调已经和正常人没什么两样，可是鲁一弃听来却如同金鼓之音在心头撞击。

鲁一弃猛然站住，没有转身，只是微微低着头。这个姿态凝固好久之后，他终于将微微低垂的头颅摆正，然后坚定有力地摇了摇头。

天葬师心中在惊叹，他没想到自己的“碎心之音”对这个年轻人没有效果。从最初自己隐身而伏，希望这些人走上已经落下“侧斩刀面道”“推倒刀山”“金飞叶”等诸多坎扣的路径，可没想到那个年轻人竟然感知到危险的存在，而且强劲的感知力直触他的本性。现身之后，他着意将所挟刀气和死亡之气张扬到极处，结果那年轻人不但顺然承受，而且还以奇异气相反冲而出。最后，他将“碎心之音”的力量全都加诸在那年轻人的身上，希望能半冲半诱，导致其内息岔脉，走火入魔，结果依然是毫无作用。严格意义上说，他已经连输三筹，这可是从未遭遇过的奇耻大辱。

“好！走得好！是个大家主儿。”天葬师此时话语中带有很浓重的感情色彩，这是真正的赞叹。

“呵呵，能在绝杀江湖八大家的魔刀面前走脱，岂止是好。”笑面佛利老头见鲁一弃走了，反倒镇定下来。

天葬师转脸过来。除了利老头和杨小刀，年切糕也没有走，他和杨小刀是情愿死在一块儿的感情。这三人严阵以待，各摆招式正对天葬师。

“‘阴魔砧刀’，杀人为职，取命为乐，碎肉为食。江湖中谈到你，无不心惊肉颤。”利老头说。

“是吗？可我瞧你们三个不都一样吗。”天葬师边说边从牛皮围裙下缓缓抽出了一把刀，一把方头方尾、黑背白刃的刀。这刀一尺多长，一扎宽[1]。刀型呆板，短木握柄，裹着厚厚的油腻。怎么看都是把切肉剁骨的砧刀。

就在这不起眼的砧刀显形后，利老头已然亮刃的笑脸鬼头刀一下变色了，鬼头笑脸像是在哭。而鲜血染成的红帕子一下抖散开来，无风之中“啪啪”作响。

杨小刀的剔毫小刀立刻觉出一种无形扭力。他猛然暗加一把臂腕之力，稳住刀柄。低头看时，那刀尖竟微微有些弯曲。

年切糕的指间发出一声悠响。声音虽然不高，却像是龙吟蛟吼。那是他龙形指环中暗藏的火蚕丝在剧烈震颤。

1　拇指和中指张开后，两指尖之间的距离。

三刀对

“好多年了，没想到今日还能得此一战。”天葬师瓮声说道。

“其实这大战真没必要，你是前辈中的前辈，高人中的高人，我们这些江湖边上骗口食的，你抬抬手放过算了。”杨小刀这话虽说得怯懦，真实意图却绝不是讨饶。

“不用故意示弱，如果说遇到那个年轻人是意外，那么遇到你们三个就更是想不到了。我不会看错，这鬼脸刀叫‘断首百岁刀’，也叫‘百碎刀’。每断九十九个首级之后，必须回炉重铸，否则在断第一百个首级时，此刀会瞬间爆裂，飞溅为无数刃片，二十步之内无人能够幸免。”

“这么厉害！那我这屠狗宰羊的小刀可比不了。”杨小刀言语间依旧自贱，手中刀势却是缓缓变作了平插式。这是屠宰疯狂奔牛的刀式，也是一刺不回的刀式。他估计自己在这种战局中只有一招的机会，一招防守是死，不如一招拼杀。

“你的刀子虽小，刀形却宽窄厚薄不一。每个部位各有巧妙用法，杀法诡异多变。这是关中杨姓人家独传的庖丁刀。庖丁刀极致刀法为剔毫刀法，可分肉削骨不断血脉。如果你已练成剔毫刀法，那么以你的诡异狡快配合百碎刀的刚猛，倒也可与我砧刀一战。”天葬师对利老头和杨小刀的刀非常了解。而他们对天葬师的“阴魔砧刀”却是所知甚少，因为见过阴魔砧刀出招的人都不再有命说话。

能与之一战，另一个意思就是肯定战不赢。利老头和杨小刀都明白。

天葬师始终未动，看不见他的目光，也看不出他的脸色，不知道他在想些什么。

周围很静，就连偶尔的山风也都没再吹起。而死亡的气息却是越聚越浓，凝神不动的几个人都听到了自己的心跳声和血流声。

年切糕虽然站在杨小刀身后，但他感觉到的压力却并不比前面两个人弱。前面两人并肩而站，擎刀以对，刀气凌厉纵横，可以消去大量死亡气势的压力。而他单身而立，火蚕丝又未出，无刃气依仗，于是他悄然将龙形指环中的火蚕丝抽了出来。虽然动作很慢很轻，但火蚕丝还是发出一声清亮音，这是因为火蚕丝抽出时发生了摩擦，和什么摩擦？气息！此时死亡之气、刀刃气、人体的运转之气已经聚凝得如固体般厚重。

火蚕丝一出，年切糕顿时感觉胸前巨石般的压力像被划开一条口子，并且这口子在缓缓绽裂延伸。

天葬师脚下没动，持刀的手臂却是平伸出去，把刀横在胸前。

这是欲攻？欲退？欲诱？欲近？欲迷？不知道，谁都不知道，所以利老头和杨小刀也纹丝不动。

周围静得掉根针都能听得清清楚楚。只有思想和意念在汹涌奔腾，于无声无形间试探着、碰撞着。

过了许久，终于又有人说话了。

“你们走吧。”说话的是天葬师。他将横在身前的刀慢慢收了回去，刀收到三分之二的距离后，斜下侧切，摆在小腹前五寸。这是完全的防守刀式。

利老头他们还是没动，虽然他们看出天葬师刀式由攻改守，但这是传说中的“阴魔砧刀”，不管是犀利凶悍还是诡诈莫测都无出其右。

“虽然今天这样的杀场对我来说很难得，这辈子可能只有这一次，但我没把握完胜。百碎刀最为犀利的是劈挂之式，我砧刀的剜字诀可破。庖丁刀最绝的招数是剔筋断脉，而我砧刀的片字诀也可破。但是两刀齐攻，我只有翻字诀可压制应对。但你们现在不止两刀，还多出了一根龙形环火蚕丝。这玩意儿当年河北天台的‘一丝悬峰’林寒风也有一个，我以一招剁字诀便将他破了。不过从其用法来看，它的缠、绕、裹、勒却正是我翻字诀的克星。所以你们三个齐上，招数上于我不利。我近百岁的人了，声名破了没机会找回。还是算了，你们走吧。”天葬师轻叹下。

“还有一点，你不知道我的刀是否到了百碎之时。如果已经到了，我反取他们两个首级。血溅刀碎之时，战圈中的你也在劫难逃。”利老头此时已将性命置之度外，话语间反显得极为冷静。

天葬师没有说话，他的确想到这点。刚才没说，是因为没想到利老头会有这样的狠劲，竟能以刀斩杀自己同伴，然后爆碎刀器，以三人性命换取他一条命。

杨小刀和年切糕也听出利老头所说的“他们”是指自己，不免为利老头的凶狠之意而心中凌寒。

“你们不是最终的目标，也不值得一搏。”天葬师语气有些轻蔑。

杨小刀此时才理解鲁一弃为什么会断然弃他们而去。让对手失去最终目标，那么阻碍接近最终目标的人也就失去了灭绝扫清的必要。所以鲁一弃离去，他们三个的危险才会降低。

“那也不一定。”说这话时，天葬师的面皮动了动，不知道是不是在笑。

这句话让利老头他们三个脑中一个激灵，是呀，我们三个虽然阻住这个阴魔杀才，但保护鲁一弃的力量也就少了一半。让自己三个没奈何地留在这里，说不定正是对家的布置。

“你们要不愿走，那么我就走了。”天葬师手中的刀突然间耀起一道绚丽光华。是刀气，更是内气、丹气，只有达到以气御刀的境界，才能化气成炫。

“阴魔砧刀”举起，其气如虹，其势如岳。已经走远的鲁一弃都感觉到了刀势的灿然而起，同时还感觉到一股杀意覆盖下来。是岔道口处的对决开始了吗？

“阴魔砧刀”才举过头顶就又落下，划过一道亮丽光芒，让利老头等人不能直视。

随着刀光闪过，天葬师退了，身形像来时那样，飘移而去。利老头松了口气，这一刀不是欲杀，而是借势遁去，是防止他们趁势而攻。

随着刀光闪过，鲁一弃感觉到杀意从天而降，铺天盖地而来。这划空的一刀竟然是针对自己的，这魔刀能杀戮到如此之远？

随着刀光闪过，归界山几座峰头中，有一座悠然而下，往他们几个人头顶直落下来。那黑乎乎山峰在下落中不断膨胀扩大，变成了一片乌黑的云、一片子夜的天，让人无处躲逃。

“倪三！快瞄瞄！上面有飞扇子[1]！”盲爷听到了异常声响。

鬼眼三展夜眼往高处看去：“大扇子（大的飞禽），乌盖儿（黑色一片），多得没数。”

“是通意神鹫！它们能按主人之意而战！”养鬼婢知道这大鸟。

正说话间，神鹫已经落下。神鹫落下时都拢着翅膀，所以速度很快，响动也极小。当距离下面人的头顶不到三丈高时，它们便一齐张开翅膀扑扇起来。无数的秃鹫一起扇动翅膀，顿时从上方扑下一道劲风，吹推得下面的人几乎立脚不稳。但这仅仅是开始，秃鹫群没有马上落下攻击，而是保持这样的高度不停地扑扇翅膀。下刮的劲风变得越来越强劲，下面的人开始意识到情况的危急。他们如同是在兜包山形的风口处遇到了飓风，再这样下去，都会被吹到一旁的崖壁之下。

“都爬低，它们再降一降就没有风劲儿了。”鲁一弃知道，这么庞大的秃鹫群一起扑扇翅膀，下方所需的浮托气流是极大的。如果它们继续下降高度，下方空间变小，所需的流动气流就会提供不上，那样秃鹫群就会收翅落下。

果然，秃鹫群又降下才一点，扇动的风劲就弱了。不，应该说是没了。所有的秃鹫几乎一同收拢扑扇的翅膀，伸铁爪，探钢喙，直往下面人头顶扑下。

胖妮儿反击了，她手中机栝一按，立刻就将两只秃鹫串在突然伸长的刺杆上。再一挺刺，又两只秃鹫穿上。但她马上发觉不对，因为前面这些秃鹫简直就是以身赴死，径直往她刺上扑。妮儿根本没有闲暇将刺穿在刺杆上的死鹫甩下来，等刺杆穿满秃鹫尸身后，利刺非但失去了杀伤性，甚至连格挡都困难，因为穿满秃鹫尸身的刺杆舞动起来非常不便。

聂小指伸两指捏断一只扑下秃鹫的脖颈，破贝捏指果然是快、准、狠兼备。但当他捏碎第二只秃鹫头颅时，这只秃鹫临死时侧向扇扑，鸟身横转，利爪立时将聂小指前胸衣襟尽数扯开，留下四道深深血痕。

卞莫及长鞭大开大合，连续两声脆响之后，片片黑羽飘洒而下。但

1　江湖黑话，飞禽的意思。

他的第三鞭却没能抽响，因为有两只神鹫竟然叼住了他的鞭子，让他的鞭头没甩起来。卞莫及稍一打愣，又有几只神鹫叼住鞭子。很快，那鞭子几乎叼满了神鹫，鞭杆已经弯成了一张弓似的。卞莫及当机立断，拧动鞭杆尾端，从鞭杆中抽出一根暗藏的短柄长鞭。这短柄长鞭使用起来比长杆鞭难度要大许多，但也更加刁钻诡滑。但即便这样，卞莫及也不敢再轻易出击，只是用鞭护住自己。

鬼眼三一手持梨形铲，一手抖开雨金刚。雨金刚将自己和鲁一弃的头部护住，梨形铲锋刃直迎空中秃鹫……

通意神鹫可以感知主人的杀法意图，它们能独战，能群战，可慨然赴死，可迂回诡诈，所有一切都凭着主人的心思。也就是说，鲁一弃他们实际是在和秃鹫群的主人搏杀，而那主人却不会被伤害到。都说铁鹰云厉害，可那只是坎子，有节点、缺儿可循。而通意神鹫所有杀招却是随兴而发，根本无从找到规律。合则坎，独则扣，就算碎身赴死也能成攻杀之器。其奥妙之处与铁鹰云相比，又高出一筹。

神鹫群来得突然，大家纷纷迎战，根本无暇注意到秃鹫群上方有五只长白花喙鹰划空而过，在黑色山谷中带过长长一声尖利哨音。

鲁家这些人中最厉害的是养鬼婢，她将长绸条横挥如刃，劈斩出一片空间。秃鹫血雨洒落下来，将她一身白衣染红，也让她那双白绸条变成两条血虹。

最不济的是盲爷，周围利爪乱舞、钢喙如雨、羽翎扑扇，他的听觉被混淆了。这也是他当年眼瞎之后退出贼帮的原因，因为凭听觉无法适应混斗群战。这情形下，盲爷突然间变得焦躁起来，面颊肌肉紧抽，眼白乱翻。也不再自保，挺盲杖直往前冲去。

盲爷前方的鲁一弃正在身上来回掏摸，他在找一件可以防身的器物。

盲爷突然撞来，这速度鲁一弃根本躲不开。旁边的聂小指见此情形猛然将鲁一弃往旁边一拉，而自己身形一横一冲，合身与盲爷撞在了一起。

盲爷跌坐在地，白眼怪翻，小脑袋乱晃。看来这一下撞得挺重，让本来就焦躁失神的盲爷彻底晕头转向了。

聂小指没有跌倒，人直直地站立在那里，仿佛瞬间被凝固了。

几只神鹫突扑而下，利爪齐齐将聂小指抓住。接着翅膀翻扑，硬是将聂小指提离了地面。而聂小指只是身体扭动挣扎了几下，没有大幅度的反抗。

鲁一弃赶紧伸手吊住聂小指的腰带和衣襟，但神鹫力量太大，连着鲁一弃都被拖拉起来。

“赶紧放了他！”鬼眼三赶了过来，将鲁一弃拦腰保住。这一下也没有能将聂小指给拉下来，而是将腰带扯落。聂小指腰间的大洋混杂着胸前汩汩流出的鲜血，砸得他们两个满头满脸。

神鹫抓着聂小指飞出好远一段距离，然后爪子齐松，将他扔进深深的山沟石缝之中。

“火瀑！点火瀑！”鲁一弃朝炎化雷声嘶力竭地高喊。

鲁一弃所说的“火瀑”其实就是炎化雷在仙脐湖边阻挡朱瑱命的“平地倒瀑”。虽然他不清楚具体名字，但这两个字与烟花实名已很是接近。

炎化雷何等灵巧之人，听到个“瀑”字就立刻想到“平地倒瀑”，因为自己的烟花品种鲁一弃见过的也就两三个。

燃放“平地倒瀑”需要将烟花管子挨个排摆放置，但鲁一弃声嘶力竭的喊声让心理素质极好的炎化雷也紧张慌乱了，所以他直接将整捆烟花管子的捻信儿点着了。

“平地倒瀑”的火焰轰然冲起，就像竖起一根两丈多高的粗大火柱，顶端火星四溅似涌泉翻滚。但这样的火柱对神鹫根本不起作用，它们继续翻飞扑冲，在火柱中穿来穿去。

火焰冲起之时，鲁一弃正好也掏出了一样东西：“接住，将它放在火柱中。”

炎化雷舒猿臂张五指准确地拿捏住那件东西。他没有想也没有看，把东西直接扔进那捆“倒挂火瀑”的喷焰口。原先的火柱破碎了，变成四散的火星，紧接着，从那东西上呼啦啦扯出几片幽蓝火苗，接着几片火苗拢成一处，往上猛然跳窜。

“倒挂火瀑”的火柱变了。首先是颜色，不管是火星还是火柱外围，都变成幽蓝幽蓝的，而柱心却是蓝白色的，耀眼之极；其次火柱也变得粗大许多，高度是刚才火柱的四五倍，下方根部有水缸粗细，而上端更是铺展开来，如同烧天的巨炬。

随着这蓝色火柱的出现，所有人都禁不住掩目避让，无法直视其光，无法承受其灼。

而更无法承受的是神鹫，瞬息之间，地面的、空中的神鹫全都惊飞四散，就像被利刃捣碎的薄冰一下碎散开来。靠近火柱的神鹫翅羽立时成飞灰，光秃焦臭的身躯纷纷落下，这情形很像扑在火堆上的飞蛾。“阴世更道”上霎时弥漫起浓重焦臭味，一阵阵惨啼比鬼叫都刺耳触心。

这是任火狂送给鲁一弃的“天火陨石”。它不但能自燃、助燃，而且还有一件绝妙特性，就是在得到火引之后，不管原来火引何种状态，它都能以原形为燃，并且数倍烈于原火源。

神鹫的主人不但看到火柱，他还能通过神鹫感受到火柱的炽烈。于是意念随砧刀挥动，让神鹫迅速撤回。

当利老头他们三个赶到时，鲁一弃正站在石道边，望着悬崖下怔怔发呆。没有伤心流泪，只是发呆。胖妮儿也是眼光游离，像是艰难地思索着什么。

鲁一弃突然莫名其妙说一句：“等易穴脉来了再说。”然后扭头就朝前走去。胖妮儿也回过神来，她银牙咬了咬嘴唇，吸耸了一下鼻子，同样决断地跟在鲁一弃身后朝前路而去。

又恶阻

朱瑱命已经绕过了归界山。这一路过来，他改骑马为乘车了。躲在封闭很好的车厢内，可以静心修养一下，也可以仔细分析下形势。虽然自家连连失利，但大局仍在掌控之中。特别是当识宝灵童辨出鲁一弃身上挟带有指明天宝方位的宝物后，他心中的希望再次灼盛起来。另外值得庆幸的是，鲁一弃走上了归界山“阴世更道”。事情发展到这一步，朱瑱命几乎可以确定，自己只需赶到金顶喇嘛寺中静候，有人会把鲁一弃携带的宝物带来。

鲁一弃仍在提心吊胆中奔逃，而且前面的路越走越暗。

“快到头了，越暗就越接近五更明。”胖妮儿有些兴奋，就像飘零海上的人终于见到港湾。

鲁一弃没有作声。

盲爷嘟囔了一声，却没人听出他说的是什么。

五只长白花喙鹰悄无声息地从一边的山谷中掠过，就像五只夜游的魂魄，一直偷偷跟踪着鲁一弃他们，却没人发现到它们的存在。

越是接近五更明，道路就越是险峻，两旁山势有连续的光滑立石出现，石面如同刀劈。鲁一弃他们几乎是从石缝中挤过去的。

这段路是后来居上的利老头在前面领路，百碎刀紧握手中，凌然发着寒气。这刀百无禁忌，遇鬼斩鬼，遇佛斩佛。再通过前面一段立石相夹的道路就要出“阴世更道”了，远远可以看见道口射入的夕阳余晖。没错，“阴世更道”出五更明，正是夕落之时。终于走出来了，大家心中都有抑制不住的兴奋和欢愉。

“那是什么？”利老头突然停住脚步。

让利老头感觉不对劲的物件距离五更明的道口很近。从外形看，像是个人。但姿势很奇怪，上半身向前弯成九十度，而且没有一丝肌肉颤动和呼吸起伏，像是一块黑色的石头。

就在此时，他们身后的有个黑影飘忽而至。

鲁一弃胸口骤然一闷，整个身形像被定住一样。其他人也几乎同时感觉到无形的压力。

“你们再要往前走两步，就都会不得好死。”黑影瓮声而言，是天葬师追到了。

这下完了，前面的情形凶险未卜，后面的绝世高手又追了上来。

“你们不用紧张，我只是来看看热闹。”天葬师站着不动。

“他说的应该是真的。”杨小刀小声地对鲁一弃说。

“为什么？”胖妮儿抢着问。

“没有刀气，他连刀都没带。”

“你们站那里嘀咕半天，肯定已经看出此处是‘无地自容’的坎儿。”天葬师又瓮声而言。

“你个不要脸的老杀才，眼瞧着要输一把，就跑这儿来搅局。”一个枯糙如同夜枭的声音突然响起，是在骂天葬师。

鲁一弃这些人面面相盱，竟然没一个听出刚才的声音是从何而来的。

“不用我搅局，就你放的那些毒棘刺儿真是没技巧可言。”天葬师回道。

“还说不是搅局，你不如直接告诉他们怎么破我坎扣好了。你个老赖皮。”枯糙的声音很气愤。

“‘无地自容’，四川唐门所创。是以踏脚崩弹刺、围身八旋镖和落雨三角锤为扣。此坎一般设于左右无路之处，三扣由下中上三层依次杀，中者无逃。‘无地自容’的意思是说，连设坎者自己都无法在坎中容身。”鲁一弃在脑海中搜索到了有关信息。

“嘎嘎嘎，难怪能从你这老杀才手中逃脱，果然有些见识。”笑声很是刺耳，让人听得抓心挠肺的。

“是那石头在说话，它动了！它动了！”鬼眼三确实看到九十度人形石头的头部稍稍扭动了一下。

鲁一弃也觉出那东西不对劲了，它原本挟带的死物、古物气相竟然渐渐活泛起来。

“不过再大见识也看不到你的底儿。虽说你也出身唐门，可未走正道，偷艺偷物还偷人。他个嫩鸟儿怎么都啄不动你那老脸皮。”天葬师这话一听就是个经常斗口的。

“嘎嘎，没错，怎的？你个老杀才，想乱我心气，没门。我这趟赢定了。就算你把我的坎扣都抖搂清了又怎么样，他能破吗？嘎嘎嘎。”

鲁一弃听天葬师说那人是唐门出身后，这恍然大悟，自己刚才感觉出的死物、古物气相是毒料气相。

“我始终没有感觉到杀气，是因为前辈乃唐门出身。唐门以毒料、暗器见长，以此类武器杀人不能让对手预先知晓，所以敛气藏形掩盖杀意是在情理之中。再者，我也没有感觉到刃气，也就是说此地‘无地自容’中的扣子已经换了。天葬师前辈刚才提到毒棘刺儿，我想那是用来替代踏脚崩弹刺的。至于围身八旋镖和落雨三角锤，我想也可以用这里的石头替代。”

“剁肉的老杀才，这嫩鸟儿是哪儿来的？有点货嘛。”那个弯腰成直角的人形真正动了，她朝鲁一弃这边走过来几步。果然是个人，一个体型很怪异的人。

人已经动了，但鲁一弃还是感觉不到一点杀气，看来这直角人形的敛气藏形之功已经练到极致了。

“别再走了，你前面是‘无地自容’，不要伤到自己。”鲁一弃关心的话语中不带一丝感情色彩，平淡得就像呼吸一样。

“嘎嘎嘎，娃儿提醒我了。坎子已经摆在这里了，我还费什么事，坐等就行。”虽然那直角人形口中说坐等，却没真的坐下来。

“是她！肯定是她！”养鬼婢突然悄声说一句。

“是谁？丫头你认识她？”炎化雷问。

“七十年前，四川唐门出了件大事，导致唐门毁散。”

“你是说‘背飞星’之事。”

“对，世上最为恐怖歹毒的暗器‘背飞星’，本被禁藏在唐门淼毒洞中。谁知唐门的一个女外徒勾引唐门门长，偷出淼毒洞钥匙，打开五套连扣分支锁，将‘背飞星’盗出。唐门倾所有高手追捕，一场大战，高手损失殆尽，而那女徒也在弯腰发射‘背飞星’时被雪芒锥打断一根脊脉。幸亏朱家高手相救，这才保住性命。不过自此残疾，终身不能直腰。”

“她为何要偷盗‘背飞星’？”杨小刀好奇地问道。

“‘阴魔砧刀’杀死了她两个亲兄弟，她要用这来报仇。”

“我知道了，当年‘阴魔砧刀’突然从江湖上消失匿迹，原来是被一个女人逼得没法子了。”胖妮儿希望能用言语挑动天葬师和直角人形斗起来，“可两位怎么没决出生死来，反倒一起退隐到这个僻静地方。莫不是打杀出感情来了？”

“英雄相惜，男女生情，难免。”鬼眼三的话总是很简洁。

鲁一弃这帮人说得热闹，天葬师与那直角人形反倒沉默了，不知道两人在想些什么。

忽然，直角人形那边有一支桐油火把燃起，火苗蓝焰“噼啪”作响，火星四处乱窜。

“光盏子中有异料，大家小心，别中了招。”炎化雷一眼看出那火把有蹊跷。

火把亮起，人们一下将直角人形看清了，也被直角人形吓住了。那的确是个人，这点应该不会错。但看清她相貌的所有人都很难承认她是个人。

最不像人的是她那张脸，连晒干的牛粪都比它光鲜。她头顶光秃无毛，层层下挂的皮肉和沟壑纵横的皱折遮盖了脸上所有器官。只有靠近头顶的一条皱纹中挤出两点精光，让人知道眼睛的存在。

见到这张脸，杨小刀开口了：“倪三，你刚才说什么男女生情，就这面相，可能吗？”

“是呀，‘阴魔砧刀’再怎么着都不会对堆皮肉生情吧。”胖妮儿的话让大家笑了起来。

鲁一弃也几乎笑出来，但一种不安将这份笑意强压住了。不对劲，前后两大绝顶高手，还有邪毒莫测的“无地自容”坎面，这种困境之下大家怎么变得放肆轻狂起来。

鲁一弃立刻再次凝神聚气，忘却一切，让感觉在前面这段短短的路径上游走。可他什么都没感觉到。而当他从凝神状态回复过来时，却发现身边所有人带着刚才还未散去的讪笑，朝前“无地自容”挪步而去。

“嘎嘎嘎，老杀才，没想到吧。我只用了一件辅器，就让他们个个自奔死路而来。”

“你先别高兴，最关键的一个未被迷，说不定眨眼间就会有变数。”天葬师瓮声而言。

“辅器！”这对鲁一弃是个提示，他在脑中迅速搜索。

清代辛梓青所著《异门兵器论点》中记载，唐门武器主要分为三类：杀器、拿器、辅器。杀器是指凶猛霸道或者带有剧毒的暗器，拿器是指用来生擒对手的暗器，辅器是对杀器和拿器起辅助作用的，麻痹、迷惑对手的器械。

无名氏《妙器阁叙》中专门提到唐门辅器。说这辅器也可称为迷器、惑器，是利用形、光、声的巧妙配合来达到迷惑的目的。其实就制作技艺而言，唐门的最高造诣不是在暗器和毒料上，而是在辅器的制作上。

是火把！焰苗恍惚、光烁不定、火星四溅，而且一直持续“噼啪”声响。这是利用声、光、形迷住人心智的辅器，让人不由自主地想去靠近它拥有它。

可鲁一弃怎么没有被迷住呢？明代吴江人蒋中刚所著《窍物制实法编注》中提过：“迷器之惑，在于一引之入，于无意中入惑境。意随引走，便不复入惑。”鲁一弃在火把燃起时，他顺其自然的心神便随迷器的惑意而走，所以意识只在诱惑周围盘旋，却不入迷。

刚才天葬师说，再走两步就死翘翘了，所以这些被迷的人最多只能前挪两步，必须立即制止他们。否则接下来他们就不是失魂落魄了，而是魂飞魄散。

就在这紧要关头，一段文字从鲁一弃的脑海中跳闪出来：“……器迷，刺其体，惊其神，皆无用，势必激其心……”这是《机巧集》“天机篇”中的一段。从字面上理解，被器物迷住，可用刺痛、惊吓等办法唤醒。如果这些都不行的话，就必须“激其心”。可什么是“激其心”？

“激其心？对，这就能激其心！”鲁一弃想都没想，双手捧住养鬼婢的脸蛋儿，狠狠吻住了养鬼婢的嫩唇。

触电般的感觉，鲁一弃差点就完全痴迷于这样的状态不能自拔，但自然的意念在脑中回转了一轮之后，他立刻清楚自己必须将“激其心”做到底，直到养鬼婢醒来。于是他将自己的舌头伸进养鬼婢的口中。

刚将舌头伸入，鲁一弃就感觉养鬼婢的舌头翻转了一下，黏滑滑地就缠住自己的舌头。

鲁一弃睁开微闭的眼睛，他看到了养鬼婢娇羞又兴奋的目光，啊！已经醒了。

鲁一弃赶紧撤回了自己的舌头和嘴：“快想办法，让他们停住！”

养鬼婢这才从娇羞迷离中彻底脱出，转头看了看两边的人，看了看脚下的距离，立刻知道情况的危急。赶紧伸手捏住炎化雷的耳垂揉掐几下，又对耳眼吹了口气。

这招叫鬼惊梦，是养鬼家唤醒迷魂人的独家招法。炎化雷醒来了，鬼眼三醒来了……最后的关头，几个人都被养鬼婢施招唤醒。

论输赢

醒来后的人看了一下周围的情形，都不由得冷汗浸透衣衫。

而直角人形则悠悠然地叹了口气，这口叹息将火把一下吹灭："那鬼惊梦还在其次，而以情激心却是我没想到的。"

"是呀，你我功法都欠缺在这情字上。"天葬师也发出一声感慨。

"没奈何，你当初绝情而杀，让多少人以绝情愫，势要取你性命为快。"

"可你错了，你当年如果不偷'背飞星'，不绝人情心，以你'白玉千织女'的容貌和手段，说不定真就杀了我。"天葬师语气充满怜怨之意。

"嘎嘎嘎，你个老杀才不要说这样的痒痒话。那个时候你已经杀心成刀，刀融杀心，还能被什么容貌情爱所惑？"

"所以你才那么做的？"天葬师语气中有痛苦。

"我有其他办法吗？使用'背飞星'必须绝情断意。要不然会心牵脊脉，穴不能通，'背飞星'之毒倒侵自身。"直角人形满是恨意。

"但你还是未能尽绝，要不然也不至于面成水浮，肤色如碳。"

"那也是一时疏忽，杀了一个日常对我不错的唐门小弟，心中稍有不忍，让一丝'背飞星'余毒顺脊脉入血了。不过这也好，这副面容便无人可启我情性，无性情则至毒！就算你这老杀才，有本领赢了我吗？"勾起旧事，直角人形变得更加阴冷无情。

鲁一弃与养鬼婢一个亲昵的动作，却触动了两大绝世高手的心事。两大高手的絮叨，鲁一弃很安静地在听。他希望能从中找到缺儿，找到脱出的机会。

“不！如果只是论输赢的话，天葬师老前辈可以赢你。”鲁一弃突然插入一句，这话声音不高，却犹如是在天葬师和直角人形耳边打了个炸雷。

“你说什么？你个乳臭未干的伢子，有什么资格评说我们的输赢？信口雌黄，胡说八道。”直角人形怒骂起来，不过却显得少些底气。

“这话不能这么说，不一定的，难说……”天葬师不是谦虚，而是确实没有把握。

鲁一弃这话倒真不是信口胡言，他是有根据、有推理的。天葬师和直角人形的一番对话，让他想到两页黄旧的纸张。这两张泛黄的“顺羽展”棉丝纸，记录的是一些奇异的器械制法和练功法。当时鲁盛孝断定这些为歹毒的杀扣制法和旁门功法后，便将纸毁掉。不过之前鲁一弃已经记住了其中部分内容。

“背飞星”，鲁一弃从没听说过，但他想起那两张纸上有个“脊射三十六罡星”，是以技击功力为底子，以人体脊梁处的三十六脊穴为机栝发射毒料杀人。

另外鲁一弃还想到一个叫“千丝织”的功法，那功法是用特制手套，暗藏毒丝攻杀对手。那毒丝像蛛丝一样轻若无物。捻指即出，毒力惊人，中者顷刻间就毒发而死。施毒者手法娴熟高超的话，可以同时捻发许多根毒丝，就像布开一张网。那直角人形当年被称为“白玉千织女”，鲁一弃心中怀疑与此技法有关。

“‘背飞星’只是毒料，真正的器扣是人，是以人体穴脉射发毒料。”鲁一弃这是在试探。

“更准确地说，‘背飞星’是一种剧毒毒液。”天葬师有意无意地在提醒鲁一弃。

“老杀才，不要你多话，让他自己往下说，我看他口中到底绽个什么花来，能把你个解尸的给说赢了。”

天葬师的话让鲁一弃有了信心，他开始侃侃而谈：“人体脊梁周围有三十六处穴口朝体外的脊穴，俗称穹梁三十六罡星。各穴与主脉相通，受脊背筋肌控制。‘背飞星’便是将毒液灌入这三十六穴。然后利用弯腰时的脊背筋肌力量，将毒液射出，可滴状、可线状、可雾状，中者必死。‘背飞星’是唐门镇门之毒，也是天下第一毒，所以施毒者为了防止毒料反侵，必须以一种‘蹉跎面’的技法封住自己口鼻耳目。‘蹉跎面’也是利用自身筋肌为力，将脸面肌肉皮肤变形收缩，达到护住七窍目的。但前辈当年被伤了脊脉，‘背飞星’的毒液直接侵入身体内部，所以非但腰不能直，肤如墨碳，而且‘蹉跎面’的功法也来不及散去，便充血定了型。”

“你这小子的确知道不少，但太嘴碎了，我是要你说，这老杀才怎么能赢我。”直角人形犹自显强，但语气中越发没有底气了。

“不要急，我要不将缘由说清，你又怎么会服气。首先我要说，不管过去还是现在，你和天葬师前辈两人实斗的话，都是同死而无一生还的局面。”

“那你还说他能赢我？”

“您老还真是着急，我是说他能赢你，并没有说过他不会死呀。”鲁一弃的语气越来越轻松，因为直角人形已经被他的话头在牵着走。

“这是什么意思？”连天葬师也按捺不住了，瓮声问道。

鲁一弃没有马上说话，而是突然在“无地自容”坎面口子上蹲了下来，然后以鲁家“指度”之技进行察看。

“别做什么傀儡戏，说不出那老杀才怎么赢我的话就不用说了，我也懒得听呢。”直角人形虽然这样说，但很明显她是在催促。

“如果我说出来后，你也认为有道理的话，能不能告诉我一件事情的真相。”鲁一弃说。

“算是条件吗？”直角人形问。

“就算是吧。”

“先说说什么事情，我必须先掂到秤锤儿。”

“这‘无地自容’是不是改形藏了暗缺？坎中已有容身之地。”

“你看出来的还是猜的？”

“也看也猜，看是用的心中眼，猜是用的眼中心。”

“那你应该很有把握了，干吗还要问我？”

“彩头之戏，也算是敬老之举。这要说出你怎么输，又平白破了你的坎面，你便没有平衡之处。年老之人虽不怕羞却是怕怒。”鲁一弃的语气骄狂，这和他平常的风格大相径庭。

“嘎嘎嘎，好，够狂，如果是这条件，我现在就告诉你，是改了，其中有地儿插脚。我今天就是要听你说说我怎么输，还想看看你怎么破我这‘无地自容’。”

“和我想的一样，这种坎面摆下，要是没解儿，前辈不是也一样走不过来吗。”

“少说废话吧，你还是先把前话圆了再说。”

“那前辈听好了，你是输在这体形上。‘背飞星’的运用，是以脊穴射毒，攻杀之中需要弯腰、侧身以及背对三种形态才能得手。这三种身形对于不知你持有‘背飞星’的对手会以为是攻杀的破绽，抢抓时机正好入了你杀法之筹。但是知道你有‘背飞星’的高手，见你使出这等身形只要来得及退避，你也没奈何，这就是暗器成为明器后的尴尬。前辈因为当年受伤，身形一直呈攻杀的弯腰状，这样你的姿势决定了你的攻杀途径只剩下一个，少了侧身和背对。那么三十六脊穴的射毒方向，就无法概括到所有方向。”鲁一弃知道说到这点上，以直角人形的修为怎么都该明白了。

“你以为我只有‘背飞星’的杀器吗？”

“肯定不止，但能伤到天葬师前辈的只有‘背飞星’。”

“我不信！你给我说清了！”直角人形的吼叫让人脑门筋儿直跳。

直角人形的反应比鲁一弃预料的要大得多，但事情逼到这份上，就必须说下去。

“以你现在的直角弯腰状态，就算辗转灵活，却有一个方向永不能射到，就是朝下。天葬师老前辈只要突施滚地刀式，或者贴地飞身，直入你胸腹下方位，你如何应招。”

没人说话，人人都在自己脑中构想这样的情形。

鲁一弃继续说：“你当年人称‘白玉千织女’，如果我没猜错的话，应该还会另一种绝学——‘千丝织’。‘千丝织’之毒辣也是江湖中少有人能敌的，但如果你这‘千丝织’的丝根根都如火蚕丝一般坚韧，那天葬师前辈这一杀虽然是贴身近距，成不成功却是还在两可，可你的丝虽然剧毒，其坚连棉丝都不如，又怎么挡得住他那样的刀势、刀劲。”

“照你那么说，我早就该死在他手里了。”直角人形反倒平静了。

“你只是会输给他，但他杀不了你，除非他自己也想死。在这样近距离里出刀，在你中刀后，不管是立死还是重伤。三十六脊脉中蕴力之毒会立时裂穴反冲，溶血崩脉。方圆几丈之中会尽数被‘背飞星’之毒笼罩，所以他也同样没有机会逃出。”

鲁一弃不是练家子，攻杀之法分析得也不一定十分准确，格杀之势也描述得不够精彩。但在场所有人都听地惊心动魄，仿佛一场血溅毒洒的厮杀就展现在眼前。

“我是输了，是输了……”直角人形的语气很是沮丧，但她头颅突然艰难地昂抬了一下，“所以我只要灭了你们，就仍和他持平手。”

“何必呢！”天葬师悠然而叹。

“何必呢。”鲁一弃的话语依旧平静，“你又何必一定要与他争这个输赢。他当年将你引到此处。是为了不让世间俗之人见到你现在的模样，怕你受到更大的伤害。自己又以大半辈子的时光陪你不离此地，缠而不斗，斗而不恼，却又是为何。这世上多少恩爱夫妻，又有几人能做到如此？”

鲁一弃并不知道天葬师的真实意图，只是自己从一个好男人的角度去想象。

“你说得没错，但你那场输赢之争的分析却错了，我赢不了她。”天葬师的话让所有人一阵惊愕。

“当年我受朱家恩惠，替他们血洗江湖八大门派。在对崆垌派一战中，将她的两个在那里做客的兄弟误杀了。她设计取得‘背飞星’找我报仇，当时我对其容貌惊为天人，再者又是我错在先头，所以打开始就没打算与她对决，始终是我逃她追。后来她被唐门高手所伤，因我不便出面，于是求助朱家高手将她救起。等她伤好之后，便将她引到此处，她只是个可怜的女人，所以我决定一直陪着她。你说的杀法我也早就想到，但当我想到此杀法后，为防止与她纠缠中下意识使出此招，我已经刺断腰侧双脉，再不能低身弯腰施展滚地刀法，所以我赢不了她。”

原来如此，难怪天葬师移动身形总是直直地，像鬼影般漂移。大家都没想到这样两个绝世的毒杀凶煞还有这么一番性情故事，不免心中感慨。直角人形也一时默不作声，似乎心中有所触动。

“她是个可怜的女人，你却是个更可怜的男人！”鲁一弃叹息一声，然后转向直角人形，“你与他在此独对了大半辈子，难道就没有一点为情思所动？”

“不要再说了！”直角人形与天葬师齐声阻止了鲁一弃。

直角人形声音低弱怪异，像是突然间犯了病一样。

“你怎么了？”天葬师瓮声的话语中有掩不住的焦急，“是不是刚才暗启了‘背飞星’？”

“是的，你个老杀才、老贼胚，这下你可得意了。就几句话便要杀了我了。”直角人形低声骂着，却听不出真正的恼怒和愤恨。

“这可怎么好！我这么多年与你斗口谩骂，却从不与你说心中之事，就是怕你启‘背飞星’之时动了性情，那样毒不能控，会倒侵自身。今天也是情之所至，一时口快多说了几句，却真的落下了罪过，这怎么好？”天葬师言语慌乱，彻底失去了一个高手该有的镇定。

“对了，杀了他们！‘背飞星’之毒不能重敛，就必须毒渡他身才不会自侵。你用毒杀了他们就会没事的！”天葬师突然间就冷静了下来，声音阴寒冷酷地说道，“我在这边阻住，他们无路可走。你启开坎面过来将他们毒杀了。快呀！”

“你个老杀才，死不要脸的，不要对我太好，你真想让我立刻就死呀。让我先把这口气转过来，把穴口中的毒液稳住，这才能启开坎面过来。”

天葬师再不作声。但无形的死亡气息却瞬间腾跃起来，让人胸气不能透转。

鲁一弃先想挑起两大高手对杀，后来又想以情动人让他们不再杀，却怎么都没想到会变成两个绝世高手对自己这些人的合杀。

利老头、杨小刀和年切糕一起朝天葬师迎过去。他们与天葬师论过刀，知道他没有把握赢过自己三人。但这次不是一般的阻杀，更不是论刀，而是关系到自己守护大半辈子人的生死，所以天葬师虽然空着双手，却不退反进，整个人像利刃般朝他们间插入。

直角人形的气息也回转过来，她缓慢走到一侧石壁边，在壁脚处抠挖了几下。从整个坎面长度上判断，这应该是“无地自容”第三扣的机栝所在。

鲁一弃有些奇怪。按“无地自容”的坎理而言，第三道不管是用三角锤还是石头，都该是从上方进行攻击。而一般扣子为了保证可靠性，机栝的总弦和启杆都不会距离扣子太远，而且尽量不设在最下方。这是防止扣子在攻击过程中会对下方的主弦和启杆造成损坏，导致不能全落到位。

直角人形开始缓慢仔细地往这边迈动步子。步子虽然很小，却是有起有落。每一步落点坚决不拖沓，像是要将什么东西一下踩住似的。

“记清楚她脚步的方位，看看有没有什么规律。”鲁一弃小声对鬼眼三说。事实上他这话没说时，鬼眼三和胖妮儿已经在看在记了。

天葬师和利老头他们始终没有接上手。虽然天葬师论刀的一番话利老头他们记得清清楚楚，可那只是理论，具体怎么攻杀，怎么配合，他们都不知道。而天葬师也没有想要杀他们，他只是要阻住退路，等直角人形来杀了他们。

直角人形很快走就走到了坎面的中间位置，但她却突然停住了。

有马蹄声顺石壁传来，非常的清脆响亮。

难了步

“有马匹从望阳道登上归界山了？那边可不是一般牲口上得来的呀！”天葬师显得很是惊讶。

“蹄踏声是‘赛羚蹄’，这种马掌是墨家独创。能让马匹像羚羊般攀跳于山石之中。”沉默许久的盲爷终于说话了。

“墨门援手到了？不是说他们在天梯山下等的吗？”胖妮儿不会轻

易凭马蹄声响就确定来人身份。

“阴世更道”出口处的落日余光被大团黑影塞住了。随着清脆怪异的马蹄声，有一人高声喊道：“立砚池的在此，前面可有鱼头家的？”

“立砚池”暗指墨家，“鱼头家”则暗指鲁家。刘之守知道自己已经闯入极为险恶的地界，轻易暴露自己是很危险的，所以他用的是暗语。

“鱼头家的一撇子被阻在这里，赶紧过来接应一把。”胖妮儿用暗语回答，她说的“鱼头家的一撇子”就是暗指鲁家门长。

刘之守听到这话后，立刻一马当先朝这里冲过。

“当心，有毒有扣，先停住！”鲁一弃没想到来人行动这么仓促，赶紧出声示警。

就在鲁一弃出声之时，直角人形突然飘飞而退。一下就回到坎外她刚才立身的地方。然后身形转向冲过来的人和马，不动不抖，凝固一般。

最前面的刘之守听到了鲁一弃的话，又见一个怪异的身形突然飘飞过来。当即身形上纵，高高跃起。马前冲的惯性将他直接送到坎面上方。他双腿一张，撑在两边石壁的最窄处，强行在高处稳住自己身形。

刘之守的马在距离直角人形一步远的地方戛然而止，就像瞬间被冰冻凝固了。紧接着，跟在后面的人和马也同样止住，就像中了魔法。只有最后面两个大概也听到鲁一弃的示警，及时勒住马匹。

“黑娃，你们两个赶紧往后退，是‘背飞星’之毒，中者立刻血凝而死，而且毒过百身其性都不减。”墨家与鲁家相比，江湖见识胜出许多。“背飞星”一出，刘之守就看出来了。

“哈哈！这下好了，又有人来送死，你可以毒渡活身了！”天葬师鼓掌而笑，同时身形后撤，退回了原来位置。

利老头他们长长舒出一口气，此刻背上大片冷汗，从脖颈处直流贯到裤腰里。

“喂，鲁家那小子，你的命也真算好的。这种地方还有人来替你们送死。”直角人形边说走到尸体旁边，将她光秃的头顶贴在尸体上。

“这是命门回毒。将施展出去的毒液毒料重新收回来。”胖妮儿悄声告诉鲁一弃。

回毒过后的尸体便不再僵硬，一个个都软塌到地上。

“我跟你拼了！”黑娃和另一个没中毒的墨家弟子，发一声喊就要往上冲。

“别动。”鲁一弃不忍再有人伤亡，不由地喊了一句。声音虽然不高，那两人却立时停住了。

直角人形转过身来，将鲁一弃踅摸了好久，然后轻声叹道：“我找不到你身上一处缺儿。你的气相就像块圆滑的石头，婉转自然，但需要时又能给予对手致命重击。另外你的灵性非凡，能够以点知面，以面了心。几句话，你就能将我们的事情和心思抖清了。要不是你，我这辈子恐怕都听不到老杀才那几句人话。念你这点好处，我本该放你们过去，但朱家托我之事又不能不办。这样吧，你不是有信心解我这‘无地自容’吗？刚才我自己已经解了一扣，走了半扣。现在我留下一扣半给你，生死全凭你自己手段和命数。”

“是呀，都这把岁数了，何必还在意什么输赢呀。我也回去了，等哪天闲了，再来听你说那些没羞没臊的骚弄事儿。”天葬师话未说完，人就已经飘然而去。

“你个老杀才，要刀子断了自己鸟根儿的恶胚，你还是快回去把自己剁碎了喂你那群亲爷爷吧……”直角人形恶毒地骂着，身形恍惚了下便不见了踪影，不知是怎么走的，也不知是往哪里去了。

骂声听不见了，周围显得异常地静谧。只有黑娃和另一个墨门弟子骑着的马匹偶然踢踏一下蹄子发出声清脆的声音。

“哪位是鲁家门长？”刘之守双脚叉站在高处石壁上，坎扣未解之前他都下不来。

“千锤百打结如金，珠润转磨如脂凝。”鲁一弃朗声说出莫天规教给他的联络切口。

“点滴玉帛胜虹色，书批圈点千古文。”刘之守承接正确，这整首诗描绘的就是“墨”。

“在下鲁一弃，受墨门前辈莫天规所托，前往正西之地启宝镇穴。”

“墨门刘之守，接到师傅的羽叶子[1]已翘首静候多日。这两天见江湖异动，仙脐湖一带血腥冲天。估摸与鲁门长有关，于是带人前来接迎。”

“那么多谢刘兄。眼下刘兄还得在上面多撑一会儿，等解了余下一扣半才能下来。”

“你尽管放心动手，不必在意我。如果用得着我，知会一声。”

余下虽然只有一扣半，要解开却并非易事。现在的“无地自容”已经不是全无路的绝杀布置，这其实在破解上更增加了难度。绝杀坎的布置只要用杀扣将每一处每一点填实，做到滴水不漏就可绝杀。绝杀坎改为半杀坎，也就是说其中有缺儿了，有活路了。那么坎扣的设置反会巧妙许多倍，动作变化也会变得层出不穷、匪夷所思，这点是绝杀坎根本无法相比的。

“记得刚才那老太太怎么走的吗？”鲁一弃问鬼眼三，黑暗中，直角人形的步法只有他看得最清楚。

“看清楚了，没有规律。”鬼眼三没能将全部步数记清。

“不对，步子是有规律的，只是那老婆子连一个循环都没有走下来。”胖妮儿也看清了，她学识见解远胜于鬼眼三。

“她已经走了一半了，却连一个循环都没下来，不会这整个坎道就是一轮步法吧。”鲁一弃轻声说道，就像在自语。

“没错。”胖妮儿回应着，却不说是怎样的步法，而是用眼睛瞄了瞄养鬼婢。她这是在和养鬼婢暗中较劲儿。

“从那边到这里，大概要走四十多步的样子。如此多路数的局相并不多，‘天干地支’算一个，‘四时七十二气候’也是，但这两种是散落局和环活局，不适于此处。‘独数九宫’和‘四方星宿位’也是，但四方星宿位一方有二十八宿，步数太多。”

“不多，她到中间走了五十六步。”鬼眼三虽然不知道步法，但步数还是记得的。

1　鸟带的信，一般指鸽信。

“是吗？要是这样的话，最有可能的布置就是按‘天地双罡’位数走的。”鲁一弃仍然否定“四方星宿位”。

“为什么不会是‘四方星宿位’？‘四方星宿位’的排法又不止一种。”鲁一弃不问胖妮儿，胖妮儿自己着急抢说。

鲁一弃笑了：“多亏你提醒。‘四方星宿位’是有三种排法。常见的有两种，一种是即天法，是天上实际星位的排列法；一种是封神法，是星宿封神列位时的排法；此外还有一种拱寿法，是群星宿拜王母万寿时的排列法。如果此处是‘四方星宿位’，那肯定是第三种。因为拜的是西天王母，此处为极西之地，设坎的又是个老太太。”

“你真聪明！”胖妮儿就像在赞自己的夫君。

“我得求你件事。”鲁一弃对妮儿低声下气说道。

“你还有事求我？什么事？你说嘛。”这让妮儿很是意外，反有些不好意思了。

“我不知道第三种四方星宿位是如何排法。”

鲁一弃所言不虚，这的确是一种极为偏门的排列法，但所谓会者不难，难者不会，等胖妮儿将四方星宿位的排法原理大致一说，懂坎子的就都领悟了。

“要不我先走，你们跟着。”胖妮儿主动要求在前面领步子。

“等等。”鲁一弃阻止了妮儿。

“怎么了？”

“我觉得不会这么简单。”

“没错，绝对是这种步法，除非故意设了叉错位。”胖妮儿肯定道。

“设叉错位倒不会，不过，有没有可能会是颠倒位？”

“我觉得你想得有些复杂化了。如果这种排列法连你都不懂，那老婆婆有什么必要再在上面弄什么玄虚。”胖妮儿和鲁一弃据理力争。

“这倒也是，可我还是觉得不对劲，而且那老婆婆刚才走步的姿势也显得蹊跷。”鲁一弃终究是不肯放弃自己的疑虑。

“鲁家娃儿说得没错。唐门出身的人心地阴毒，还是小心为妙。”炎化雷越来越欣赏鲁一弃了。

站在高处的刘之守插口问道：“那老婆子是每步都走得蹊跷，还是偶然几步蹊跷？要是都蹊跷，可以从坎面儿起步处辨相儿。”

“每步都一样。”鬼眼三回答道。

“那么可用托臂层削的法子辨相儿。”

刘之守的话让下面的人有些懵，他们谁都没听说过“托臂层削”。刘之守马上也意识到了，自己的墨家术语鲁家人不一定听得懂，于是接着解释：“就是人立坎外，找准最初两步位。剖土沙，查落步位有无异常。查时以平硬板材托放于臂下，防止触扣动作出现弦弹绷和刺上飞。再以石头护腿脚，防坎扣外延。”

没用鲁一弃吩咐，鬼眼三、杨小刀就把一切准备好了。鬼眼三从小腿处拔出盗墓断弦的小刀片，蹲在石后，伸手往第一步的部位而去。利老头站在鬼眼三身后，鬼头刀横摆，托在鬼眼三单臂之下。

才翻开一片石片，就已经看到暗藏的玄机。

“有根杆！”鬼眼三叫道。

“我来看看。”鲁一弃往前凑。但鬼眼三又仔细察辨了一番，确认没有危险后才让开位置。

鲁一弃掏出萤光石，仔细查看。那是一根有些弯曲的普通荆棘杆，只是在一头上缠着银丝鱼线，鱼线延伸到哪里却不知道。然后鲁一弃又细看了一下周围的道面，却没有发现一根预料中该有的毒棘刺。

“‘无地自容’怎么会没刺？”鲁一弃心中暗暗自问。

“是不是有机栝？”刘之守知道有所发现了。

“是的，可只见机栝，没见扣子。”鲁一弃回答道。

“机栝能藏，扣子就更能藏。机栝动，扣子才显。”刘之守答道。

听了刘之守的话后，鲁一弃脑海中《班经》的路数和《机巧集》的玄理交替而出，就像无数的刀片将他眼前的荆棘杆、鱼线、石片分剖成各种大小形状的部分，再铺展开来……

“我知道了。”鲁一弃边说边缓慢地站起身来，“虽然是有活缺儿，却是缺上带弦。那老太太还是竭力想应合了‘无地自容’这名号，所以每一步都连上弦子了。其实要是只在一、两步上挂弦，反倒更为隐蔽。”

“你嘀咕些什么呢？给我细说说。”胖妮儿没听懂，就急躁躁地追问道。

“这是个移位扣。从弯曲荆棘杆前端或者中段踏下，弯曲荆棘杆就会后推，带动鱼线后拉，机栝就会动作。”

“动作了会怎样？”杨小刀还是没看出端倪。

“此坎本该布满毒刺，实际却没看到一根。但机栝动了的话，就会将毒刺迸射而出或竖立起来，刺杀踏坎之人。老太太在每一步上都设了这样的机栝。”

年切糕将自己脚在那踏位上比划了一下，回头问道：“就这么大一点踩脚的位置，怎么都会踩在荆棘杆上，那不是和没缺儿一样吗。”

“你也傻了吧？要没缺儿，那黑老太又是怎么走过来的？”杨小刀终于也抓住年切糕的差错，很是得意。

“这主要是在落步的方法上，脚步踏在荆棘杆上时，要先将后端定住才会无事。”

“哦，难怪那老太太步子走得怪异，她是在找踏点儿呢。”杨小刀终于明白了。

“那我们脚跟先落点，踏住荆棘杆后端。”胖妮儿说完就要朝前走。

“不要。”鲁一弃又一次制止她，“脚跟落地太重，脚踝后部离地又太近，不稳妥。”

“那你的意思是要背身倒走？对，那老太太是正面而来，我们应该和她保持同样的方向。”妮儿一下就理解了。

“我先，没事你们再过。”鬼眼三淡淡地说。

鬼眼三的变化真的很大，在北平时，他还很在意生死。三更寒虫卵入体，他算是死过一回。阳鱼眼被电击，又死一回。不过后来易穴脉给他看过，三更寒虫一直未发作，可能就是被电死了。东北一趟走下来，他死得更彻底，就连模样都和鬼一样了。但这副面容也让他变得不在乎自己的生命，什么危险都冲在最前面。

鬼眼三的要求鲁一弃没有拒绝。因为这才是半扣，他需要一个能在黑暗中视物的人先走到中间，查看剩下一扣的状况。直角人形就是走了一半的位置突然止步的，鲁一弃再三比对过，止步是在刘之守他们马蹄响起之前。所以最大可能是她正要解开第二道扣子的机栝。

辨断弦

鬼眼三盗墓这一行本身就要与各种机关暗器打交道，而且他还学过鲁家铺石一技，所以趟这样的道形坎子并不算难活儿。何况还有胖妮儿在一旁帮着指点步法位置。

“每一步都确定没有其他弦簧后再落脚。”鲁一弃还是很担心。

五十六步走完了，毫无动静。而另一边是直角人形走过的，所以鬼眼三很放松地迈出第五十七步。

“停住！先看一下周围有没有什么暗弦子。”幸亏鲁一弃及时制止，所以凝住身形的鬼眼三只是脚尖点地，而不是整个脚掌踏落地上。

“怎么？踩屎上了？”杨小刀高声问道。

“踩你毛上了。”鬼眼三回骂了杨小刀一句。

“有几根？”鲁一弃竟然问鬼眼三有几根，莫不是真踩在毛上了？

“看似一根，实则三弦合缠。”鬼眼三答道。

“两假一真，只有将真的断了，总机栝的簧劲才会松。假弦不能断，肯定连着启括子，一断整个面就会动作。”胖妮儿对坎子的分析不用多加思考。

“那能不能将三根弦儿一起断了？”杨小刀又问。

“假弦比真弦多一根，就是让你没法一起断。两个假弦挂的是颠倒括，一起断就会打破相互间的平衡，一样可以让杀扣动作。”

“踏实了没有？”鲁一弃更关心的是鬼眼三，还有就是该用什么方法破了那扣子。

“没踏实，挂在脚心。”鬼眼三回道。

鲁一弃不由眉毛紧皱，机栝的弦儿在这种状态最难辨出哪根是真弦子。因为半受力状态下的弦子始终会有很轻微的颤动。如果在人的挂带下，颤动还会受呼吸、心跳的影响。

“这扣儿可不好解，要不还是先将鬼眼三给替出来吧。”相比之下，将鬼眼三弄出来还算容易。只需用重量相当的物件替代他脚下力道将弦子挂住。

“倪三叔，你掂一掂，脚下大概多大的劲量。”胖妮儿清楚该怎么去做了。

“不行，太轻，觉不出。”

听到鬼眼三的话，胖妮儿无奈地扔下手中掂量着的几个石块。

“那咋办？一只眼的，你就死相那儿了？”杨小刀有些着急。

“杨叔，你不要乱吵吵。眼下也不是没法子，而是有两件难事。”妮儿向杨小刀解释。

“什么难事，说出来大家想招儿办呗。”杨小刀还是急乎乎的。

“首先是从三根纠缠在一起的弦子上辨出哪一根是真弦，然后在不触动其他两根弦子情况下断了真弦。哎，跟你说了也白说。”妮儿也有些不耐烦了。

“这要是……倒拔穴在这里就好了，他惯常把脉，说……说不定能辨出三根弦儿的松紧。”卞莫及受伤失血，再加上连续的奔逃格斗，现在连说话都有气无力。

“不就是三根筋里挑根不一样的出来吗？你让小年去试试呀。”杨小刀说。

大家闻言都有些喜出望外。

“呵呵！他不是整天都捏着一根筋儿吗？我估摸能行。”杨小刀玩世不恭的表情让大家的心又沉了下去。

“行不行都得让我过去看看吧。”平时很少说话的年切糕开口了，“你们帮我瞄好了，差步点儿可要提醒我。要有什么不对劲儿，赶紧把我给掏出来。”年切糕不是坎子家，现在是往一个瞬间就会要了性命的坎面中去，这让他很是紧张，话也不由絮叨起来。

事实上年切糕行事非常谨慎，每一步都走得分毫不差。这和他卖切糕一样，眼睛一瞄，火蚕丝一拉，切出的糕块和要求的分量肯定是分毫不差。

年切糕很快走到了鬼眼三的身后。到位后的年切糕没有马上碰触弦线，而是先用牙齿咬住龙形指环中火蚕丝的拉头，将火蚕丝先后拉出两寸、四寸、六寸。而右手食指拇指分别在这几个长度上捏住火蚕丝，感觉火蚕丝不同长度时的颤劲。他这是在热手，可以最短时间恢复手上感觉。

感觉、状态都到位后，年切糕深吸一口气，小心翼翼地伸出右手食指和拇指。两指对合，轻轻将缠在一起的三根弦捏住。捏住后，他屏住气息，顺应心跳节奏，指肚相对着极缓极轻地揉转，就像在验查细腻滑爽的珍珠粉。

鬼眼三死死地憋住一口气，他这是在尽量控制，生怕自己的呼吸起伏会影响年切糕的判断。

其他人也都紧张得大气不敢出，眼珠不转地盯住年切糕。这一刻时间仿佛停止了。

年切糕终于稳住了手指："我看不清，倪兄弟你瞧瞧，我这摸着的这根是'丁位'还是'勾位'。"[1]

鬼眼三用夜眼仔细看了一下："是勾位。"

勾位一般是在最下面的，但这里的那根弦却稍偏于一侧。这角度相对而言是最隐蔽的，难拿准、难出手。想要断了它还不触动其他弦子，就更是难上加难。

"这弦位儿可不好断啊。"连不是坎子家的年切糕都看出困难所在。

"你松了指合儿，我再瞄瞄。"鬼眼三让年切糕松了手指，他想沿弦子走向看有没有其他的合适位置。

年切糕松开了手指，两抹紫黑在他的食指和拇指指肚上一现即逝，悄然融入肌肤之中。

鬼眼三失望了，那三根弦的纠缠繁杂无序，离了年切糕捏住的位置，就分不出哪根是哪根了。

"找到没有？怎么木头似的？"杨小刀终于忍不住，硬压着嗓子问。

"找是找到了，可是弦位不好断。"年切糕回道。

1　由玉器三角块划分的位置。三角块不管如何放置，最靠上的一个角为柄，最下的为勾，中间的为丁。如果其中有两角为水平，则余下一角为柄，另两个左侧为勾，右侧为丁。

“好断不好断得我看呀！你们两在那磨叽个什么劲儿。”杨小刀一下子把声音放高了。

对呀！剔毫刀法能削剔骨肉不伤经脉血管，那也肯定能断一弦不触其他弦线。

年切糕退了回来，杨小刀走了过去。向鬼眼三问清哪根弦子后，他将怪形的小刀子拔了出来，先比划了一下，以确定用刀子的哪个部位断开主弦。他的刀子形状奇特，有一个倒凸的部位正好适合切割偏于另一侧的勾位弦。

“确定是这根？”杨小刀又问了一句，鬼眼三和已经退回去的年切糕同时点了点头。

杨小刀垂头静默了一会儿，当再次抬起时，人们看到的是一个完全不同的杨小刀。他收敛了一切的浮躁，脸色凝重，目光如电，身形稳凝如岳。呼吸平稳得如若没有，随着心跳的节奏，周身的气相起伏腾跃。

“哼！”杨小刀出刀时吐气发声很沉闷，这是剔毫刀法的一个特点，可以做到气到力到却又不影响刀子的准确性。

按常理而言，断一根弦线根本不用太大力量。但这里不同，需要在断开一根的同时不对另两根产生大的碰触震动，所以不但要用力，而且要用比砍伐大树还要大的力，只是这力量分散为虚劲、悬劲、收劲好几部分。

随着闷哼，杨小刀的刀子一闪即回，好像什么都没有碰到。弦线没有任何反应，依旧直直三根绷在那里。

“哼！”杨小刀刀子再次出手。随即是第三刀、第四刀……

这是慢割之法。他每一刀一触即收，只将弦线割开一点，这样就不会因大力触动其他弦子。连这样一根细弦线都能分数刀乃至数十刀割断。

片刻，那边鬼眼三发出欢声：“断了，真弦断了！”

声音未落，两边石壁颤抖不已，并发出连串怪响，所有人都吓得魂飞魄散。撑立在高处的刘之守差点跌滑下来，另一边的马匹也都惊嘶盘旋，蹄下火星四溅。

坎面中的鬼眼三和杨小刀更是缩腰抱头，作着劲儿在那里等死。

过了一会儿，响声没了，再看鬼眼三脚掌挂带的弦线，都软塌塌地挂落在地上。

“啊！解了！解了！”“哈！扣子解了！没事了！”虽说都是不怕死的硬汉子，但从惊心动魄的险恶坎面中安然脱出一劫，也禁不住兴奋得高叫。

“二道扣子全解了吗？”这次轮到胖妮儿疑惑了，“此处一道扣为踏脚崩弹毒刺，刺贯穿整个坎面，二道扣原本为围身八旋镖，这道扣子在中间位置启动，然后覆盖于下半个坎面。三道扣落雨三角锤是在坎面尾端，为最后一击。可这二道扣的启弦太糙了，只用一个踏位，按理说每个坎点都会启动的。”胖妮儿侃侃而言。

“倪三哥，你踏左脚位看看石壁上有没有蹊跷。”鲁一弃吩咐道。

鬼眼三撤步换位，细细查看了一下左边边石壁，然后让杨小刀退位让步，又细查了右边石壁，很快就回道：“有，壁上密挂黑丝，不过启弦确实是挂在这三根弦上。”

“千万别碰那黑丝。这就对了，我就猜想那老婆婆不会用围身八旋镖，她外号‘白玉千织女’，所以用毒丝替代了镖器。只是这启弦的确是少了点。”鲁一弃也觉得奇怪。

“你们再看一下后面的步位有没有启弦。”刘之守在高处也看出不对劲。

鬼眼三这次没等吩咐，马上跨到刚才已经断弦的步子上，查看下一步的情况。

“这里的荆棘杆尾多了根丝弦。”

“知道了，这是连环启。第一步触到主弦，前后机栝尽动，但如果第一步触不到，后面的每一步都是启动触点。后面动作时，不再带上前面扣杀部分。这样弦簧绷劲就更大，扣子落速也更快。”刘之守到底是做扣高手，只一两句话就能将扣子原理了解清楚。

“那么说确实是解了？”杨小刀有些迫不及待地问刘之守。

“二道扣没事了。设坎的很自信，她从未考虑主弦会断，所以没在主弦之后加补救措施。”刘之守很肯定地回答。

“行，那我们可以过坎了。”杨小刀示意鬼眼三继续走。

“等等，后面丝线绑扎位和前面拉线不同，如何踩位？”鬼眼三拒绝了这样贸然的行动。

“不要考虑丝线，整个二道扣子都已经解了。还和原来一样走。”刘之守回道。

就在此时，盲爷突然眼白子一翻，压低声音说道：“追蹄儿到了！”所有的人立刻没了声息，竖耳细听。果然，有人正悄悄朝这里逼近，而且人数还不少。

“你们快过坎，我去拦一下。”利老头单手握背后刀把，侧身贴石壁，隐在黑暗之中疾步而去。

见利老头单身而去，年切糕马上贴身在另一侧随后而去。

利老头走出三四十步远后突然停住，隐身在一块凸出的石棱背后。他依旧紧握刀把，却没有拔出刀来。

年切糕在利老头背后十步左右停下步子，他贴身在石壁上，悄无声息地从龙形指环中将火蚕丝抽了出来。但他马上觉出不对，自己右手的食指和拇指怎么会发僵发木。

年切糕以为这是刚才捻判真假弦时过于紧张而导致血脉不畅，于是使劲搓转了一下手指。这一下更不得了了，毒随血行，从手指到手腕全变成墨黑，整个手掌连同小臂一下子都僵木。

“啊！中招了！”年切糕叫道。

年切糕中的毒是唐门的“露见阳”，粘肤即入，色为紫黑，入则化为无形。但只要是在这个阶段中破脉排血或者断肢保命，都命不致死。可要是等到它真正发作起来，肌肤重新变作墨黑颜色，那断什么都没用了，因为此时毒引子已经走通全身血脉。

火蚕丝勉强拉开了，但拉开火蚕丝的手在不住颤抖。不仅是因为僵木，还因为恐惧。

因为颤抖，火蚕丝发出轻微吟响，闪烁出小片光华。

杨青幡带领的都是高手，轻易地就发现了前面的异样。于是打头的两人立时分开，贴住石壁不动。后面的人各找掩身物，尽量减小暴露的可能。

对峙一小会儿后，杨青幡决定试局。他抬手示意，于是最前面的两人弓身侧步，单手后拖刀，身掩刀光，蜻蜓点水般疾速而进。

朱家手下的行动让年切糕意识到自己已经暴露，继续暗伏不如大方的蓄势以攻，他侧步站到道路中间，以前后手拉弓式扯开火蚕丝。这样的招式可以左右出击。

亮相的年切糕吸引住攻来的两个高手，这让那两人疏忽了其他的危险。刀风骤然旋起，其中有鬼脸狞笑。刀式简单利落，刀光与血光的起落只在一挥之间。一刀双杀，而且杀的是两个技击高手，这是噩梦中才可以见到的刀法。

笑脸鬼头刀一招得手，利老头立刻撤身而退。利老头这一退，让已经心生寒意的杨青幡起了疑虑。干吗要退走？他所在位置是最狭小处，凭他的刀完全可以一夫当关。放弃这样的有利位置，唯一的解释就是刚才那一刀耍了什么花样儿。

利老头真没有耍什么花样儿，他出的是他最熟悉的刀式“双持斩”。但“双持斩”只是指双手持刀，并非一刀双杀。杀了两个对家手下，利老头其实是出了两刀。第一刀和他平时出红活儿是一样的，一杀之前已经将所有的过程细节都考虑周全。出刀时以红绸帕掩住刀光，刀过后，又以绸帕裹了血光。而第二刀却是顺势而杀，已经来不及将绸帕融入刀式，刀光、血光也都无法掩藏。所以人们看到的其实是第二杀。

杨青幡再次抬手，又两人抽兵刃闪身而出。现在目标明确了，但他们的行动却更加谨慎小心了。

刹石崩

杨青幡没有想到，第二次的试探会纠缠那么长的时间，远远超过自己预想的五招。

利老头也没有想到，年切糕在对手一招攻击之下，竟然退步后撤，将防线闪出了缺口。而且年切糕的动作很是笨拙，前后手拉火蚕丝的姿势始终不变。

第十九招的时候，利老头切刀式要了对手的命。第二十招时，年切糕前后拉式虽然未变，却凭身形的移动变化断了对手手臂。随即利老头补了一刀要了对手性命。

“你怎么了？”利老头知道出问题了。

“中毒了，毒已到肩头，右手臂不能动了。”年切糕右肩往下已经没有一点知觉，整个手臂就像根固定住的木头。

利老头凑近了一看，年切糕的右手已经整个变成墨黑色：“那你快往回退，我一个人挡着。”

“我恐怕是走不了了，还是你先走！我给你挡着！”年切糕不是视死如归的豪士，他这么说是因为自己真的走不了，僵木的感觉已经朝整个身体蔓延开来。

杨青幡这次却没有急着行动，刚才的长时间缠斗让他心中生疑。这两个拦路的高手到底在搞什么玄虚？

就在这时候，坎面那里的卞莫及突然用四川话声嘶力竭地叫起来：“龟团出爪！是龟团出爪！”

“龟团出爪”的典故从《蜀事怪谈》中来，是说一个人想把缩成团的山龟捉回去，可刚碰到龟身，那龟却突然出爪伤人。这种怪异的山龟爪利如刀，且有剧毒，中者立死。后来川人便以“龟团出爪”形容以多道假象来掩盖一件极为歹毒的事实。

卞莫及的嘶喊只是个开始，随后更多更为惊恐的叫声响了起来。随着惊恐的叫声，一种怪异的闷响由坎面那边延伸过来，那闷响就像人体中的骨头在连续被掰断。

闷响像阵风，一下就过去了，但石壁、道面震颤的声响却一直不停。震颤在不断加剧，最终演变成山体跳动、山石崩碎。就像山道下埋压着一个巨人，他在抗争、在挣扎，要将压在身上的一切推翻。

“快去救鲁门长！”年切糕对利老头高喊。

利老头听到“鲁门长”三个字后，立刻转身直扑坎面而去。

“鲁门长”三个字也提醒了杨青幡，他猛力将身前一个手下推撞向年切糕。这是扬青幡亲自杀出前的虚招。

年切糕此时身上的毒已经蔓延到了右腿，很快就会越过半身血脉的分界线入心入脑，到那时铁定就命无回天了。

朱家那个好手莫名其妙被人推出去，不由一阵慌乱，手中持着的单刀胡乱舞动，只想稳住身形，停住脚步。

杂乱刀光直扑而来，年切糕此时已经无法躲避，只能拼力一搏。他左手龙形指环褪出手指，然后拉丝绷劲儿，右手始终持火蚕丝头不动，龙形环带着火蚕丝以右手为中点横飞成圆，这是年切糕的一式救命招叫“脱环甩丝”。

朱家好手的身体分作了两段，污血、污物喷溅得年切糕满头满身，眼不能睁。

也就在此时，杨青幡脚踏石壁借力，纵身而出。乌雀飞云宽刃剑化一道虹光直奔年切糕而去。

年切糕见又有人扑来，杀气更甚，知道是个高手。但他已然无法退避，只是将左手回撤，左右手勉力将火蚕丝横拉在自己面前，同时用牙齿咬住火蚕丝用力后拉绷劲。这头颈猛然间朝后，样子很像下意识避让杨青幡的宽刃剑，其实却是将火蚕丝拉在一个近距离弹杀的状态。

杨青幡身手绝对不是其他好手可比的，他没有直接落下，而是在距离年切糕五步左右的地方突然折身，然后一个极其迅疾地滑步，剑尖由下而上斜刺年切糕胸前……

鲁一弃悠悠醒来时，一道狭窄的光线正照射在他的脸上。这光线暖暖的，是火光？还是阳光？

鲁一弃想用手摸了一下自己脸颊，可手臂未能抬起，反牵动了全身的疼痛，连喘气都觉得困难。

最先能动的是头颈，这让他感到庆幸，头颈能动就是脖子没断，看来阎王爷未曾收得了自己。于是他慢慢转向光线射来的方向，真的是阳光！

在阳光的照射下，他的思想渐渐运转起来，记忆开始逐步恢复。

自己是顺着倒塌的石壁滑跌下去的。胖妮儿扑过来拉住自己手腕，养鬼婢也用绸带缠住自己，可还是混在大片石块中下去了。自己现在是在悬崖下吗？胖妮儿和养鬼婢在哪里？其他人又都在哪里？

鲁一弃重新闭上了眼睛，闭眼后的他在思索也在感觉，于是记忆中显出一个他犯下的极大错误。这个错误有很大一部分归咎于他轻信了一个不该相信的人，一个敌人，腰弯如直角的“白玉千织女”。

这个歹毒的老太婆其实根本没有放弃胜过天葬师的意愿，而她同时觉得要想用改过的“无地自容”困住鲁一弃也没什么把握，所以她连亮两个明招后顺势而置，以一幅宽容大度的表象来掩盖她真实的杀着。这也就是卞莫及所喊的“龟团出爪”。

鲁一弃的所见是这样的，老太婆首先转动机栝，解第三道扣入坎而来，企图达到毒过他身的目的。然后在坎中走了四方星宿步，把毒棘刺的缺儿亮了出来。随后又在中间位止步，将二道缠身毒丝扣的机栝位也亮了。

可是鲁一弃万万没有料算到的是，老婆子最初转动机栝是启不是解。她对自己改设过的“无地自容”极有信心，自从摆下后，从未有人能走过第二扣机栝，所以第三个杀扣从没用过，平时都是松着的。当“背飞星”之毒不能控制，她想好，就是自己出了意外，也绝不能让鲁一弃这些人逃了。于是她先将第三道机栝的启弦机簧挂上，然后才踏坎过来。

毒渡他身之后，老婆子没有了性命之忧。她便顺水推舟放下个龟团，说留下一扣半，让鲁一弃他们来解。而实际已然启开的第三个杀扣却是一个带毒利爪在候着他们。

第三道杀扣不是落雨锤，而是双合崩石压，是从唐门绝招“织断机”变化而来。这扣子是在石壁背面藏下绷紧的钢板条。一旦机栝动作，钢板会将两边石壁崩碎，合力砸压坎面中的人。因为这一扣是利用的两边石壁，扣落之后就不能重置。所以直角人形才会如此珍惜，平时连启弦机簧都不挂上。

不过不幸之中还有万幸，在第三道扣子崩簧的时候，刘之守叉脚撑在上方石壁上。崩弹类的机栝有个特点，就是最初的作用方向会因外力而改变。此处的扣子机栝蓄力到位后，钢板条本该朝里崩弹，击碎石块。可是石壁的上有刘之守撑站着，他的位置又正好是初簧的始崩点。一个练家子两腿间的力量再加上百十多斤的体重，恰好可以让钢板条的蓄力转过顶点，反向崩弹开来。

山崩地裂般的第三道扣子杀伤方向整个反了。石壁是朝外向崩塌的，对坎面中人并没有造成太大伤害。但反向崩塌导致了部分山体、道面一同坍塌，行到坎中的鲁一弃只能随着碎石滚滚而下，听天由命了。

一丝清凉从鲁一弃嘴边灌入。鲁一弃一惊，蓦然睁开眼睛。

“啊！你醒了！”很开心兴奋的声音，是养鬼婢，她正用一块小帕子往鲁一弃嘴里喂水。

紧接着又是两张兴奋的脸探过来，一个是胖妮儿，还有个男人的脸鲁一弃不认识。

“鲁门长，你可终于醒了！”那男人一开口，鲁一弃就听出来了，是刘之守。先前见到时距离太远，又是在暗黑的“阴世更道”中，所以面容并没有瞧清楚。

“现在什么时候了？”

“你昏迷了一夜。不算长，我们滚下来后也昏懵好久才醒的。”

“这是哪里？”鲁一弃又问。

“还未来得及查探清楚。”刘之守回话时很恭敬，就像对待他自己的门长师傅。

“你们是和我一起滚落下来的？”

“我是和你一起滚下来的，这两位妹妹却是为了救你，被你拉下来的。”刘之守依旧恭敬地答道。

“谁让你缺了只手，我一把没能抓住。”胖妮儿假装嗔怪道，“你大伯说好你是要娶我的，我怎么着都不能让你逃了，只好陪着你下来了。”

“我可是被你们两个拖下来的。”养鬼婢声音羞羞的。

也许是养鬼婢他们带的伤药灵验，也许是两个美女让鲁一弃觉得该有些男子气，所以在差不多中午的时候，他忍着浑身的疼痛站了起来。

“我能走，只要你们让我扶着些。”鲁一弃觉得这地方不是很安全，坚持要走。

于是刘之守在前面寻路开道，养鬼婢和胖妮架扶着鲁一弃，几个人顺着石沟往山外走去。

突然，顶上远远传来嘹亮又悲切的歌声：“哥等妹呀妹不来，哥只能独走千里外，流干了泪呀发熬白，相聚只在望乡台！”歌声在山沟中久久回荡，余音不了。

这吼的曲子是信天游，听声音应该是杨小刀。鲁一弃显得从未有过的激动：“他们还在，他们没事！”

“喂！我们在这儿！”胖妮儿双手拢住嘴巴朝上喊。

“我们这地方太过狭窄，石壁又是页岩层，能吸音，他们听不见的。”鲁一弃劝阻妮儿。

“鲁门长，我们还是赶紧往前找路，等上了大道，可以在那里候着他们，也可以留信儿通知他们。”刘之守有些担心，因为刚才的歌声、喊声说不定会将对家引来。

鲁一弃明白刘之守的好意，于是加快速度继续往石沟前面走去。

杨小刀是在卞莫及和鬼眼三的帮助下才绕过那段断道的。当他汗津津地爬上后面一段尚未坍塌的“阴世更道”时，一眼就看到了年切糕。年切糕站在那里，可脑袋却是耷拉着的，像是不愿见人。杨小刀没有碰年切糕，虽然他们之间感情很深，但这点理智还是有的。他只是蹲下来看了一眼年切糕的脸，那脸半边漆黑，另半边和平常的死人一样惨白。利老头被从石壁下救上来后告诉杨小刀，年切糕已经中了毒，而且蔓延得很快。现在看来，他应该是在毒快过心的时候被杀死的。

年切糕面前立着个无头的尸体。

杨青幡的确是高手，一剑就刺穿了年切糕的胸膛。中剑后的年切糕张口惨呼，于是咬紧的牙口松开，绷紧的火蚕丝弹出。火蚕丝很轻巧就切断了杨青幡的脖颈，他的头颅像切糕一样落下。

一把长柄的宽刃剑支撑着两个僵硬的尸体，杨小刀没有将他们分开。他只是将年切糕的“火蚕蜷腹”摘下，在石壁根部掏了个坑埋上。然后挥刀在石壁上刻下年切糕三个字。也许杨小刀觉得，年切糕现在的尸身只是一块腐肉而已，只有这根丝才真正凝聚了他的魂灵精魄。

刻完了字，杨小刀吼了一嗓子信天游，洒了一把泪。然后转身往前路而去。

杨小刀离去不久，五只长白花喙鹰贴着黑色的山体掠飞而过，像五个潜在黑暗中的幽灵。

鲁一弃他们走的这条“阴世更道”只在藏民中有所流传，具体位置是在科慕德尔山附近。藏民们管这条路叫“夜魔之路”“夜之路”。后来因为开山改造进藏道路，以及山体滑坡等地质原因，此路不复存在。

第五章　金顶寺：朱家最后一步棋

刘之守介绍，此地虽然热闹，却不是藏地府制中的镇子。只是因为此地往南是产金之地，往北是产玉之地，往东又有仙脐湖周边的好牧场，所以最早此地为盗匪集聚处所。数百年前一群喇嘛赶跑盗匪，在此处建下金顶喇嘛寺。因为有天梯山的神奇传说，此处便成为一个信徒朝圣的所在。人气聚拢，逐渐演变成一个金、玉和牲口的大集市，但这里却不属官府统管，它真正的主人应该是寺里的活佛。

金顶喇嘛寺其实是叫“达诺寺”，但因为其间有一座高大白塔，塔顶七层幢架全是用十足黄金铸成，所以藏民们都叫它金顶寺。

辨异相

西藏之地佛教盛行，寺庙众多，密宗佛教的流派也各式各样。当年文成公主入藏时，带三千三百各行业中的能人巧匠，其中有能人在寻访了藏地风水后发现，整个藏地为“魔女晒尸”的格局，所以土地贫瘠，气候恶劣，地形凶险。文成公主为改变这样的风水格局，选择在魔女的头眼、心肝、四肢等重要位置修筑寺庙，以此镇压破败局相。如魔女心脏位，修建的是大昭寺；肝腹位修建的布达拉宫等等。

但奇怪的是，这个破局之中，却有一个重中之重的位置没有建寺镇压，那就是下阴位。

与一般魔女破局不同，藏地“魔女晒尸”的下阴位有一座山，此山的位置属阴，性质也属阴。而且就山势论，是阴数倒置，越往上阴气越重，所以他们将此处断为“阴芽萌空”，是魔女用以吸聚天地间阴气的穴口。

但“阴芽萌空”的山脚之处却是另一番景象。草茂物丰，羊肥马壮，南产金，北产玉，是藏地少有的富庶之地。这种与格局极不相符的风水相很难解释，所以那些能人巧匠怕贸然下手反乱了整个局面，便未在此处建造寺庙。

这座山在文献记录中叫“克莫得雅都”，据说这是藏传密宗的波斯原语，意思是“天界魔域相交”。而藏地的人们却管这山叫“天梯山”，是因为此山有一个简易阶梯，高入云中，不知终点。而缘此梯攀登而上的人大多是不见踪影不知去向，也有少数摔落山下。藏民信徒传言，不知去向的是得正道入了天界，摔下的是欺佛不敬的罪人。

本来出了归界山后，鲁一弃和胖妮儿是想等到其他人会齐了再往天梯山而来的。可刘之守坚持他们四个应该先行，因为现在没人知道他们是死是活，可以让对家的人马放松注意。至于鲁家其他那些帮手，有黑娃带路的话，应该可以顺利到达目的地。

刚到天梯山下时，鲁一弃有些怀疑此处是不是自己要找的藏宝所在，因为这地界太过热闹。按理说，不管宝构还是凶穴，都是在僻俗韬光之处，不该是在这样一个人群聚居的地方。

刘之守介绍，此地虽然热闹，却不是藏地府制中的镇子。只是因为此地往南是产金之地，往北是产玉之地，往东又有仙脐湖周边的好牧场，所以最早此地为盗匪集聚处所。数百年前一群喇嘛赶跑盗匪，在此处建下金顶喇嘛寺。因为有天梯山的神奇传说，此处便成为一个信徒朝圣的所在。人气聚拢，逐渐演变成一个金、玉和牲口的大集市，但这里却不属官府统管，它真正的主人应该是寺里的活佛。

金顶喇嘛寺其实是叫“达诺寺”，但因为其间有一座高大白塔，塔顶七层幢架全是用十足黄金铸成，所以藏民们都叫它金顶寺。

建寺之后，天梯入天界的传说被实质化了。信徒们蜂拥而来，奉贡无数。更有许多信徒为攀梯登天，来时就将全部身家都供奉庙里，孑身而去，攀梯后便不再回来。

其实信徒奉供只是一个方面，由喇嘛控制的金、玉和骡马市场，以及镇上其他的店铺、作坊，每季都有大笔税供奉到寺中，所以金顶寺的财力足够把整个寺庙都建成金子的。

晨曦从远处的山头上露出脸来，将一把金灿灿的光芒洒在庄严肃穆的金顶喇嘛寺上。在这把光芒中，有一个点特别的耀眼，那是白塔塔顶全金的七层幢架。

鲁一弃站在半步崖上，这个位置不但可以看到喇嘛寺的全貌，而且还能将周围住家集市看到大半。镇子两头的金玉市和骡马市有一条途经喇嘛寺的弧形大道连接着，这两个大集市从这里也能被尽收眼底。

鲁一弃提出要找个合适位置将此地情形整体查辨一下。刘之守其实对此地地形也不熟，他也只能孤身进到镇里找留在此处的墨家后人询问。墨家人有一部分出去“趟铃子”（打探消息）了，就连墨家后人的头领索库喇也不在。但刘之守还是有收获的，回来就带鲁一弃他们上了天梯山对面南岭的半步崖。

"那条线似乎不大对。"鲁一弃说的是喇嘛庙大门前直对的一条线。

"那是一条小路，其实连真正的路都算不上，就是房屋之间留下的一条狭长夹缝。"刘之守认识那位置。

"大门正对路径是谓路冲，这条小路虽小，仍是会走漏佛气的。中原之地的寺庙门前不但不会正对道路，而且还会砌一道佛号墙。"胖妮儿也看出不对来了。

"我估计是藏地建筑不讲究风水吧。"刘之守说。

"不是，此处不但讲究的，而且非常讲究。"鲁一弃否定了刘之守的说法，"你们仔细看那小道，是前宽大后渐窄，尾尖合闭。而寺门之前有横路呈半环状，一端至金玉市，一端至骡马市。你们再往寺里看，三层叠台，转轮廊端中，白塔居顶后，双殿并列。周围高墙环砌，直连至天梯山山体。"

"没错，这和一般的寺庙格局是大不一样。"刘之守说话的语气像是在替鲁一弃做佐证。

"因为这本来就不是寺庙的风水格局，而是大富之家的风水格局。"

"大富之家？"胖妮儿有些难以想象。

"这种建筑格局叫做'貔貅吞食'，多为徽商宅居所用，此处以寺门为口，小径为舌，半环大道连两市为前双爪，三层叠台分别为唇、鼻、额，白塔为貔貅角，转轮廊端中为鼻后的梁贯山根，双殿并列为眼，高墙连接山体，是以天梯山为貔貅身体。"

"或许是巧合吧？"胖妮儿很有学识，有学识的人很难说服。

"从小径的滑贴，两市的对称，以及寺庙中各建筑的位置来看，不应该是巧合。"鲁一弃坚持自己的观点，"而且寺庙建筑手法是平高台，陡落阶，贯长廊，全围墙，这些都是最适合坎子家预设坎扣的建法。"

"的确不是巧合。"一直没说话的养鬼婢轻声开口，"朱家为了恢复帝家，在各地设下堂口和明、暗点搜罗经营钱物，作为行大事的费用。我曾听说过，每年供奉钱物最多的是一座寺庙，想必就是这里了。"

"这么说喇嘛寺是朱家的暗巢子了？"胖妮儿的追问有些弱智。

"这之前我总以为据巅堂是朱门在此地的力量，喇嘛寺可能是被其所利用。从没敢想金顶活佛也是朱门中人啊！”刘之守心中不由生出些寒意来。因为如果连寺中活佛都是朱家人的话，那就等于说脚下这片地域上，不管是哪一族、那一部，也不管是穷是富，为牧为商，都是受他朱家控制和操纵。

“废话说多了没用，管他朱家、牛家，让一弃哥把宝构的准地儿瞄好了，我们启宝镇穴完事走人！”

胖妮儿的这句话提醒了鲁一弃，自己来的正事还没做，据巅堂轮班巡哨的手下可能一会儿就上来了。

于是他微闭双眼，聚气凝神，身心都趋于自然。然后从凡胎肉体之中幻化出一个无形的自己，投向那座寺庙、那座山。

感觉是迷蒙的，就像山下的袅袅炊烟。鲁一弃在迷蒙的感觉中寻找亮点，也是一个气跃点、宝耀点，就像随着炊烟飘出的火星。

“看见了吗？”养鬼婢突然问道，也不知是在问谁。

“什么？”“看见什么？”胖妮儿和刘之守一齐问道。

鲁一弃没有说话，他仍沉浸在自己的感觉中。

“那火星子。”养鬼婢轻声说道。

“火星子怎么了？”胖妮儿对不明白的事情总会追根问底。

“他们到了。我去看看。”养鬼婢并不说得很明白，“我要回来迟了，你们就到岭后等我。”

养鬼婢说完身形飘飘，往山下疾奔而去。

养鬼婢走了，刘之守他们也开始着急起来，因为鲁一弃始终没有从迷离的状态中恢复过来。

远远地已经能听到山脚下有马挂铜铃的声响，应该是据巅堂巡哨的到了。胖妮儿、刘之守迅速找合适的位置伏下，准备迎敌。

鲁一弃的感觉已经不再迷离，只是无法从另一种境界中脱出。于是他害怕了、畏惧了，不由自主地想挣脱、想逃离。但这所有的努力只能是迸发出一声撕心裂肺的吼叫声，如同受伤了的大兽子。

在金顶喇嘛寺东边偏院的一个房间内，朱瑱命正在盘腿运息、调理内元。

朱瑱命到达金顶喇嘛寺已经好几天了。这些天里，他用秘制藏药和道家行气法将所受内伤好好调治了一下。前两天归界山传来讯息，说“阴世更道”上奇坎动作，山崩道塌。鲁家人正陷其中，鲁一弃踪迹不见。这出乎了他的预料，人和东西都没得到，两条线索都断了，所以他立刻派出识宝灵童和祭魂师，这两人可以生见宝、死见魂，不怕鲁一弃能逃到天上去。同时让各处赶来的朱门高手，也都汇集到归界山一带去进行搜索。

可到现在识宝灵童和祭魂师仍未有消息传回，朱瑱命很不安。

就在此时，有人急匆匆往上方静室而去，这是有紧急消息报给金顶活佛。很快，一个中年喇嘛带着个年轻喇嘛直接来到朱瑱命房门外。中年喇嘛是活佛的亲传弟子之一，而年轻的是寺庙口收供的。收供的喇嘛也收取各种信息，是寺外信徒与活佛联系的一个通道。

活佛的弟子在朱瑱命的房门上敲了两下，然后躬身合掌，用蹩脚的汉话对着门缝说道：“外堂消息，鲁家一男两女已到了此地。”

朱瑱命听到这话时，正好是将一个周天的气息回转过来，这轮运转让他感到四肢百骸中全是轻松：“好，让外堂锁紧几处隘口，流哨儿遍撒，把人给我找出来。”

于是活佛的弟子用藏语对那小喇嘛吩咐几句，收供的小喇嘛立刻转身匆匆而去，就和他来时一样急促。

踪被觉

养鬼婢到南岭岭后时，鲁一弃正抓着凶穴方位的玉牌怔怔发呆。刚才他突然一声嘶叫呈昏厥状，胖妮儿和刘之守只好赶紧背起鲁一弃往岭后走，避开了据巅堂的巡哨。

养鬼婢不是一个人回来的，和她一起的还有炎化雷。炎化雷加在炊烟中的火星是他独门的暗信子“飘飞星”，没曾想直接就把养鬼婢给招来了。

炎化雷到了，可其他人却一个都不见。

“都散了，才走一天就全散了。刚开始分歧就很多，因为不见了鲁门长，他们进退各有想法。最后说先到这里走一趟，能找到鲁门长就好，找不到便各自回头。唉！”炎化雷说到最后又叹口气。

“那为什么又散了？”胖妮儿问道。

“是墨家那两个小伙子，一个在出归界山的当晚就被人杀了，另外一个黑小子守着尸体，结果第二天天亮时也被人杀了。”

“伤口圆洞状，为尖锐物所刺。”一旁发呆的鲁一弃突然插话道。也不知道他是什么时候清醒过来的。

“不是，第一个像是被利剑砍扎开了心肺，另一个却是脖颈处被利刃割破。”炎化雷否定了鲁一弃的判断。

和自己预料的不一样，难道自己最先的判断是错误的？鲁一弃看了胖妮儿一眼，胖妮儿也在低头想着什么。

“后来呢？”养鬼婢轻声问道。

“后来就散了。相互间都怀疑对方为朱家钉子，都不愿意打堆儿走。”

“炎大叔肯定是众矢之的。”鲁一弃说道。

“的确，我是刚刚和你们扎堆儿的，又是由鬼丫头带着现身的，被怀疑也是在情理之中。”炎化雷很通情达理。

“所以你是最早离开他们的，你走的时候他们几个还在一起。”

“不是，我离开时，利老头和杨小刀两个已经走了，另外三人还在一起。”

“炎前辈现身了，怕就怕其他人全现不了身了，那你的说叨就没人给佐证了。”刘之守的话很有道理。其他人都不出现，也就有可能是被炎化雷下手杀了。

“不会的，不会这样的。”养鬼婢听出刘之守对炎化雷的怀疑。

“你怎么知道不会？”胖妮儿反问了养鬼婢一句。

“也好。既然这样，丫头，我们先靠壁子，在一边待着，等其他人到了把事情搞明敞了再说。如果实在明敞不了，我们也犯不着蹚这浑滩子，你跟我回浏阳老家。那小子要在意你自然会跟来，不在意你，跟着他也是枉然。”炎化雷说话虽慢条斯理，表达出的意思却是隐实有序，很有分量。

“也许我说得有些过，可人心隔肚皮，谁能包得齐？”刘之守依旧坚持自己的疑虑。

是呀！人心隔肚皮，那么每个人都可以被怀疑。鲁一弃思绪再次被拉扯开。前几次启宝，突显的暗钉都是出人意料的。炎化雷是朱家暗钉的话，那刘之守也可能是。虽然他带去归界山的人都死了，可与“奔射山形压”相比是微乎其微的。还有，他为什么一定要带自己绕路而行，不让自己和其他人会合了一起走？是否他知道会出事？

看来原先的计划不能实施了。既然摸不清身边人的底儿，那么有些事情必须是亲力亲为。可许多重要的环节自己能完成吗？面对这个疑问，鲁一弃脑海中闪出个“赌”字。

“有人来了。”养鬼婢心性淡薄，所以发现力和警觉性就比其他人要好许多。

人是从后岭一条隐秘小道上来的，马和人都歪歪斜斜的，走得很不稳当。

“是索库喇。”刘之守认出那人是此地墨家后人的头领索库喇。

等索库喇走到近前大家才看清，不管是人是马，都身受多处外伤。伤口都未来得及包扎，鲜血兀自流淌着。

“你通知他我们在这里的？”鲁一弃知道这问题必须问刘之守。

“没有。”刘之守断然回答。

“那你怎么知道我们在这儿的？”鲁一弃这次是问索库喇。

“我得了个信儿往回赶，却发现据巅堂人人马异动。跟踪之后才知道，他们竟然是对墨家门人的居家所在和家属动手。我凑近窥看，结果被发现，好不容易才厮杀出来。”索库喇的汉语很好，甚至还稍带些京味儿。

“是问你怎么知道我们在这儿的。”鲁一弃再次强调问题。

“我不知道你们在这儿，我窥到他们是在按一个掌形标志行动，所以逃出后，见一路标志未曾有人马行动，便想赶上来看看是谁，也好通知及时逃离。没想到就走到这里遇到你们。”索库喇说话时眼光中有种迟疑，不知是害怕说错了，还是刻意保留着些什么。

“你得了什么信儿往回赶的。”这次是胖妮儿问的。

“哦，是个好信儿，说我们门长领着人从正北方向过来，本来这两日就到的。可是木讷亚山积雪融化，寻博尔地大溪暴涨，他们绕道从奇答亚湖走，大概三四日能到。”

“那是好事，师傅到了，好多事情就有人拿主意了。”刘之守听到这消息很开心。

“不等他们了，这里的事不能等。”鲁一弃说。

“需要这么着急吗？”刘之守问。

“此地墨家后人的暗点一天内全被挑了，这情形不急不行呀。”鲁一弃话说得很诚恳。可心中却在想着一件不知是否诚恳的事情。

藏地的天只要黑下来了，那就特别的黑，像天梯山这样一座大山在面前，都模糊得几乎看不见。但金顶寺却仍然格外耀眼，上百处的酥油灯和柴缸燃得很旺很亮，而且彻夜不灭。

虽然鲁一弃说这里的事情要急着办，但他首先做的却是选择一个和早晨截然不同的时间段再次登上半步崖。

“有几处地方没搞清楚，你们帮我辨辨。”鲁一弃言语很客气。

顺着鲁一弃所指，刘之守一一作答：“庙后靠近山脚的那一排是兽苑，养了一些兽子。具体品种却不清楚。”

“有时也住人。”索库喇插嘴道，“寺里修筑，从外地招来的帮工匠人就住那里。”

刘之守又接着说：“西面山脚下那片乱石叫神呼滩，石头是山上塌方滚落下来的。不过那些碎石刮风时会发出怪音。藏民认为那是神的召唤，所以此处也是寺中一个供奉的场所，在旁边建了个小的佛阁。信徒们常会将带来的各种奇异石块供奉到石滩上，这些奇异石块中最多的是白玉原石和金矿石，喇嘛们从此处也有不菲获利。为防外人偷取供奉的矿石，寺庙西面围墙特意绕个弯，将那乱石滩尽数围在了里面。”

“东面是活佛府邸，很隐秘。我去寺中转过多次，竟然没有见到通道。应该是采用的暗门暗道连接。”

说到这里，他们发现山下金顶寺中突然有了变化，那些亮堂的灯火相继熄灭。金顶寺一下没入黑暗中，再也看不清什么了，倒是寺外店铺住家的灯火反显得明亮了。

“看来有人走漏了我们的行踪，寺内开始防范了。”胖妮儿分析道。

“这才刚刚开始。”鲁一弃很淡然。

果然，寺中灯火才灭，寺外的那些灯光也相继熄灭。由此可知，金顶寺在此处的力量已经控制到每个角落，所以墨家后人暗伏此处这么多年，很可能是对家故意敞着网没收。

“这帮杂货够刁滑的，这下我们什么都看不到了。”刘之守恶狠狠地说。

“已经够了，我再定会神。”鲁一弃说完就不再理会其他人，径自在半步崖上盘腿坐下。

这一次鲁一弃入定的心境又与早上不同了，身边的情形变化，对家的情形变化，反倒让他一下放下许多累挂，行事更加从容。他现在要做的就是全身心地去感知，拼却性命去完成要做的事情。

活佛府邸中，朱瑱命再次将自己的安排梳理了一遍。先固守住天梯下的范围，然后驱动人手搅出鲁一弃，拿人也好，拿东西也好，都是上策；再不济的话，也要逼得鲁一弃仓促动手，那样自己可以从一旁伺机夺宝。计划滴水不漏，可心中依旧惴惴，少了霸者该有的自信，也少了道者该有的定性。这都因为鲁一弃是个天才也是个鬼才，所做之事都是正反之极，不是正常人的思维，也不是江湖人的套路。面对这样一个对手朱瑱命真的感到有些心力不足。

正在朱瑱命思绪起伏之时，房门口红袍一闪，进来的是活佛手下大护法。大护法先合掌为礼，然后向朱瑱命回复外面的情况：“按门长吩咐，寺内外所有照明尽数灭了，各处坎扣也都启了。重要关口已安排了高手守护，兽苑中的大娃子（凶猛大兽子的代称）散放出来。兽姬娘娘亲自守着寺后天梯处。而活佛也出了经室，说是今夜要会一个有缘之人。”

金顶活佛，是个绝世奇人；兽姬娘娘，是朱瑱命派驻此地的绝顶高手；面前这大护法和寺中阴阳两位天王，这三个也是各有奇修。但除去这几位，朱瑱命觉得寺中其他所谓高手，应该不足为用。

“能用的人手似乎少了点，这样，你让据巅堂放连珠火号招归界山人马回来。”

连珠火号是一种夜用火信，类似于烽火台。但它不是一线传递，而是辐射状传递。第一个火信发出后，周围见到的暗点、关卡都会继发火信，如此连续而去，可以覆盖所有朱家控制范围。

朱瑱命盘算了一下连珠火号的传播速度，到归界山处大概在两个时辰之内。然后那里人马出山往金顶寺赶，最快在明天天黑之前可以赶到。而从自己得到的信息分析，鲁一弃现在才是查找阶段，就算已经看出宝构所在，也是需要做些准备才能动手。今夜肯定是来不及的，明日白天也不可能，他们以少攻多还要破解坎扣在白天是很不利的，所以鲁一弃最早也要等明天天黑之后才能有行动。到那时，自己的人都拢回来了。

鲁一弃这次凝神入定的时间不长，他是被半空的爆响和刺眼的光华唤醒过来的。

“那是连珠火号，朱家急传远信儿召唤人手用的。”炎化雷见到第一支连珠火号后便已然确定。

“火号延伸最快最密的是东面，别是要把归界山的一对老妖魔给招来吧？”胖妮儿对归界山的天葬师和弯腰老婆子心有余悸。

鲁一弃没有说话，但他心里清楚必须马上动手了，朱瑱命已经将他逼到了绝处。而接下来山下情形的变化，却让鲁一弃拟定的计划能否付诸行动都成了问题。

黑暗的寺庙中突然闯出一大堆的火把，然后散成数条火龙在山下游动起来。而原先同样黑暗的街市居所间，也突然亮起大片火把，直往两面山岭和东西谷道蔓延开来。

“看样子是要搜镇搜山，想将我们逼得无处藏身。”刘之守说道。

“没处存身就不藏了。”鲁一弃的话没人知道是什么意思。

“可就凭我们这几个人，根本无法与他们对仗。”索库喇说。

“不包括我和他。”鲁一弃说的同时用残手臂指了下炎化雷。

刘之守无法适应鲁一弃的说话方式："你是让我们几个与他们强拼一把？"

"我不会那么蠢，你们也不会那样盲从。我只是让你们将那些人引走。"鲁一弃回道，"我们也来学学连珠火号的法子。"

鲁一弃的布置很简单，他让养鬼婢往东赶出三里，在明显位置燃起一堆的篝火。胖妮儿赶到东侧八里处，在养鬼婢篝火燃起半炷香之后也燃一堆篝火。索库喇到东侧十五里处，在胖妮儿篝火燃起半炷香后再燃一堆篝火。而刘之守继续往东，二十五里处同样方法再燃篝火。

"火光燃起后，你们便快速躲藏，最好是远离此地。"鲁一弃话里的意思已经是将这几人撇出了下一步的行动。

"那你留这儿干什么？"胖妮儿心中放不下鲁一弃。

"过后到哪里找你？"养鬼婢也问。

"我不知道，你们不要找，该碰头时自然会碰头。"鲁一弃的回答淡淡的，但谁都听得出其中的果敢之意。这句话让养鬼婢立时明白自己该怎么做，她的决定同样坚定。

没人再说话，他们知道多说也没有意义，一个个都立刻分头行动。

鲁一弃这次的计划其实很简单，就是亲自去赌三把。可越是简单的计划破绽也越多，任何一个环节的差错都会让鲁一弃满盘皆输。

半步崖上只剩下了鲁一弃和炎化雷，他们对坐着，对视着，许久没说一句话。只是静听着风声轻呼和山下人嘶马叫。

养鬼婢的脚程快，没多久，第一堆篝火熊熊燃起。山下河川般流动的火把队伍滞动了一下，然后马上从中分出一条支流直往篝火方向而去。

也就在这堆火燃起之后，鲁一弃开颜而笑。这笑颜很虚很慌，因为此时他要赌计划中的第一把：炎化雷不是对家钉子，而且会帮自己，能帮自己。第一把他押上的是启宝计划和他自己。如果这一把输了，启天宝镇凶穴的大事泡汤，自己也难逃敌手。

"炎大叔。此地就剩你我二人，我也就不掩着、掖着了。今夜我就去启宝，但是需要你帮我做点事情。"

炎化雷对鲁一弃的话没有表现出太大讶异，只是反问了一句："你能行吗？"

“不知道，试试呗。但你要不帮我，就肯定不行。”

“说吧，怎么帮？”

“是这样……”

炎化雷在不住点头，他明白自己该怎么做了。至于鲁一弃怎么做，他无从窥出丁点儿。因为鲁一弃安排他做的事情，看起来和启宝根本没关系。

东边的第二堆篝火也燃烧起来，和鲁一弃的要求完全吻合。

这次山下没再分出人手过去，只是由奔向第一堆火的那些火把中分出一些继续朝第二堆火过去。这在鲁一弃的意料之中，对家都是江湖好手，知道尔虞我诈、调虎离山的伎俩。

胖妮儿点燃第二堆篝火后原本准备越过南岭而走，却突然发现离她不远有个熟悉的身影飘过。这身影她想见又怕见，但既然见到就不能放过，于是她展身形坠在那身影背后。

索库喇点燃第三堆篝火后也没有远避，他是此地墨家后人的头领，那些兄弟和家属都被对家锁了，自己不能就这么走。墨家这些人到底是怎么暴露的，这也需要弄清，所以没等火堆燃到最旺，他就上马从隐秘小径往回奔。

就在鲁一弃和炎化雷站起身要往山下走的当口，鲁一弃突然感觉有异常气相扑面而来：“快躲躲，有硬点子掩身上来了。”

鲁一弃和炎化雷刚隐在紧靠半步崖的一块岩石后，下面的人就到了。

上来的人铁石般宁静，远远就能感受到一股阴寒凌厉之气。炎化雷偷偷从石后侧出一只眼睛，他看到那群黑色人影中有个像刀一样的人。人是刀，刀也是人，锋芒之气锐不可当。莫非这就是江湖中传说的“十六锋刀人”？

“没发现有一路标记是往岭上来的，现在晚了。”有人开口了。

“还不算很晚，估计没走出太远。我们分作三队，一队往左，一队往右，剩下的往后岭。沿途注意痕迹和能藏形的暗点。”是刀一样的人在安排。他说话的语气，感觉像在切割生命。

等那些人都走了，炎化雷才轻轻吁出口气。幸亏是就近躲了，对家人没想到自己会在他们眼皮子下蹲着。要是盲目奔逃，肯定会被他们三路中的一路追上。

“刚才说话的那是十六锋刀人，江湖上头等的硬扎杀手。”炎化雷的判断其实是错的。刚才那刀一样的人是十六锋刀人的首领，是刀头。

“管他什么厉害角色，反正我们不碰上他们就是了。”鲁一弃很平静地说道。

“那我们底下该怎么办？”炎化雷问。

“按原计划而行。”

天快亮的时候，鲁一弃独自一人来到了金顶寺西侧的庙墙之外。此时他的身上多了点东西，那是一对滑油牛皮细绳编制的网兜，用长皮索子挂在他的脖子两边。两只网兜中各装着一只马囊状粗瓷提壶，提壶中有压实的火料。壶口上装有硝石撞头，撞击下可以触发壶中火料爆炸。

都说“行家走天下，眼子盯本档”。虽然炎化雷在这镇子上没待多少时间，但他却是将周围各种自己可利用的点儿记在脑中，像油料店、火器店、铁铺、硝石铺等等。所以当鲁一弃提出要做这样一对有较大爆破力的爆炮时，他想都没想就应承了。

东西有了，现在就等时机了。鲁一弃等待的最佳时机需要炎化雷创造，时机一到，他就可以下第二把赌注了。

炎化雷不是十分明白鲁一弃为什么会提这样的要求，首先要尽量不伤人，其次要在开始时有连续的爆燃，然后是多点的燃烧，从镇子中间朝两面铺开。燃烧蔓延的速度不用太快，让人有时间撤出。但这火势又要尽量稳定，不能被人扑灭。这种要求，本来需要十多个人才能办成，而炎化雷只有一个人，但他却能办得更好。

由硝石、油料铺子开始，搞出大的动静和光亮来。然后以屋顶上毡子为引，将火延向那些硝皮的作坊。硝皮作坊中到处是常年沉积下来的动物油脂，虽然延火速度较慢，但引燃后就不容易被扑灭了。最后让火朝骡马市的草料场、牲口栏蔓延。借助绕山而过的西风，可以将烧着的草料吹铺到整个镇子。

为了保证万无一失，炎化雷选择了多个纵火点。定香引燃硝石火料，烟花引燃油料。

赌为行

当鲁一弃一个人偷偷到达寺庙西墙时，炎化雷已经将一切都安排妥当了。定香也点燃了，信捻子也点燃了，就等东天日头快露脸的那一刻。

从网兜里将两颗爆炮小心地拿出来，让一只手的鲁一弃颇费了些时间。寺庙的墙体很结实，这一点鲁一弃早就预料到了，所以才准备了两只爆炮。一颗爆炮放在墙根处，另一只爆炮鲁一弃托在手里。单等约定时机一到，他会对墙根处砸响一颗爆炮，这个爆炮对墙体产生巨大爆破力的同时，也会引爆另一只爆炮，这样就能确保墙体的破裂。

东面的天色微微有些发青，天梯山山顶稍稍有些泛白，而此时山脚下的镇子和寺庙却依旧沉浸在黑暗中。南岭上鲁一弃布置的几堆火只剩最东边的还在燃着。镇子里不断巡查的火把长龙游动慢了、停滞了。一夜的不停奔波，此时是最困最累的时候。

一声轰然的巨响，紧接着是连续的爆响，让天梯山都在颤抖。人们还在晕蒙中没能做出丝毫反应时，又一声轰然巨响和连续爆响，重复了刚才的情形。响声和巨震后，镇中陡然火光四起，像天上挂下的火流，像地底喷出的火泉。

就在第二轮连续爆响的同时，鲁一弃扔出了提壶爆炮。声音虽然很大，却被镇中的爆响掩盖了。但还是有人听到这里的异常声响，而且不止一个。

炎化雷制作的提壶爆炮威力比预想的要大出许多，结实的寺庙围墙没有破开一个洞，而是整个倒塌了一段。

鲁一弃知道自己的行动应该与火势的蔓延同步。火势蔓延的速度炎化雷已经设计好、控制好。而自己会遇到什么却无从知晓。

鲁一弃深吸了一口气，然后朝炸开的寺墙破口迈出步伐。

随着步伐迈出，他的第二把赌注也押了下去。这一把他押下了自己的性命。

朱瑱命一夜没睡，他的思绪无法放松。他暗暗盘算，寺中各处坎扣全启，就算鲁一弃坎扣之学登峰造极，没四五个时辰也到不了天梯位置。天梯脚下有金顶活佛和豹姬把守，另外还有豹姬驯养的大兽子。寺外搜索的高手中有十六锋刀人的头领刀十六、据巅堂堂主高奔雷，寺中有大护法和阴阳两天王，再加上随自己而行的高手和据巅堂的人马，实力应该远超鲁家人。既然如此，为何不索性做个敞口坎，把鲁家人放进来一网起兜？于是朱瑱命在凌晨时再次发出新的指令，让追查火堆的人马举火把继续往东造成假象，镇中的巡查节奏减缓，将刀十六和高奔雷调回寺中，自己带来的高手隐在寺庙附近随时听候调遣，让据巅堂抽调好手往金顶寺聚拢。

朱瑱命新的部署鲁一弃却没能察觉，他仍在按原计划行动。

坚定地跨入围墙之内的一刻，鲁一弃全身的神经都绷紧了，准备承受粉身碎骨的杀戮。可是没有，就连一点异常的动静都没有。

鲁一弃喘出了口气，然后迈出了第二步。这步走完后鲁一弃没有再往前走，而是慢慢蹲下身来，细细查看了这片石滩。

很容易地就能在石块间发现机栝扣子。和平常的坎理一样，无路便是死路，此处遍布绝杀的坎扣。但他的第一步和第二步都没有导致坎扣动作，这绝不是运气，这也不是因为爆破墙体让机栝失灵，而是应合了他从《机巧集》中获知的天机数，这才是支持鲁一弃第二把赌注的真正原因。

这一把又赌中了。鲁一弃压抑住心中的兴奋，缓缓站起身来。然后继续以自然的动作迈步往前，跟着感觉走。

街上已经满是奔跑的人，有大呼小叫救火的，也有呼儿唤女找寻家人的。但金顶寺寺门依旧紧闭，门口也没有一个人，街上奔跑的人似乎忘记了金顶寺的存在。

一个身影闪到金顶寺的寺门前，左右环顾了一下，见没人注意到自己，便一二轮退步（上两阶退一阶）上到台阶顶，然后挑缝溜边，手法娴熟地将门上机栝解了。寺门被打开一条狭窄的缝隙，那人侧身挤了进去。

这人刚刚进入到寺里，从对面火光闪烁的小巷中立刻闪现出一人。同样的步法快速到了门口。同样的手法将寺门打开，进到了里面。

先入寺的身影非常熟悉寺中路径，几个拐弯之后，直往朱瑱命所在的隐秘院落而去。

后进来的人悄无声息地紧跟前面那人，所不同的是在过院入房过程中，他还不停地到处查看，似乎在寻找些什么。

连串的爆响让朱瑱命面色突变，这肯定是鲁家人行动的讯号，但他们的行动也太早了些吧。但随即他从后面的爆响中听出了蹊跷，这蹊跷当然是鲁一弃炸开西庙墙的声响。鲁家人不但抢先动作了，而且完全改变了原有的风格。

一声亮响过后，一支哨叶镖钉在了房门的门柱上，嗡然颤动。

大护法推门冲出，红袍一挥，舞作一朵力士云护身。阴阳天王和刀十六紧随其后，并快速往两边闪走，是合围来人之势。但发镖的人早已踪迹全无。

左天王手缠衣襟从门柱上取下哨叶镖，镖尾上系着一片白羊皮。他嗅闻了一下皮子，确定没有毒料后交给了朱瑱命。

“暗钉传信，外面的焰苗子和亮爆儿是对家人使的遮儿。”这哨叶镖带来的讯息证实了朱瑱命的推断，更给他下一步举措指明了方向。

“大护法，你带阴阳天王立刻出寺朝西，对家在那里破缺儿强入。你们到位后只管守住缺儿，不再准许人进出。高堂主，你发信号出去，让我带来的那些人由活佛府邸暗道进入，直插天梯山下。”吩咐一下，该动的马上动了。

就在朱瑱命安排这些事情的时候，大街上奔走的人流中又闪出两人，他们借助最后的一点昏暗天色掩护，在寺门口踅摸一番，然后也进入到寺里面。

大护法和两天王急速出寺门往西，却疏忽了两个异常。一是寺门内两个守位的竿子不见了，还有就是寺门上的警信和锁拿的机栝全被解开。这些现象如果是刀十六或高奔雷在就不会疏忽，而大护法和两天王从不远离寺庙，最缺的就是江湖经验和戒备心。

鲁一弃朝前走着，走得很轻松。的确，不管是谁，只要忘却了一切、忘却了自己，那他的步伐怎么走都是轻松的。差不多走到神呼滩中间位置的时候，鲁一弃停住了脚步。而此时，东面天际之间，一轮通红的日头也刚好露出整个圆来，把灿烁的血红色洒在神呼滩上，洒在天体山上。

“天色亮了。”鲁一弃莫名其妙地自语了一下，恍如从梦中醒来。他的脸也一片通红，是因为初生的红日，也是因为漫天的火光。

天梯山近看更显得无比的巍峨，层层的灰黑色云雾围裹在山腰处。按莫天规所说宝构的特征，再结合“内合气通”的特点，宝物应该是在那云雾缠裹的部位。可玉牌上的“巅之渊”和“梯起”五个字，却与云层缠裹的“内合气通”全不搭界。

正想着，山脚的暗沉之中传来几声低沉咆哮，隐约还可见幽光点点，是寺中散放出的大兽子。鲁一弃下意识地摸了一下腰间的驳壳枪，随即又放下。那些畜生始终暗伏不动，没一点对自己攻击的意思。看来这一把赌注赢了多少连他自己都没预料到。

大护法带着阴阳两位天王快速往西面破缺而来，这段距离凭他们的脚程只需片刻就到。但事实上他们没能按朱瑱命的要求及时到位，因为养鬼婢阻住了他们。

去燃第一堆篝火之前养鬼婢就做好打算，绝不能让鲁一弃独自冒险。所以篝火刚燃起，她便鬼影似的飘然下岭，隐身在镇口的一间破屋中。等到鲁一弃和炎化雷下山，养鬼婢便悄悄尾在鲁一弃后面。

大护法和阴阳二王在距离养鬼婢十步开外便停住了，他们不知道自己面对的是什么人，却清楚地感觉到鬼一样的威胁。

威胁不止一处，在道路另一边的房子后面，隐约还有两股奇怪的气息。其中有一股和拦路的丫头一样强势且不可思议，不是鬼，却是尸体，无数的尸体。

明一阻，暗双杀，这是典型的江湖暗袭方法。虽然大护法他们三个未在江湖上走动，但这样的常识未出师门就已经学过多少遍。

养鬼婢站在原地不动，她的目的就是不让这些人继续往西去，所以只要对方停下来了，她的目的就达到了。

大护法也没动，在没弄清楚对手目的和下一步的变化前，贸然行动是危险的。

阴阳两天王则朝着路对面的房子站成个“天王驾云位”，这个架势可攻可守，既能应付房子后面可能出现的突袭，又能保证能轻松退逃。

房子后面的两道奇怪气息动了。先是一个枯瘦的身影缓步出现，在初升的阳光下，就像一面破败的旗幡。那是盲爷，他的脚步不再轻灵，身形晃颤，目光茫然。

盲爷背后是丰满俏丽的胖妮儿。她的眼神很专注，只盯着前面的盲爷。胖妮儿的出现让大护法和阴阳两天王都恐惧了，因为随着她的出现，尸气的阴寒直透三人的心尖儿。而且在金顶寺佛光笼罩之下，浓重的尸气竟然丝毫不减，阴盛依然。

盲爷的脚步斜着朝西面寺墙的破缺而去，胖妮儿跟在他的后面，两人对面前摆好架势的高手宛若不见。

养鬼婢轻“咦”了一声，但她没有说话，更没有阻拦。

大护法佛陀一样微笑着，他此时心里并不着急。因为朱瑱命的指令很清楚，可以放人进入，不能让人出来。

鲁一弃仍蹲在石滩上摸索，他发现神呼滩上的石块很多都有洞眼，而且洞眼口子光滑平整，像人工修凿过的。绕山风吹过神呼滩，这些石头洞眼就相当于许多哨口，风吹之下当然会发出各种奇怪的声音。

鲁一弃将两块拳头大小的石头塞进原先装提壶爆炮的网兜里，这是他攀爬天梯必须做的准备工作，因为要以单手攀爬天梯必定会有很大困难。在洋学堂的书本上，他知道洋人攀爬高山峭壁时会挟带一些装有绳环的金属球，可以上抛卡在岩石缝中，也可以绕挂住树木凸石来固定和借力。鲁一弃只需将网兜中间连绳扣紧腋下，就相当于多出两只手，弥补了身体的缺陷。

站起身来，将网兜和石块整理好后，他深吸了一口气，然后义无反顾地朝前走去。走向山影掩盖的黑暗，走向黑暗掩盖的危险。

朱瑱命让刀十六出去走了一圈，看看寺中各处的情况。刀十六很快就回来了，带回的第一个信息让朱瑱命很难相信：“破开的西墙那边只进来了一人，绝杀坎全都没动。寺门处的机栝全解，一道点位的竿子不见了。”刀十六是杀人的人，也是随时可能被杀的人，所以他会注意到每一个不合理的细节。

朱瑱命觉得自己再次低估对手了。

一道点位的“断膝阶”，二道点位的“迷魂错步幡”都是顺解开的。其中“断膝阶”是由竿子操动调整飞弹阶面角度的，但此时这里的竿子踪影全无。

再往上是三层叠台，一层的“陷步霜刺”是困伤坎，二层“喷火牛面栏柱”是杀坎。这两坎曾用于明初汤王府中的军机要地“枢密堂”，《明京府筑密要》中对此有确凿记载。第三层的“石翻刀井”是绝杀坎，是朱家高手由宋代欧阳慈所创的“翻天顶瓦”演变而来。

一层的“陷步霜刺”坎面入步位被人砸碎铺地石数块，挖断下面弦簧主筋。这路数是属强破，瞬间就能完成。从砸挖痕迹上看，所用工具像是剑，但这剑的强度之高、锋口之快世上罕见，而下手人的力度也非同寻常。

二层的“喷火牛面栏柱”根本没有动作，一时间竟然看不出冲坎人是怎么过去的。按理说，此坎的启动最为灵敏，是由栏柱根部几乎可以乱真的假枯草和道面上牵丝细石触发的。只要人从栏边走过，身体任何部位带动枯草、细石，甚至是疾走的身形之风，都会让栏上牛面喷火扣启动，喷出燃烧的羚牛油，沾身不灭。

朱瑱命因为着急要往后面赶，所以没有仔细研究坎面未动作的原因。其实在那些牛面的眼睛上，沿上眼皮往眼角处插入了一根牛毛般的银针。牛眼的眼角有个小孔，是安装内部机栝时勾弦上卡块用的。而插入的银针正好可以垫住卡块下面的杠杆位，让卡块无法动作。

三层上“石翻刀井”绝杀坎却是全动了，蜂窝般布列的三十六口六角井无一例外地打开，但奇怪的是动作后却没有复位。很快，朱瑱命找到原因，是其中有两口井的翻盖被用硬腊木做成的双三角对顶架撑住了。虽然只是两口井，但机栝动作却是统一的，卡住了两口井也就卡住了全部的翻盖。在另外一口没顶架的井中，有一个被扎成蜂窝般的喇嘛，样子像是“断膝阶”的竿子。难怪不见踪影，原来是被带到这里当探杆了。而奇怪的是，这喇嘛死时竟然一直保持着笑容，不知道是什么奇怪的力量让他欣然赴死。

双强闯

三层之后，是十步无栏梯道，由此而上可进入到转轮廊中。十步梯道的顶端有两座生铁降魔尊者像，它们是由生铁铸造各个部件，再用钢制的双圆头滑槽拐连接而成。铁像中暗连筋线弦簧，实为人控偶坎。在两座降魔尊者后面三步远，各有一个铜缸。这两只铜缸本是蓄水缸，用来防天旱、防火灾的，但在这儿是操控偶坎竿子的藏身处。

朱瑱命终于看到了肉搏的痕迹。地面上、尊者像上、铜缸上到处都有四溅的血迹。四溅的血迹是其中一个竿子的，这个竿子脑袋被劈成两半，这一记砍杀同时还将铜缸缸沿劈出个深口子。另一只铜缸里的竿子身上见不到一点伤痕，不知道是怎么死的。

“人在前面！”刀十六低声喝道。

朱瑱命和高奔雷抬头寻看，果然见转轮廊尾端有两个身影闪过，往双殿方向而去。

“高堂主，你随我从西面廊下舍居处解坎绕过去。他们还有双殿、白塔要过，我们能在前面兜住他们。刀头，你且在后面逼住，不要急着攻杀，等召回护寺的人手到齐了再动手。”朱瑱命越到紧急时，想法布置越是缜密。

三人分两路行事，所有行动镇定有序，他们有把握将事情发展的势头扳转过来。

石滩边闪烁着幽亮眼芒的果然是些大兽子，但鲁一弃毫不迟疑地朝着它们走过去。

离得最近的是一只雪豹，它趴在神呼滩边沿的碎石间，眼若光照，弓肩收腹，作势待扑。

雪豹对着鲁一弃龇牙低吼了一声，用舌头舔了一圈牙齿嘴唇。已经饥饿许久的雪豹竟然像刚吃饱了一样满足，缓缓转身，踩着悠闲的步子让开。

鲁一弃悄悄松开握紧枪柄的手，表情却没有太多兴奋。因为他心中真正惧怕的不是兽子，而是人。人性遭受各种凡尘俗念的蒙蔽，远没有兽性灵锐，不知是否也能被某种神奇感召？但不管最终结果怎样，眼下已经无法退却。

盲爷也从炸开的破口进来了，步伐在逐渐加快。胖妮儿紧跟其后，脸色越来越难看，似乎有什么大的灾祸就要落在她身上。

五只长白花喙鹰突然从寺外烟尘火光中冲飞而出，低低地掠过西墙头，直扑天梯山山体，就在要撞上山体之时，骤然转向，一边两只一边三只分飞开来。

鲁一弃没有看到盲爷和胖妮儿，他全部的身心都在向前走上。虽然只是和平常一样迈步，但在有些时候，这会是人一生中最困难的事。

“此处非极乐，何苦孽欲行。”鲁一弃快走到小佛阁时，突然有人清诵一句偈语。

鲁一弃骇然地停住脚步，因为他没有感觉出此处有人。不管怎样的高手，鲁一弃多少都能感觉出些气相，可念偈语之人无有气相可觉，那是达到了神仙般虚幻空灵的道行。

但现在的鲁一弃已经不同于刚走入江湖道时了，惊骇过后，他立刻凝神聚气，用超常的感觉快速搜寻。不是没有气相，而是不同一般的气相。在小佛阁中，有淡淡的一股佛光。

鲁一弃朝小佛阁迈出两步，侧脸往佛龛中瞧了瞧，里面有一尊巴扎门特伊手法[1]铸塑的青铜释迦牟尼像。但鲁一弃现在要找的是人不是佛像，刚才总不会是这铜佛在念诵偈语吧？

“见佛不拜，佛不怪罪，心中当自罪。”

是有人在说话，声音正是从佛像处传来。

1　一种佛像雕塑手法，最初是唐代时由波斯传来，但中原人不喜这种雕塑法，便没能流传下来。元代时，此种技法再次在西藏一带出现，虽未盛行，却也成为佛像雕塑的一个重要技法门类。

鲁一弃没有答话，他现在已经了解到江湖中许多诡异的伎俩，包括话扣。轻易地搭话有可能会让自己乱了心神，从而导致行动上的偏差和失误。他只是在原地仔细地查看那个佛阁，并暗用指度之技查量。

鲁一弃远离佛阁几步，然后慢慢绕行了过去，他想看看佛阁的背面是怎样的。

转到后面才知道，这不是一座双层阁，而是一座双面阁。在佛阁的另一面也有一个龛洞，而且大得多。龛洞里也有一座佛像，却是有血有肉的活佛。

盘坐在佛洞里的活佛并不低眉合十，而是睁着一双天光湖色般的眼睛打量着鲁一弃。

看到活佛一副无尘无垢的面相和天光湖色般的眼光后，鲁一弃心中释然了，心中也不由起敬，因为这是他遇到的第一个感觉不到气相的高手。不谈此人的技击如何，就这和尚的身道修为，已非凡俗高手可比。这样的高人，只会是金顶活佛。

鲁一弃和活佛的目光对上便不再偏移，这是另一种境界的交流。

金顶活佛原本是在绕塔廊头的亭子中盘坐的。可冥冥中感觉寺外有奇异气相往神呼滩的西寺墙而来，于是转而来到小佛阁。鲁一弃炸开西寺墙，他是寺中最早知道的，但他没有采取任何行动。因为鲁一弃尚未进入到寺中之时，活佛就已经感觉自己的心跳、气息甚至血流都附和上那个奇异气相的腾跃节奏，这也许就是佛家之说中的心缘、天应。

“原来是个假和尚。”鲁一弃嬉笑。

“佛无真假，真假之说又从何而来。”金顶活佛并没有因为鲁一弃的话有丝毫嗔意。

鲁一弃发现，活佛双手虽未合十，却是捏的密宗大手印手法之一的“蓬华三昧耶”。

“话无虚实，大和尚又何必一问究竟。”鲁一弃把嬉笑回复为微笑。

“你进我寺不虚，有所企欲也不虚，不分此虚实，如何断出你善恶。”

“我一介凡夫，虚实皆在情理之中，善恶自有世人评说。可尊驾乃佛徒上人，却将虚实看得如此之重，那么我说是假和尚也不算偏错。”

“你懂佛？”

“我不懂佛，我懂理。”

“何理？何为理？”

“佛理，道理，规矩方圆之理。世间一切顺应天意众生均为理。”

金顶活佛目光炯然地看着鲁一弃：“你如此懂理，法度上更胜懂佛。”

“不尽然，只略窥皮毛。”

“却不知在哪一根、哪一毫？”

“佛说无欲自在，道法无我自然，天工之技，规矩下，方圆自成。”

鲁一弃这一句话，涵括了三种法门的至理。第一句是从一部唐代波斯语译本《无上佛论心咒》中看到的，第二句则是小时在天鉴山千峰观中听道时学来的，第三句是出自《机巧集》巧技篇。

活佛缓缓从龛洞中站起身来，始终盯着鲁一弃。金顶活佛研习的是藏佛三密，所以判断一个人是看的七轮三脉，包括气相、身光、心音。而鲁一弃气相若霞，宝光灿烁，心音梵唱，这让活佛怀疑鲁一弃会不会是哪位圣佛的化身。

鲁一弃知道自己必须抓紧时间，否则会跟不上炎化雷驱动火势的节奏，所以转身继续按原有路径往前走。他认为活佛虽然是个威胁，但这种圣修之人和那些大兽子一样，心性纯净灵锐，应该同样能受到某种感召，不会对自己下手。

活佛走出龛洞，见鲁一弃自顾自走了，便身形微晃，赶在了鲁一弃的前面。

赶到前面的活佛没有拦阻鲁一弃，而是以同样的速度陪鲁一弃一起朝前走着。但他们两个的脚步并不快，因为边走边思考边说话是会让脚步节奏放得很缓的。

“佛说无欲自在，我亦无欲，却身无真佛之迹。此理难达。”金顶活佛的语气有六分像是在请教。但对于鲁一弃来说，又一场较量开始了。

“你已无欲？祈为真佛之愿便是欲。还有，所行虽不为己欲，却为少数人之欲而行，难近真佛。”鲁一弃回道。

“所行之欲从何而说。”

“就说你所守寺庙吧，择‘内合气通’下气口而建，是度凡入圣的上上地。可你观此处，暗藏刀光血腥之气，明露金玉财物之气，将该有的佛光灵气都掩盖了。”鲁一弃的话中已经开始显露锋芒，斥责之意渐显。

活佛面色微微暗淡了一下：“佛徒众生舍浮财向佛心，也是皈依一道，无可厚非。”

“舍财者向佛，财可曾为佛事？普度众生了？扶贫济困了？都不是，只是以你活佛崇法度生为名，为肖小敛骗钱财，贪天下人极之福。你虽无欲，却成就别人邪淫之欲，此亦为有欲，有大欲、邪欲。另外奸劣之徒在侧，你不度化教诲已为佛罪。且不离、不见、不闻、不觉，更是罪过。”

活佛听到此处不再作声。

“还有自在一说，修至真佛当然自在。可未曾有自在之身又哪得自在之心？”鲁一弃趁热打铁，他刚才是斥责活佛助纣为虐，现在是暗嘲活佛同样在朱家控制之下。

“这其中的确有纠缠难清之俗根，但我心自在，无物可羁。”活佛低声回道。

“如是说，尊驾在此候我又是出于哪根心枝？”

“其中纠葛很难明言。身不由心，心不自在，确为所修大厄。不过我要将你拿了，有了交代，此后便再无羁绊。”说到此处，活佛蓦然停住了脚步。

鲁一弃继续向前，直走到与活佛并排才站住。然后悠悠地叹了口气：“拿我只如误杀蝼蚁，但逆天行事，别说真佛之修，恐怕还会坠入修罗之界，万劫不复。”

这话说出，活佛表情一下变得痛苦，口中喃喃：“我再想想，我再想想。”说完拨动佛珠，低诵经语不断。

鲁一弃感觉活佛有些颤抖，更感觉到他身体中两股气势的交汇撞击。此时在活佛的内心正进行着一番天人之战、心性之战，而且无比地激烈……

阴阳天王绕过养鬼婢走到寺墙的破缺处，然后一个朝里一个朝外站在那里不再动弹，就像两尊石雕泥塑的护法神像。

养鬼婢眼角余光扫了下，便知那两人是要封堵鲁一弃的退路，但要想夺下缺口，首先必须将与自己对峙的大喇嘛解决掉。

养鬼婢动手了，帕子飘然而起，卷成两股劲风撞向大护法。而大护法开始没有意识到这是一次攻击，因为他没见到养鬼婢身体的任何一个部分动作，只以为养鬼婢脖子上的白绸长帕子是随风而飘。

养鬼婢虽然已散了养鬼，但多年积聚的鬼力仍非同小可。这鬼力是借助养鬼练就的邪门功法，使用起来只随心意。

大护法练的是佛门功法，根本不知道还有如此的鬼力之技，所以这次他吃亏了。

直到已经真真切切感觉到了帕子头挟带的巨大力量，大护法才匆忙出手，双掌推出。连手臂都未来得及伸直，就已经与帕子头相撞。闷破之声，像击漏了一只皮瓮鼓。响声中，袍袖全碎，有如无数暗红的蝶儿在翻飞，大护法脚下连续退出四五步才站定，一张佛陀般的脸面在青红之间瞬时变换。

大护法是吃了些亏，但养鬼婢遭受的反击之力也不小。帕子头一下翻转回来，在手臂上圈绕了两道才停住。身形虽未移动，却如疾风中的垂柳一般连续摇摆，这才将力道尽数卸去。

让养鬼婢没有想到的是，大护法只是脸色一变就已经恢复过来。她这边身形才稳住，那边就已经扯下身上红袍，舞作一朵力士云，往养鬼婢头顶罩下。

养鬼婢长绸立时翻卷而起，直击红云。于是，一团浓酽的红，一团阴幽的白，交汇纠缠，一会儿是突然的崩散。风声、撞击声、崩裂声不绝于耳。

按理说，是大护法的佛门功克压养鬼婢的鬼门功。可佛门功多少会带三分仁慈，再加上大护法也不是江湖上的杀伐之辈，所以下手缺了狠劲。养鬼婢则不然，功法诡异、刁钻、狠毒，这些特点让她非但不显败相，更多时候还让大护法手忙脚乱。

“大护法、两位天王，门长有令，让你们入缺进逼。”一个小喇嘛从远处跑来，边跑便喊。

“门长还说……”小喇嘛话没喊完，旁边的烟火之中有一片雪亮的芒光朝他飞闪过去，他的头颅与身体立时分作两处，头颅在空中翻飞，身体仍继续朝前奔出好几步。尸体在大护法身后倒下，倒下的同时，头颅也正好落地，兀自张口结舌状。

那片芒光闪过之后，是一朵红云，将本该喷溅出的血滴尽数拢收在其中，这红云比大护法舞动的红云更为浓艳。血滴收尽，那芒光才一下定住，从中显出一张笑脸鬼头。笑脸鬼头只一显，随即又化作一道芒光飞闪而出。刽子手的出刀法，一刀过后，定神换气再来第二杀，这是笑佛儿利鑫到了。

血溅佛

利老头第二刀直攻大护法，就如一支闪电劈入红云。前后夹击，而且都是高手，大护法知道自己无法应付，于是双臂用力，“哗啦”一声爆响，力士云瞬间分成两朵。一朵砸向养鬼婢，一朵砸向利老头，而他自己则从分开为两朵的力士云中间冲身而出，奔躲到道路的另一边。

利老头刀光破红云而出，半片红袍又劈作两半。刀势顺收护身，凛然而立。

养鬼婢理都没理砸向自己的半朵红云。而是借这机会滑步往后，鬼影般飘动身形，直奔缺口处的两天王而去。

虽然没有听全小喇嘛的传话，两天王还是准备往墙里进逼，但最终只有面朝墙里的阴天王能够进去，而阳天王则必须面对一个肥硕的身影，一片无形的杀气。

肥硕的身影是杨小刀。他从街上奔过的人群中抽身而出，然后不急不缓地朝墙缺走去。

杨小刀距离缺口还有十几步时，阳天王从身后抽出一对内外锋口的金乌环，全神戒备。金乌环这种武器看起来只是两个圈，但内外边全开锋口，只留小段柄手。使用中不但能砍、削、割、切、剁，还能套、拉、锁、旋、翻，是一件极难摆弄的奇形武器。武器越是奇怪，路数越是诡异。所以杨小刀非常谨慎，没有贸然攻杀过去。

阴天王进入寺墙的同时，也抽出一对同样内外锋口的月牙钺，这看上去就像两只半圆。这对兵刃与阳天王的金乌环相比，虽然少了一个套字诀的技法，却多出个刺字诀，格杀技法更加刁钻阴险。他将离自己最近的胖妮儿确定为第一目标。

而此时胖妮儿只是盯着步伐逐渐加快的盲爷，似乎没有察觉到阴天王悄然进逼过来……

朱瑱命和高奔雷从西面台梯而下，从喇嘛们的静舍居穿过，然后沿佛示墙前斜坡直上，从这里可以走到西殿的白石栏外。这一路都是遍布绝杀坎的死路，但因为金顶寺的坎扣布局呈绵长曲折状，所以朱家最初留了可以快速解出的暗道，以便包抄和侧杀。

但朱瑱命现在不是要包抄，也不是要侧杀，而是要旁观。他想看看鲁家人到底要做些什么，他们的目标又是在什么地方。

事情的发展在朱瑱命的料算之中，当他到达西殿白石栏外，闯坎之人也才到这里。但是刀十六没到，这是不该出现的情况。因为刀头只需跟着闯坎人直走，不必像朱瑱命他们要解坎而行。对家闯坎人到了，他应该紧跟其后才对。

朱瑱命并不知道，刀头遇到的困难比他们想象中要大得多。当他从坎扣被全解的转轮廊过去后，接下来的“藏王坡”“卍字步面”等坎扣全没解开。这是怎么回事？难道闯坎人是飞过去的？但不管别人是怎么过去的，刀十六只能是一步步解着往前走。这比朱瑱命预留暗道的解法要麻烦得多。

从正路闯坎而入的两人并没有继续往双殿后突入，而是在西殿石栏处站定了身形。朱瑱命和高堂主就在石栏下方不远，但上面的两人似乎并没有发现，因为他们正全神贯注地看着佛示墙外面。

佛示墙外面有什么？神呼滩，小佛阁，再往这边就是一片坡地。对了，鲁一弃是从西墙破口而入，他也该在那一边。

就在朱瑱命思虑之间，突然听到上面人高声叫起来：“快拦住！他这是要下杀手！”

他们果然是遇到什么紧急情况，连侵入敌家后最基本的掩形匿声都不管了。

朱瑱命探头往上看了一眼，他认出喊话之人是三丘土锢魂墓中用银针偷袭自己的郎中。朱瑱命对这人的印象很深，不止是因为他诡异的针法，更因为此人和自己在气质、外貌以及年纪上都有着几分相似。后来东路堂口的手下告知，这个郎中原来是江湖上鼎鼎大名的倒拔穴易穴脉。

“他中的是失魂引，快找出是用什么做的引，卸了引子就没事了。”这是另一个人的喝叫声。

朱瑱命一听喊喝声便知此人的气息运转、功劲舒展都已近神人，世上能达此境界的人不多。

那人正是莫天规，要不然谁能从金顶寺正面坎道直入，那么短的时间中就闯到双殿位置？

莫天规所喊“失魂引”乃是祭魂师的独门绝技。朱瑱命由此断定，是祭魂师下的钉儿露芒刃了。此时从西寺墙强破而入的鲁一弃已经命在顷刻。

佛示墙外，鲁一弃面对着一个不止不休疯狂扑向自己的敌人。

那敌人就是盲爷。

胖妮儿动作比盲爷还要快，每当盲爷要跃起扑出之际，她便立刻出手拉住他的背心和腰带。但盲爷每被拉下之后，便重新扑身而出，犹如疯狂了一般，所以他还是不断朝着鲁一弃靠近。

“我找不到引儿，我跟着他很久，怎么都找不到。”胖妮儿已经快哭出来了。

就在此时，五只长白花喙鹰幽灵般再次由高处掠飞而下，在很低的高度打个交叉，扇形般飞开。

“啊！长白花喙鹰！鹰笛无声，引子已经入心髓，没得救了。杀了他，快杀了他！”易穴脉再次高呼道。

“不要！不能杀！不能杀！”胖妮儿已经是哭腔。

鲁一弃的手已经握紧了驳壳枪的枪柄，但他没有拔出来。他不忍杀，当着一个女儿的面杀死她的父亲是非常非常残忍的一件事情。他更不敢杀，自己已经用世理和佛理将金顶活佛逼入一个自战、自悟、自省的状态中了。这种时候自己要是再拔枪杀人，那么前面所说的一切都将付之东流了。活佛只要杀念一起，转念间就可将自己拍成腐肉碎骨。

“快，丫头，你后面有敌人攻到，你快动手杀了他。”易穴脉的声音中满是焦急，嗓子都快喊破了。

见易穴脉叫喊没用，莫天规便急速而行，直扑西殿殿后。他是想用最快的速度绕过西殿、白塔和环塔廊，赶到佛示墙外面的坡地去。

双殿虽然是金顶寺中主要的佛殿，但并不像中原地界寺庙的正殿那样雄伟。因此佛殿短短的墙侧道很难设下坎扣，莫天规只几步就到了佛殿的西北角。如果下面的路径也能像这几步一样走得轻松顺畅，那么莫天规还是有机会抢在鲁一弃被杀前赶到的。

但事实和期望的差距总是太大，才到西殿后墙角处，莫天规就发现摆在自己面前的是“九色天云兽纹场”。这是个大坎，综合了迷魂格、惑神绕、错步旋、倒射天柱、锋口合锁等多重扣子。墨家三代前曾有高手在山西汾水岸边，被困在“九色天云兽纹场”中数日不能出，最终冒险强突，结果全部毁身其中。

莫天规赶紧辨看了一下周围环境布置，“九色天云兽纹场”另一边紧挨着金幢白塔。如果自己料算不差的话，这白塔绝不会只是个摆设，其中肯定会有明、暗扣的设置。

而且“九色天云兽纹场”后半坎与白塔坎面相衔合，这样在坎子后半截的位置就会形成两坎合杀。而这种高低衔合而布的双坎面又不同于同平面上的双坎面和交连坎面，他们坎沿的相合线是在空中，没法利用。

环境配合局相，做到所有点、线、面都让你无从插足，插足则殇。这是设坎的至高境界。

但由于墨家前辈曾毁身在“九色天云兽纹场”，所以针对这坎面，墨家人别出蹊径，在破解坎面之外创出个避坎之技，但此技不是正技，所以墨家人不到万不得已的时候是不会用的。

现在就是万不得已之时，于是莫天规掏器物、寻根靠，快速动作起来……

寺墙之外，养鬼婢身形往缺口处一退。那大护法逃走的步法便突闪回来，直扑利老头。

对于大喇嘛的突然反扑，利老头只来得及下意识横刀削出。

赤手空拳的大护法再次被逼回，赤裸的右胳膊上留下一道细长血痕。他没有想到，自己明明避开了对方的刀风范围，可刀后红绸帕拂过的力道竟然不亚于一般的刀锋，一下就将右臂割伤了。但受伤并不一定全是坏事，这至少可以让人更加清楚自己的对手。于是退回的大护法没等脚跟落实地面，便再次扑杀过去……

养鬼婢离着阳天王还有一段距离时，手中长绸就已经卷出，像两朵云旋儿直罩阳天王。她现在急切地要将阳天王逼开，进入到寺里。因为她刚刚意识到一件事，盲爷看不见，也没有人指点，他是如何准确知道缺口所在的？养鬼婢原来是朱家人，知道朱家诸多的鬼魅伎俩。于是很快断定，盲爷是被失魂引控制了。还有胖妮儿，她虽然不像中的失魂引，却也不排除中了其他什么招数。这样两个人进到寺内，会成为对付鲁一弃的绝杀扣子。

养鬼婢使出了全力，可仍没有占到上风。

《奇门利器谱》的编著者南宋江棋山，对使用环、钺者推崇备至。因为这种武器拿捏困难，操纵更加需要技巧。其攻杀路数匪夷所思，是多种武器的克星。

所以当养鬼婢的两朵云旋儿落下时，一对金乌环旋、套两技同出，将养鬼婢的帕子头一下吞入，内刃旋力，帕子一段段片落下来，仿佛是将云旋儿化作无数的雪片。

但占尽上风的阳天王只削掉不到一尺长的帕子后便撤身而退。因为接下来的两招变数不是他能同时应付的。

养鬼婢根本没有想过要杀伤阳天王，她只是想从阳天王守住的缺口处冲入到寺里。所以帕子头撤出之后，紧接着她便将帕子中段横撤出去，这是要将对手缠裹住。应付这一招，阳天王必须双轮前递，身形后退。不过这样一来，便闪出个足够养鬼婢闯入的空当。

但另一个变数更厉害，缠罩向阳天王的云层中出现了一道闪电，一道曲折变化根本无法预料的闪电。那是杨小刀的异形屠刀。

刀是个异形，刀的招数更是怪异，刀尖、刀刃始终追逐阳天王身体最靠前的血肉点。所以阳天王没法格挡，只能退避，不停地往后退避。

养鬼婢闪身进了寺墙之内。杨小刀本来也想跟着冲进去，可就在此时，利老头传来一声痛呼，于是杨小刀赶紧转身去救助利老头。因为他们都是用刀的高手，归界山两人又共同对敌天葬师，相互间自然形成一种默契。墨家两个弟子遇害，身上伤口很像刀剑所致，而这些人中使刀的只有他们两个，于是与其被别人怀疑、排斥，还不如他们两个结伴而来。

杨小刀转身走了，阳天王这才缓过劲来。他没有追击杨小刀，而是毫不犹豫地进入破缺口，往养鬼婢身后追了过来。因为刚才小喇嘛传的口讯很确切，不守缺口，逼杀进去。

胖妮儿拉不住了，盲爷的衣服已经扯碎，腰带也已经扯断。但他黑瘦身躯依旧挟着无休无止的大力往前冲着，手中挥舞的盲杖尖儿离鲁一弃很近很近。

鲁一弃不能动，因为活佛正用疑惑的目光看着他，他的每个微小动作都可能让活佛做出不同判断。

“世间有魔惑心窍，这种人能度吗？”活佛在问鲁一弃。

“你觉得杀他是度，还是被他杀是度？”鲁一弃是反问，也是回答。

“佛说，舍身成佛，杀魔亦成佛。”活佛将难题又回给了鲁一弃。

“你是说杀我身，灭他魔。也对，他没要杀我，是魔要杀我。”

“魔由心起，其心不可度。”

“心由魔控。心可度，魔不可度。”

“我佛慈悲，其魔何在？”

“其魔便是施虐于他者。你身为佛子，心向真佛，却为群魔所拥，所修法门如何得通啊。”

活佛似乎猛然间打了个冷战，重又闭眼垂首。只是双手大手印手法由“莲华三昧耶”变成了“召罪”。活佛手印这一变，顿时气息蒸腾，宝相庄然。[1]

盲爷的盲杖已经可以刺到鲁一弃了。但鲁一弃现在动不了，他的整个身形竟然被活佛骤变的气相抵压住。只能是将内外身心趋于自然，顺应活佛气相的跌宕起伏。

“不要！啊——”胖妮儿发出一声惨嘶，然后陡然出刺。凤喙刺挟着浓重尸气直插入盲爷的背心。刺尖血花喷溅，从盲爷胸前透出。

妮儿知道权衡利弊，也了解自己的父亲，她知道与其让父亲这样失魂地活着还不如让他去死。可鲁一弃不同，他是启宝镇穴定凡疆的关键，于是胖妮儿忍住心中巨大悲痛朝自己父亲出手了。

胖妮儿这一刺虽然穿透了盲爷的心脏，但盲爷却没有停止动作，反借助这一刺之力，身形前移，盲杖对着鲁一弃刺出。

鲁一弃不能避让，他只是在最后关头将残缺的右手臂抬起，下意识要护住前胸。

残臂将盲杖拨开了一些，所以盲杖最终穿透的是左肩而不是心脏。鲁一弃闷哼一声，脚步稍有趔趄，顺着盲杖尖有血点喷溅来，直洒落在活佛佛光宝相的脸上。

腥热的血让活佛睁开眼睛，他呆住了。刚才入定静思的很短时间中，他真切体会到面前这个年轻人蕴含的无穷能量。自己多少年修炼的护体罡气，在他的周围完全无着无依，就像落入到一个无穷尽的深渊中。可就是这样一个绝世的高手，竟然能以鲜血甚至生命来度一个失魂之人，那他修习的佛理又到达如何一个境界？他要不是真神谁又是真神？

惊异、崇敬混合在一起，让活佛不自禁地伸手握住刺透鲁一弃的盲杖尖。他感受到盲杖上鲜血的流淌。舍身以度众生，为此流淌出的血对向佛之人是一种诲示。

也幸好活佛握住了盲杖尖。他这一握之力，便是再多两个盲爷都拔不出，伤口就不会大量出血，同时也避免了二次再杀。

1　密宗中将双手名为二羽，两臂名两翼。十指名十度，亦名十轮十峰，右手般若，亦为观、慧、智；左手三昧，亦为止、定、福。手印等同于道教中的捻诀，有蓬华三昧耶、降三世、大欲、召罪、法轮等众多手法，均代表着佛意心音。

杀为度

佛示墙另一边的易穴脉看到胖妮儿明明已经刺透盲爷，可盲爷仍旧像没事一样在挣扎，这情形让他马上想到了百足白勾虫。以百足白勾虫为引，刚开始只是附于经脉血管汇集的脊椎上，可用高声笛音搅乱心神，从而逐渐控制心智。当虫子齿口咬入髓脉，与颈椎后的经脉血管连接在一起后，就是完全的控制。但这个程度的虫扣还是可解的，前书中曾提到鲁盛孝和任火狂携手破百足白勾虫，就是在虫子齿口刚合时，用鲁家解坎的钩环针将虫子挑住，再用烧红的青钢签穿透肌肤，点烫虫子头，让其松口挑出。可如果百足白勾虫的百足以及勾触也与经脉血管相连接后，便彻底无解了。就算中扣人死了，只要经脉不断，照样能驱动躯体而动。到了这程度，就只能血破百足白勾虫，让人虫俱毁。

“丫头！听清了！一念心血，含吐刃尖，刺透颈节，人虫俱毁！”易穴脉将每个吐字都清晰喊出，生怕妮儿听错了。

胖妮儿亲手刺杀了自己的父亲，让她心头聚集了一团淤血始终无法散去，这便是一念心血。

“丫头，快呀！他现在只是个被控制的尸身而已！”易穴脉又高喝一声。

胖妮儿胸膛酥酥地一紧，一股寒意在背心散开，随即一口腥热带甜的血块从咽喉间窜到口中。妮儿将凤喙刺刺尖含在口中，血块快速在刺尖上散开，并吸聚在刺头的三棱血槽中。

“啊——”胖妮儿的这一声呼喝并不高，而是带着哭泣的长音。这次凤喙刺是由盲爷后颈处刺入，刺透了脊椎，也刺透了附着在脊椎上的百足白勾虫。沾满血液的刺尖刺入，出来的尖头却是绿色的，并且不停地泛着泡沫。虫身迅速收缩焦化。刹那间失去失魂引的作用。

盲爷像个掉了线的木偶，折手折脚地跌落在地。果然已是尸身，虫死后便再无反应。

胖妮儿不忍看自己父亲惨死的样子，扭头旁看却正好见到阴天王碎步低身赶来，已经离自己没几步了。于是她找到个发泄心中痛苦的对象，随着一声怪异的惨呼，她朝阴天王直扑而去，势若下山的雌虎。

鲁一弃肩上受伤，心中却是猛然一松。盲爷这件事压在他心头已经很久了，从怀疑到确定却始终没能想出个解决的办法。

盲爷应该是在北平院中院就被下了招。他血留七峰柱、身陷“绞龙网”后侥幸没死，在回廊中昏迷了好长时间。可对家竟然没有对他再下杀手，其实是趁昏迷给他种下了百足白勾虫。而打那之后，盲爷每听到唿哨声便会反应异常。

鲁一弃的怀疑是在闯出龙三角之后的船上开始的，那时盲爷的变化已然很明显。鲁一弃设局逼朱家钉子露尖儿，逼出的老叉虽然承认自己是暗钉，却不承认自己杀人。鲁一弃便将疑点落在了盲爷身上。因为每次出事的后半夜，自己总是昏睡不醒，像中了迷香，而盲爷是贼王，会摆迷弄香。另外死者致死的伤口呈圆洞状，这和盲杖刺杀人后留下的伤口是一样的。兽王郎天青离去时替任火狂传话，让他注意身边有人中了虫子。当时他以为说的是鬼眼三，可后来分析，这说的应该是盲爷。因为任火狂并不了解三更寒，但他破解过百足白勾虫，知道这虫扣的状态反应。

最终确定盲爷被对家所控是聂小指的死。聂小指丧命前，与盲爷碰撞了一下。秃鹫将聂小指抓提飞起后，从流落的血迹看，他是中了一记刺伤。但那时鲁一弃虽然为聂小指的死而心痛，却仍抱有解救盲爷的希望，这希望就是易穴脉。

但阴世更道尾端的“无地自容”让情况突变，盲爷脱离了鲁一弃的掌控，直到他被自己的女儿亲手刺死……

天色已经大亮，冲入寺墙缺口的养鬼婢一眼就看到鲁一弃，于是往这边急急飘来。

鲁一弃也看到了养鬼婢，于是左手抬起轻轻摇摆，意思很明确，是让养鬼婢不要靠近。养鬼婢冰雪聪明，立刻将身形横移，在神呼滩边停住。

活佛依旧抓住刺穿鲁一弃肩窝的盲杖头，将身体稍稍往前靠近了些说道："世人并不都能度，如若不是那姑娘，这失魂之人便度了你。"

忍住肩头剧痛，鲁一弃将咬紧的牙关慢慢松开，在脸上绽出一个勉强的微笑："我未度他，可那姑娘度了他。一刺之痛，了去失魂苦楚，了去凡世无助，弃躯壳，不再替凶为恶，当登极乐。我也并非未度，你没见我度了那姑娘吗？为我一介残躯，更为了苍生百姓，她忍心中万般苦痛亲手杀了自己父亲，此悲此善当趋真佛之心。"

"那你知如何度我吗？"活佛问道。

"天机不泄，佛理自悟。是理、是引、是谬、是惑，你自省。"

"请诲。"

"我佛悟道之前，俗身贵为王子，享尽天下所有富贵甘醇，才悟出无欲皆空之佛理。我辈之人无有此极致境地，所以该从另一极致入道，所修皆应落在'苦'字上。"鲁一弃所说之理是从一部世人很少知的《苦傩脱诸经》上得来，这一佛理为大乘佛派，与藏密小乘佛学差别很大。所以对于活佛来说，观念另有新意。

"何为'苦'？"

"知众生苦，为众生苦，苦心、苦志、苦修、苦悟，然后方能舍私欲，弃俗体，念成灰。举止皆自然，四触皆虚空，登玄入佛境。"这些话中，鲁一弃又加入了道教的玄虚自然之道，这活佛更未曾接触过的。

"如何行？"

"送我上天梯。"

"你来度我？"

"无分你我，度人亦是度己，我为天意，你为佛行。"

"当是这般。"活佛说完此话，立时出手。

刹那之间，只见钢折血溅……

要从"九色天云兽纹场"过去，方法有两种，一种是解坎而行，这一点莫天规办不到也来不及。另外就是从坎面上方越过，问题是过了"九色天云兽纹场"，另一侧还有金幢白塔的坎面范围。飞越而过的办法对这座白塔也行得通吗？

从环境布置上分析，白塔上肯定会有扣子与“九色天云兽纹场”相叠，而且扣子的杀伤范围很可能是用来弥补“九色天云兽纹场”这种平地坎的空中缺儿。如果真是这样的话，莫天规不仅要飞起来，而且要在合适的位置沿两组坎扣相叠的坎沿而行，这样才能安全通过。

合适的位置在哪里？坎沿又是什么形式？这些莫天规只有在靠近白塔之后才能作出判断，现在他要做的是先飞起来。

莫天规的轻功不如盲爷、胖妮儿，但功力达不到的方面，往往是可以利用器械进行补救的。“飞蜘蛛”，四翼八爪，用关外精钢以钻窍、刮片技法制成。莫天规将它机簧上紧后，“呱啦啦”一声自行飞出。蜘蛛飞出的同时，尾部窍眼放下一根金陵织造府出的三盘绞金线。飞蜘蛛沿白塔飞绕了一圈后落在塔腰的上斜面上，八爪弹扣，一齐牢牢抓住砖缝。莫天规轻提金线，将一只极为精致的小滑轮放在金线上，小滑轮轮钩上带有一根比金线稍粗的彝麻线，这线只比金线稍重，拉力却是强劲许多。然后轻轻抖拉金丝线，滑轮便沿着金线前行。很明显，那滑轮中带有单向锁齿。

滑轮很快撞上飞蜘蛛，滑轮上环轻轻滑入了蜘蛛尾部的内开式环钩。

莫天规再将彝麻线系上巴掌宽的节纹竹夹布。这布是用皮料丝、动物鬃毛织成，极是牢固，而且每隔一段就有竹夹，用作借力。

当这竹夹布卷也到位后，莫天规将布卷尾头用一只双齿猪头钉固定在左殿外墙的角柱上。双齿猪头钉和八爪蜘蛛一样，受力后，双齿和八爪会越收越紧，越拉越往固定物中钻。

说得繁琐，其实整个操作过程却是极快。也就半锅烟的工夫，莫天规已经从竹夹布上踏空而去。虽然有借步之物，依旧步若惊涛、身若寒叶。在不断的摇摆晃动中，莫天规来到了两坎相合之处。到了此处，便不能再往前走了，加大白塔那侧的受力也许会牵动一些机栝，而且白塔下铁定没有安全的落脚位置，往前走也没有实际意义。最好的办法是从此处找到两坎的叠沿，然后顺坎沿折向另一个方向。

“九色天云兽纹场”是铺开的整面。而金幢白塔坎面范围是以塔身为中心的一个圆，杀伤局势由上而下或者由下而上。这样看来，两坎的叠合处应该是在“九色天云兽纹场”上方，大概白塔半高位的一个弧线。这个位置高度很容易找到，但问题的关键是如何凌空走弧线。凌空状态无法使力，就算有借力点，也只能直来直往，很难借走弧线。

莫天规看准绕塔廊的一根廊柱，发一根拉绳可以借力让他直线往西侧而去。但这样肯定会有半程以上的距离不能准确处在坎沿上。

时间紧迫，莫天规放弃了更细的盘算，决定冒险。一向谨慎的他极少这样做。

另一只“飞蜘蛛”飞出，带着一根彝麻线钉在了廊柱上。莫天规将这根彝麻线带紧，试了试劲度。然后内外气息环转周天，手、臂、肩、背、腰、臀、腿、脚一线使力，准备腾身而去。

就在此刻，左殿后门突然蹿出一道凌厉的刀气。刀气无声，而出刀的人却发出一声怪异的低声嘶吼。这嘶吼让人听得心中发瘆，慌乱无措。这是以声夺人，以刀杀人。

刀十六出现了，眼前的情形让他想都没想就合身而出。人出便是刀出，刀出便要人命。刀落的目标是竹夹布，竹夹布一断，莫天规便会落入“九色天云兽纹场”和金幢白塔合杀的坎面中。

刀落下，布断开，莫天规失声惊呼……

易穴脉见胖妮儿一刺穿透盲爷颈脊，终于低头喘出一口气。这一低头，正好看到下面的朱瑱命和据巅堂主高奔雷。高奔雷也在往上窥望，四目一对，便同时出手。

易穴脉甩手射出几根牛毛般的芒光。高奔雷手中奔雷杵脱手而出。奔雷杵器体巨大，飞行速度虽慢，却带着无穷气劲。相比之下，易穴脉的银针显得太轻太微不足道了。

奔雷杵撞飞银针，撞穿栏墙。一时间，银针混杂在碎石灰屑中漫天飞射。

面对如此刚猛的攻势，易穴脉只能不停地后退。连续双缠盘花步，一下退到十几步开外，掩身藏式静观奔雷杵下一步的变化。

大杵飞出攻敌，是因为杵柄上还牵有一根很粗的缅白钢链条，这就使得大杵远攻近取都遂人心意。

杵上铁链绕了个圈挂住横栏。高堂主运劲回拉，人随链走，高大魁伟的身躯竟然极度轻盈地跃起，沿着垒石斜坡而上，两个踢脚借力便已然落在横栏之上。然后手中链条抖收，奔雷杵活的一般跳回到手里。

一个魁伟的汉子，横着一把带链的大铜杵，如同天神。面对这样的高手，易穴脉很害怕。他看出，在奔雷杵运转的气势范围中，自己无法找到插针的缝儿。没有插针的缝儿，自己的针就等于废物。

高奔雷高堂主从横栏上一个跨步下来，看着易穴脉紧张的样子，咧开大嘴一笑："就落你一个了？不要紧，早晚你们还是在轮回道上碰头。"说话声也如同奔雷。

易穴脉没有说话，面上表情很是艰难。衣襟微微有些抖摆，却不是风吹的，因为此时此地没有一点风。

"你发抖了？不会。敢入到寺中，又能闯到这点位的绝不是易与之辈。不要给我搅什么惑相子，我不吃那一套。"高奔雷话很絮叨，这和他的身材很不相配。

可易穴脉知道，最与高奔雷身材不匹配的是他的心眼。自己故意摆出的怯懦外相一下就被他看穿，所以易穴脉只能全神贯注寻找，找准一个平常人无法想象的位置。

高堂主缓缓摆出个攻守兼备的起势，他从不小看过任何对手。这也是他能在江湖上混得如此之久的原因。易穴脉也收敛了伪装的怯懦，非常小心地从针壶中抽出了一根针。只有一根针，但这针比平常的针长出三倍有余。因为长，便显得这针更细、更软，或许连普通的绸帛都不能穿透。

一把巨大的铜杵，一根细长的银针，双方都希望这一场溅血要命的搏杀能在最短的时间中见分晓。

朱瑱命从心底满意高奔雷的反应和行动。毕竟是个久经沙场的老江湖，一见情形有变便骤然出手，一下抢位成功，将上边的口子封住。这样自己便可以没有任何担忧地从下面过去，转到另一边盯住鲁一弃

朱瑱命快速地通过了下方的狭道，悄无声息地往佛示墙尾端而去，从那里出来，他就可以与活佛、兽姬娘娘会合。这样一来，鲁一弃仍是笼中的鸟儿。他先前让小喇嘛传话，就是要大护法和阴阳天王逼迫鲁一弃仓促启宝，自己便可以从一旁寻机夺取。小喇嘛未来得及说完的话，其实是让他们只留下鲁一弃一个活口。

涅槃杀

利老头差点在劫难逃。他根本没有想到大护法的动作变化会那么快、那么突然，疾风电闪一般，自己的刀法根本无法应对这种快攻。

大护法不止是身法招式快，更重要的是还有肢体的变化。藏传密宗，有许多功法是从印度直传过来的。像大护法所使的力士云，便是从印度佛教讲经场护场僧人使用的道场云旗变化而来的。大护法除了会力士云，他还会一种折肢软体的功法，这功法是从印度瑜伽功中蜕变而出。

修习这种功法的人，肢体关节可以向平常人无法达到的角度和方向弯曲动作，因此攻击对手时的方向和角度匪夷所思，这种功法叫转轮掌。

利老头只是个刽子手，百碎刀刀势虽然凌厉，但招法变化很是单调。而且每一杀后有回气聚力的习惯，使得前后招的连贯环节中有瑕疵。这些缺点让他根本无法适应大护法转轮掌的变化，施展浑身解数却连一掌都没能挡住。

一掌击出，手臂以肘为中点快速摆晃成一个圆轮，其中包括手肘根本无法弯曲的方向。虽然只是一掌，在利老头眼中却是千百掌，辨不出孰真孰幻。而此时，利老头又处于回气聚力的状态，根本来不及回刀反劈、以攻代守。

手掌落在右肋上，身体随着手掌跌翻而出。利老头所能做出的反应就是发出一声带着血腥味道的嘶喊，这嘶喊中惊骇多过痛楚。

大护法一招得手，未等迈步追击出第二招，那边杨小刀就已经赶到了。所以第二掌只好转向杨小刀，同样是角度方向无法预知的怪异一掌。

杨小刀出刀了，刀的路数竟然和大护法那一掌同样的转轮状摆晃，莫非他也学过类似的功法？

没有，杨小刀不会这样的功法，他只是很自然地捏住刀柄，以手腕为中点圆轮转动。虽然手臂不具备大护法那样的功法，但手腕是个正常人就能往各个方向转动。更何况杨小刀的手腕不需要自己转动，完全是靠刀子的带动。这把庖丁刀就像活了一样，刀尖始终追着血肉筋骨而行，似乎有种天生追逐血腥的灵性，所以不管大护法的手掌如何动作，幻化出多少个手影，那刀始终追住无数掌影中的真手不放。

没有人愿意以手碰撞利刀，包括大护法，所以他身形流水般地后退。

杨小刀发了狠，步步紧逼。因为这是个机会，只要大护法退逃的过程中稍有迟疑，这只变化无穷的手瞬间就会没了。

但突然出现的人救了大护法这只手。他们从烟火中连续窜出，是据巅堂调集的高手，得到指令配合大护法和两天王进逼西墙缺口。

杨小刀手中刀子划出两道炫丽的诡异光道，这是惑目掩形。随即转身，拉着利老头直奔寺墙的缺口而去的。现在形势反了，对家是要进逼而入，那么自己和利老头就该守住缺口。要是再让这帮瘪孙冲进去，里面的鲁一弃就真的没机会办成事了。

目的、方法都正确，可守不守得住缺口还要看能力。现在他们两个面对的是一群高手，一群不惧生死、训练有素的高手。这些高手不慌不忙，以有条不紊的队形缓缓往缺口围拢过来。手中兵刃摆出的都是必杀招式。

刚到缺口，杨小刀一下子将利老头扔在地上。然后迅速回身，以一招平刺捅牛式杀出。从对家高手的队形和人数来看，这样的招式无法守住整个缺口。但杨小刀没有换招，因为捅牛式的力道气势非常刚猛，他想以这样的攻招震慑住众多敌手。

一刀见血，殷红一点就在咽喉处。赶在最前面的高手攻势才起，手中兵刃便再难推进半分。刀中咽喉，却未毙命，刀尖刚入皮肉就马上停住。杨小刀很聪明，眼下目的是阻住对方，并不是要杀人。将对家一个人用刀抵住，左右他的行动，可以让其他高手投鼠忌器。这就像个肉盾牌，可以加大自己的防守面。

刀入毫厘之距，制住的高手却不敢退，如此快的刀速，他退逃不了。扇形围住缺口的人群中一个身影侧身而进，想从缺口的边上突闯进去。杨小刀刀尖微微带力，刀上所抵住的高手立刻人随刀行，否则半边喉咙会被切开，而移动后的身形正好挡住试图闯入的高手。

又一个身影扑出，直奔被制住的高手。杨小刀有些愕然，因为他看不出来者是要走什么路数，但他意识到不妙。

扑出的身影没有一丝犹豫，一掌推在肉盾牌的背心。杨小刀的刀想撤回都来不及，一下便刺穿了肉盾牌的咽喉。而与此同时，一股刀风从肉盾牌的身后斜砍而出。

杨小刀的刀一下被尸身挂住，无法运转，而且就算他及时将刀抽出，他又小又短的刀子隔着死去的肉盾牌也无法够到对手。

杨小刀只能急速退避，连刀都来不及抽回。很险，对手的刀风紧贴着杨小刀的脸面前胸而过，刀风刮过肌肤时火辣辣地生疼。刀是躲过去了，可手中没了刀的杨小刀又能有何作为?

胖妮儿转身直扑阴天王而去，其态近乎疯狂。而阴天王却是冷静的，转瞬间他便将如何应对这样一个疯狂攻势的思路理得分分清清。身形站定，双月牙对扣，脚步丁字，脚尖弓形，这是个顺让拦砍的招式，也可弹步扑杀。而且对扣的双月牙横翻切，形成一个刃旋，这相当于给神志有些紊乱的胖妮儿摆下了一个器扣。

胖妮儿完全失去理智，弯身垂头，样子和发狂的疯牛相仿。“裂魄凤喙刺”也没有弹伸出双倍长度，而是贴紧压在身前。脚步虽然快速，却是跌撞杂乱，根本无步法路数可循。像这样朝着阴天王而去，无疑就是把脖颈往双月牙上送。

当胖妮儿距离阴天王还有五步远的时候，阴天王确定这女子要死在自己手下。到这地步，不管她是进、是停、是退，都没有任何招数回天了。

当胖妮儿距离阴天王还有三步时，她突然停住了脚步。也许是月牙刃口的阴冷寒光让她稍稍清醒了些，可是来不及了。阴天王弓形脚尖用力，弹步而出，左手月牙钺燕翅展，以助出击的身形平衡，右手月牙钺水平横劈。此时胖妮儿要是抬头，就可砍下整个头颅。如果不抬头，那也能将头颅劈成前后两半。除非……除非胖妮儿的头颅是钢铁所制，否则必死无疑!

“叮当”一声脆响，月牙钺没能劈入头颅。这意外让阴天王惊愕骇然。本来铁定会一击成功的招数突然发生变化，阴天王下意识回撤月牙，以便自保或再击。

也就在这错愕之间，也就在这月牙下意识地回撤之间。阴天王没有发现，有一点寒芒挟凌厉尸气，随着月牙钺回撤势道一同奔自己而来。

挡住月牙钺的是“裂魄凤喙刺”的刺尖。刺尖为三棱槽，三槽在顶端汇作一个月形弧弯，平削成刃。这一点与阴天王的月牙钺很相像，但只有黄豆大小。而胖妮儿就是用这黄豆大小的一个弧形刃口准确挡住横劈而来的月牙钺。

阴天王没看清胖妮儿弯腰遮掩住的“裂魄凤喙刺”，也没想到“裂魄凤喙刺”不需动作便可利用机栝弹射变长来杀人。而且刺尖出击时，它的攻击面最小，在回撤的月牙钺刃光掩映下，惊愕中的阴天王根本没有察觉。

凤喙刺插入阴天王面门没有费太大的力。一则是刺尖太过锐利，再则借助了阴天王前冲余势。刺尖从右眼插入，从左后脑刺出。前面鲜血混着瞳孔的黑色素顺着杆身棱沟往外挤拥，脑后鲜血混同脑白顺三棱槽喷溅而出。

以必死之状博对手一击毙命，这一招叫做“凤凰涅槃”。因为招式险恶，稍有差池就会要了自己性命，所以胖妮儿从未使用过。而刚刚状态如同疯癫的她抛却了心中所有，只觉得生死皆可、杀命为快。这才使出这性命处于巅毫间的这一记绝招。

阴天王的尸身随着神呼滩上碎石一同往下滑滚，胖妮儿眼中的泪水也同时滚滚而出。这一杀，让她心中的悲痛、酸楚彻底宣泄出来。

阳天王立刻收住脚步，阴天王只是一招之间便遭毙命，自己的胜算又会有几分？不过他见金顶活佛站在那里，好像还制住了对家一个什么重要人物，所以决定先远远避开，静望其变。

活佛是在一团祥和之气的笼罩下突然出手的，而且力道刚猛强劲。但并非所有出手都是要人性命的，活佛一掌之下，未曾穿入鲁一弃身体的盲杖后端断裂了，三指一绞，生生拧断穿透身体的盲杖尖儿。盲杖断作三截，中间一截仍留在鲁一弃的身体里。没有办法，只有这样才能保证鲁一弃不会失血而死。

解除了盲杖的累赘，活佛单手提托在鲁一弃腋下，似架似拎地带着鲁一弃转身便走。

“把他放下！”养鬼婢发出一身娇叱，纵身便追。

胖妮儿回头见此情形，擦一擦眼泪也立刻提气纵步追扑过去，速度一点不比养鬼婢慢。只是在经过盲爷尸身时，脚下稍稍迟疑了一下。

阳天王并不清楚到底发生了什么事情，但他也一样紧紧跟上。

鲁一弃被活佛带着走很轻松，自己几乎是脚不沾地。但他开始为后面追过来的养鬼婢和胖妮儿担心起来。活佛虽然走得很快，脚下步法却是有规律的，廊尾亭一段，他走的是五四三循环步，绕白塔那一段，又改作连二的顿滑步。在这里，鲁一弃还看到廊里廊外一些已经启动了的机栝。两根廊柱崩弹出由上而下四层莲花锥；廊外平地突兀竖出两根尖顶四方的穿天柱；靠近白塔那边，地面上斜插了许多支燃烧着的箭杆。

有人已经闯到了这里，是墨家人？还是鬼眼三他们？不管是谁，他们肯定中了坎扣，不死即伤。

天梯山山体朝南的山脚处，有平整的裸石壁面，上头画着色彩艳丽的岩画，岩画的内容都是佛显世人、散花赐福、飞天圣女等佛家故事。在岩画的左侧，有一路蜿蜒往上的石阶。石阶不宽，陡度却很大，需要手足齐用才能攀上。

金顶活佛带着鲁一弃是直奔那石阶而去的。但还未踏上岩画前的小径，突然有人喝问：“佛爷，这是要往哪里去？”声音洪亮，犹如半空中落下一个炸雷。

鲁一弃被这声音吓了一跳，左右扫视，却未见到发声之人。

活佛对这问话却无动于衷，似乎早就料到，他低眉垂眼回了一句：“上天梯。”

“不行！”洪亮的声音再次响起。

“行因我欲行，你能奈何？”活佛依旧低眉垂眼。

“佛爷，你这是难为我呀。主上要我守住这天梯，你要上也得主上发句话。”

凭眼力找不到说话之人，鲁一弃便用超常的感觉去寻找。那面岩画上有一处气势蒸腾，发出声音的莫非是这画中人？但未等鲁一弃进一步细辨，他突然感觉到另一个熟悉和可怕的气相，就在身后坡下的墙弄里。这气相既有道家之气的自然玄妙，又有王家之气的霸道决断，是朱瑱命！可奇怪的是，朱瑱命那股气相始终静静蛰伏于原地不动，他有何企图？难道是在寻找最佳的时机进行偷袭吗？不会，他所图者必定比偷袭之事更有深意。

“朱家门长就在附近，此地不宜久留。”鲁一弃小声提醒活佛。

活佛眼皮稍稍睁开了些，然后朝着石壁朗声说道：“等不及了。参佛理数十年，只为今日这一刻，不容怠滞。”这话语气很是诚恳。

“那真没得说了，我受朱家恩宠也有几十载，不能连这么一处狭边儿都守不住。”画中人语气虽然婉转，其意却是绝无商量。

鲁一弃搜索到了发声点，可他怎么都不能相信自己的感觉，因为感觉到的和眼中所见、耳中所听的差异太大。

那处岩画是群飞天女子，个个身材丰盈妖娆，面容珠圆玉润，装束近乎赤裸，手持各种乐器。应该是《佛临世》“九龙灌天浴”中的天乐圣女。

让鲁一弃感到奇怪的是，这些飞天画像形态都是呈倒挂天和横飞天，就算朱家有什么变颜术能把人装扮得和画儿一样，这人也没法总是倒挂或横挂在光滑的石壁上。再有，如此美貌的画像，没一个像是能发出那种洪亮声音的。

“看来你定是要阻我修为。”活佛缓缓抬起头来。

“世人蛊惑谎诈无数，活佛不入世，不要误信世俗妖言，反误入了魔道。”

的确是一个圣女画像发出的声音，而且是个倒挂天的持琵琶圣女。鲁一弃感觉出了她嘴唇的微动和说话时气相的起伏。

找到正点，许多奇怪现象就能看明白了。鲁一弃用鲁家技艺中的“五分目”看出，那画像不完全是倒挂的，准确说应该是跷脚趴伏着。

“形若圣女，声若洪钟，似挂实伏。若说妖孽，谁出其右。活佛不但深陷俗恶之中，尚有妖魔为伴，难得清修不进，佛理难通。”鲁一弃在金顶活佛身边轻声说道。现在唯一能凭借的力量就是活佛，必须将他拉在自己这边。

“此女并非妖孽，而是朱家门长妾伺兽姬娘娘。因她精通豹房秘术[1]，所以门中又都唤她豹姬娘娘。此处为她守护之处，也是她练功之处。身形下伏如倒挂，是为阴阳倒修，以外阳滋养其私隐之处，以蕴豹房术所需真气。但这种行功法子也有弊端，会让所收阳气汇聚颈喉以上，包括颜面。阳聚颜面使得面润如霞，汇于颈喉，却使得其音如钟如鼓，不让须眉。”活佛这人实诚，倒不是着意想反驳鲁一弃刚才话里的意思，而是就事论事，听着却是在为豹姬娘娘辩驳解释。

活佛所说阴阳倒修的这些话让鲁一弃心中猛然一颤，他由此一下想起玉牌上“巅之渊”三字。“巅之渊”，以巅为渊，高低互换，不也有着阴阳倒行之意吗？“内合气通”之处，这走气不聚气的位置本该在山的哪一处？是巅？还是渊？可从山势上看，不管是巅是渊，都不应“内合”所说的无日月少四净。

双奇解

就在鲁一弃暗自思忖之间，突觉出一股凌厉杀气从金幢白塔那边缓缓移来，让人感觉如有锋刃切肤。移动的过程是断续转折的，应该是在解坎而行。

鲁一弃没有说话，而是转头看了活佛一眼，活佛脸色很艰难。的确，前有豹姬挡道，后有朱瑱命暗中窥观，现横地里又一把锋芒杀来。这种局势中，活佛不但要自保，同时还要护住受了伤的鲁一弃，就算是真仙真佛在此，也难免心中局促。

“唯一之路只能从豹姬娘娘这里突行，赶在其他强援到来前抢上天梯。”鲁一弃像是在自言自语。

1　明代宫廷中女子秘传，让男人可以欲仙欲死的房中术。

活佛相信鲁一弃的话。在他眼中，鲁一弃是个通透佛理、以心御敌的绝顶高手，有他与自己并肩而进，闯过豹姬娘娘这一关应该是件轻松的事情。

于是活佛架着鲁一弃就往前闯。见活佛要强行，那豹姬娘娘暴喝一声："佛爷，若要强行，可别怪我无情。"

话刚说完，石壁已是一阵喧哗。鲁一弃一听就知道是机栝张簧上弦之声。岩画范围很大，涵括了从塔外廊到天梯山石阶下大部分的路径范围。所以坎面的杀伤范围也很大，只要是踏上岩画前的路径，便再也无路可行。

艳丽的石壁岩画在发出响声后出现了一些微小的变化，而每一个变化都意味着一种杀扣或困扣的存在。

鲁一弃注意到了每个变化，《机巧集》与《班经》融会贯通，他心中的坎扣之理已经到达一个巅峰的境界。从这些变化中，鲁一弃可以肯定十五种以上的扣子存在。在他正对的岩画区域中有"八足抛网""窗形快口枷"和"刺猬靠"三种，然后往西面依次有"云霓圈""田字切""九九归一穿山矛""随风血罩"等等，往东依次有"天蟾吐金""落地座""梦笔生花"等等。其中还有两处鲁一弃看出弦簧所在，却辨不出来到底是什么扣子，因为只有管眼露出，估计不是腐液、毒水，就是熏烟、药雾之类的。

往东的鲁一弃他们可以不加考虑，因为从自己的立身处往天梯石阶是要往西去。这一段的扣子却是比东边要多，在十种左右。

坎子行从古至今，没一个人能连续从这么多机关中闯过。记载中最多的是唐代的坎家奇人墨非嫣，这是墨门中的一个奇女子，一生钻研坎扣之理。在她六十三岁时，独闯安禄山的听天堡，在堡中第二层布战厅中，连续闯过六道扣子，可最终还是丧命在"十切斧形闸"下。另一个就是宋朝的锦毛鼠白玉堂，他在逍遥楼落入"雀铃网"被乱箭射死之前，已经连续闯过五道扣子，然后又躲过"雀铃网"网口的莲花刀刺，算是过了五道半。这两人被称为坎子行中的"墨白双成"，是后人的标杆和楷模。

而现在是十道以上的连续杀扣，强闯而过的可能几乎是没有的，因为设坎之人会考虑到坎扣的连续性，后续扣子的杀伤会针对前一道扣子可能被突开的缺陷。

“活佛，这些坎扣你都能避过？”鲁一弃希望听到活佛肯定的回答。

“什么坎扣？”活佛表情很茫然。

“就是画壁之上的那些机关暗器。”鲁一弃生怕自己所说的坎扣对方无法理解。

“啊？那壁上有暗器？”这活佛完全不知道坎扣之理。

如刀般的杀气已经过了白塔了。鲁一弃感觉出来，这刀子般的气相在南岭上出现过，炎化雷说是叫十六锋刀人的杀手。

在绕塔廊尾端，尸气纵横，鬼气森然。肯定是胖妮儿和养鬼婢遇到了非同一般的对手，正全力搏杀。这点从尸、鬼二气可以看出，她们此刻已经将功力发挥到了极致。

朱瑱命那边依旧没有动，他是在等待最合适有效的机会。

豹姬娘娘上好弦簧后的坎扣都是用“影随形”光动咒触发的。现在不管鲁一弃他们往哪边动，只要身形变化，带动光线变化，就能启动咒符。咒符启，便会发无形力，或跳、或颤、或抖，牵触弦簧动作。

没有援手。活佛无法依仗。对手已经逼到近前。只能靠自己，不！必须靠自己和活佛的联手。鲁一弃的目光在查看，思绪在飞转。

该看的都看了，该记的都记了，该算的也都算了。破解办法已经在脑海中形成。接下来就是要正确且准确地去做。

“我说动，就走；起，便直跳；跃，便前跳；定，便停；伏，便俯身。”鲁一弃面色凝重地对活佛说，只有与活佛统一了口径，接下来才能按自己的要求和目的往前闯。

活佛只是微微点了点头，但目光与表情显露出的却是坚定和信任。

行动的信号统一了，另一个关键就是所行距离位置的控制。连续布扣的坎面中，哪怕半脚掌的偏差，都会导致性命毁于顷刻，所以必须有个鲁一弃和活佛都熟悉的定距法。

距离确定最常用的是八卦位数。可这活佛深研藏密佛学，对中原道家理数没什么了解。于是鲁一弃想到密宗佛学典著《藏佛七轮释身》。书中说人体有七轮为持，其中一轮体外，为“梵穴轮”，六轮体中，为

“顶轮”“眉间轮”“喉轮”“心轮”“脐轮”“海底轮”。七轮以体外“梵穴轮”为始，然后各轮之间位置距离各不相同。这计量位应该是活佛所熟悉的。

“九丈坐佛七轮之距为行，行前听我读位。”鲁一弃这是要以九丈高坐佛的七轮距进行位置确定。

活佛再次坚定地点点头。这种距离确定法，对他而言如同搬弄手指般容易。

拔出驳壳枪让鲁一弃感觉有些艰难。右手已经残缺，只能用左手射击，可刚才盲爷的盲杖偏偏又是刺穿的左肩窝。

手臂已经不能抬起，所以驳壳枪只能靠手肘提弯平端在腰间。

“砰——”鲁一弃第一枪只是为了找基准点。有了基准点，才能找到正确的感觉。

轻吐深吸，聚气凝神，身心尽趋自然。鲁一弃感觉之中已经没有了自我，肉体仿佛已经融入空气之中。一时之间，其气势纵横腾跃，如云行空、水行涧、光华灿天东。见此气相，朱家众多高手惊异了、错愕了。就连见过鲁一弃气相的朱瑱命都暗暗称奇，才数日未见，这年轻人所携气相中蕴含的能量变得更为强劲，给人一种无所能拒的感觉。

所有的机簧弦线位置以及动作形式在脑子里再次梳理一遍，将这些概念在意识中预构成一幅画面，这画面在他感觉中拉近、再拉近，拉到他能探手可及，拉到他可以一挥而就。

“动，心轮！”鲁一弃一声轻喝。

鲁一弃话音未落，活佛身形立动，带着他冲到九丈坐佛的心轮位。

活佛和鲁一弃才动，另一边机栝也瞬间触发。首先是正面范围中的“刺猬靠”，但它的弦簧只动了一半，便卡在了那里。因为鲁一弃在说出“动”的同时开枪，子弹正中“刺猬靠”主括位，主括撑板卡入齿杆，扣子无法继续动作。

第二枪射中“九九归一穿山矛”藏在石缝中的挂弦，枪响弦断，整个扣子的弦劲全松，穿山矛无一飞出。

“定！”鲁一弃又高喝一声。“定”字出口的同时，鲁一弃开枪射中了“田字切”的括扳。这扣子的机栝是侧向扳力，从鲁一弃的位置角度无法让机栝松弦退劲，所以鲁一弃枪击括扳，这样就能让扣子提前动作。鲁一弃让活佛“定”，就是要利用这时间差躲过最先弹射出的田字形切格。

“跃！海底轮。”鲁一弃又喝一声。

活佛应声而动，身形正好随着“田字切”顺序跃出。切格尽出之际，他们也正好到位。

但到位的同时，与“田字切”叠合的下道扣“云霓圈”正好动作，顿时，有无数锋利刃口的平扁钢圈飞云般卷来。而这一次他们两个正在扣形正中，再也无处可躲。

“伏！”鲁一弃让俯身躲避的同时，手中枪连续地响起。

子弹直奔那些锋刃钢圈而去，但枪里的子弹数量远远少于那些钢圈，再说这子弹要是打完了，下面的扣子还是无命可过。鲁一弃只打了五枪，每一枪都有极为巧妙的角度，被子弹击中的飞环变向撞到相邻的飞环，被撞飞环再撞飞环，虽然只有五枪，撞飞的飞环却有四五倍。于是如云的飞环群中出现了一个缺口，刚好可以让伏身收形的活佛和鲁一弃从中通过。

在旁人看来，活佛和鲁一弃就像在表演一场木偶戏、皮影戏，枪击声、机簧动作声是他们的伴奏。他们的身形动作是怪异地、莫名其妙地一会行，一会停，停后又行，再伏，再跃……唯一的要求是他们必须将这些动作连续、连贯地做到底，直做到没有坎扣的位置。因为稍有滞怠或者错失一个机会，代价将是两条性命，两条极有价值、无可替代的性命。

豹姬娘娘惊呆了，刀十六骇异了。暗伏的朱瑱命快步冲出，他不是要趁机攻击鲁一弃，而是不想错过震撼古今的精彩一幕。朱瑱命和别人不一样，他心中更多的是欣赏和佩服。当鲁一弃他们冲到最后三个扣子时，他甚至从心底暗暗给鲁一弃鼓劲，希望他能顺利闯过，希望他能创造奇迹。这就是所谓的“真正的对手才是真正的知己”。

一共十一道坎扣，虽然破解之法中有投机取巧让扣子抢先动作的，虽然破解过程是两个人共同完成的，但他们确确实实是闯过去了。不知道此举到底算不算超过了“墨白双成”创造的历史。

闯过之后，活佛倒没多想，而是稍稍平复了一下心跳和气息，便抓紧时间直往天梯石阶而去。当到达石阶之下时，活佛却突然放缓了脚步：“怪哉，豹姬娘娘的灵兽怎么一只都没见。”

活佛所说灵兽是朱家花费数百年精力培育而成的“三兽獒”。据考证，这也许就是《山海经》中提到怪兽——狡。《山海经·西次三经》中有：“玉山……有兽焉，其状如犬而豹文，其角如牛，其名曰狡，其音如吠犬，见则其国大穰。”

这些很厉害的灵兽没有守在在天梯下，是因为它们正在对付另一个厉害的闯坎者，莫天规。莫天规遇到这些灵兽时已经受伤，所以没交手就被这些畜生逼入到凸石之后的凹壁里。

莫天规在竹夹布卷上已经准备好冒险荡到绕塔廊中。可就在欲纵未纵的刹那，刀十六到了。刀头采用了最简便的办法来追袭莫天规，就是割断他立足的竹夹布卷。

莫天规刹那间感觉刀气侵背，不由地脊背肌肉猛然紧缩，汗毛立竖。但现在回头应对已不可能，不如索性按原来计划抢扑而出。

做法是正确的，但动作却慢了。不，应该是刀十六的刀太快了。刀头人就是刀，刀就是人。心意一到，刀也就到了。刀未及物，刀势就已经让竹夹布卷破断。

竹夹布卷一断，莫天规跃出之势便只借到半截劲力。脚下突然的虚空让莫天规不由发出一声惊呼，赶紧手中带力。虽然借助彝麻线的牵拉，可以让他身体依旧朝前飞出，但因为扑出之力只有半截，所以斜下而落的幅度也更大，而且那廊柱在借力之下，触动机栝，柱子由上而下弹出四层莲花锥。这一切导致莫天规最终的落点仍在“九色天云兽纹场”范围中。

落地点有翻板，微微一踩那翻板便会侧翻，翻开的口子中有“倒射天柱”撞出。“倒射天柱”，为尖顶方形石柱。高过两丈八，四格窗见方的粗细，扣子的分量极重，上冲的速度也不快。这是因为这种扣子的上冲攻击在其次，它的主要作用是所有柱子启动后形成一道屏障，将闯坎之人逼入死路。

莫天规之所以敢在此处冒险，就是因为他有办法对付“倒射天柱”。当一只脚刚踩开翻板，另一只脚便立刻在旁边的翻板口边沿上借力一踏，尽全力腾身而起。两根“倒射天柱”上冲而出，追上了莫天规。因为都是上冲之势，而且莫天规已经预料到直柱尖顶的所在，所以他只是被尖顶侧面硬生生推了出去。借助这力道，莫天规调整身形继续朝前扑出。

伤到莫天规的是那几支箭，从金幢白塔上射下来的箭。

相邻的两个坎面，又有坎沿相交，那么将前坎的最尾一扣做成与后坎联动，这是坎子家常用的技法。莫天规被两支“倒射天柱”推出之时，两根柱子带动了下一坎中的“飞雨射”。没等落地，已经有三支牛尾箭射中了莫天规。

落地的位置在白塔坎面内。刚落地，土下就跳出两副“片钩钳”夹住了莫天规的右大腿和右脚踝。“片钩钳”类似兽夹子，夹口锋利，夹劲刚猛，有铁链和地下固石相连。遭此利器攻击，莫天规大腿处立时皮开肉翻，脚踝的胫骨更一下就给夹断了。

到底是墨家当家人，遭受如此重创却没一点惊慌。他伸手拔出背负之剑，青芒一闪，便劈断了“片钩钳”的钳口。然后也不管身上插着的箭杆，就地而滚，直滚到绕塔廊的廊栏边上。滚动中，箭杆都被压断，可箭头却更深地插入进身体。不过这滚动是及时的，眨眼之间，“片钩钳”已然被箭矢和枫叶镖密密覆盖。

廊道基座下，是绕塔廊和金幢白塔的坎沿，这位置是安全的。但再安全，这里都不能久留。现在已经不是救助鲁一弃的问题，而是要自保性命。背后那刀锋般的人正在解坎过来，自己身受如此重创，无法再与这样的高手对敌。

莫天规点压几处经脉穴道，止缓流出的鲜血。然后以剑为杖，跌撞而行，沿廊基跑出金幢白塔的坎面范围。他知道，此时再不能往西面去了，自己这样子，非但帮不了鲁一弃，反而会连累到他。那么是往东走呢？还是就在此地等待援手？

就在这时，突然两边有异常响动。莫天规汗毛陡竖，脊背发寒。没有刀气、杀气，只有异响和兽气。

第六章　五行天宝现身，鲁一弃舍身定凶穴

山脚下，正南为“金乌逐玉兔”的坎相，西面为“六阳旋照”的坎相，东面为“星明汇日流”的坎相。而在山上，有鲁一弃挟带至正天宝，宝气腾炫。无意之间，这四处功用合为一处，便形成一个可以改变世运国命的至阳大局，叫做“宝阳颠锁阴凶”。此局只在上古奇书《帝经脉衡择》中有过写录，亘古至今，只出现过一次，便是姜子牙火攻朝歌城，以此局将商纣命运彻底颠覆。也正因为有了此千古奇局，与“天”宝千年相衡，已经隐匿于天梯山山体中央的阴脉凶穴被逼迫而出。

皆狻杀

异响是鼻息，气相是兽气。只是不清楚是什么兽子，更不清楚这种兽子的厉害，只清楚有巨大的危险与兽气同在。面对这种情形，莫天规只有继续奔逃。

莫天规虽然右腿重伤，浑身浴血，但逃命时的速度还是很快的。背后是坎面，两边有兽子，奔逃的方向只能朝前。但那个方向是山脚的一个内凹处，没有路，只有无法攀援的山体，不过这地方也不能算是绝路，至少可以背靠山壁御敌，而且身处凹处，对手的攻击面展不开来，是应对多个敌手的好位置。

两边逼近的兽子跟在莫天规后面，速度很快。但它们似乎并不急于灭了莫天规，而是始终保持一定距离。或许莫天规是它们未曾了解的对手，它们在谨慎而行。

身体就要触到山体石壁时，莫天规猛然反手挥出一剑。这一剑是防止兽子趁自己停步转身的瞬间攻扑过来，同时，他也是借这一挥之力让自己稳住骤然停住的身形。

转过身来，这才将追他的这群兽子看清楚。它们体型不大，比豹子还要小些，但头颅却是硕大。脖颈处毛鬃蓬张，额高如肉角隆起，眼若铜铃，口若血盆，像雄狮；尾若鞭杆，爪利赛钢钩，像老虎；削腰收腹，身上有花斑隐约可见，却又与花豹一般。那些兽子见莫天规停下，便也都停住追赶，只是紧紧围住。鼻息之间更多出一些低声咆音。听那咆音，竟然如同疯犬。

似狮、似虎、似豹、似犬，这是什么兽子？莫天规心中一颤，脑袋嗡然。兽有奇相，必有奇恶。被这样一群凶兽围住，是否还能留息而存，只有天知道。也许天都不知道，只有那群兽子知道。

这些兽子其实就是豹姬娘娘辖管的灵兽——三兽猰。豹姬布设兽坎，一般是在外围放饥饿的虎豹，在内围关键处才会放这种三兽猰。这三兽猰其实是用四种恶兽杂交而产，为狮、虎、豹、猰。先是以狮虎杂交而产出狮虎兽，再以花豹与藏猰杂交出猰豹，最后猰豹与狮虎兽进行交配，产出三兽猰。本来只要是杂交之兽便再无繁殖能力的，数万次中才偶然会有一只能行交合，产出幼崽。但朱家高手不知从哪里寻来的改造之法，用内药配合金石之术，最终让狮虎兽与猰豹配成，产出三兽猰。有人经过一些文字典籍的印证，说《山海经》中的“狡”就是三兽猰。

围住莫天规的三兽猰并不急于发起攻击，其中一些甚至已经趴伏下来。不过一个个都将眼中碧绿的凶光盯牢莫天规，不让他有丝毫逃遁的机会。

过了一会儿，中间有一只三兽猰慢悠悠地迈动步伐，朝莫天规这边走来。但它并不是直走，而是左晃几步右晃几步，低矮着身形一点点朝莫天规靠过来。

这些兽子很聪明也很谨慎，这点有些像狼，但它们应该比狼更冷静。如果是狼的话，在闻到莫天规浑身的血腥味后，早就群扑上来了。可三兽猰并不是，它们只是围住，然后让一只兽子先出来试探目标的虚实。而出来试探的兽子是以一种游弋的状态慢慢接近，这种状态便于突袭，也便于快速逃开，这一点像狐狸。

没料到的是，这三兽猰比莫天规想象中还要聪明狡猾，它没有在游弋间发起突袭。而是在距离莫天规已经很近的一侧石壁停了下来。这样就算莫天规突然向它发起攻击，也就只有正面和一个侧面可攻，而它却是可进可退可闪，甚至还可以借助石壁上蹿旁纵。

莫天规觉得不可思议，这样一个怪异的畜生，心思缜密得竟然不弱于江湖高手。

这只三兽猰站住后，兽群中又一只三兽猰游弋而出。不用看，莫天规就知道，这只兽子肯定会像第一只那样在另一侧站住。而当它们将所有有利位置都占据之后，就会朝距离自己更近的位置游弋，继续占位，直到它们只需伸颈探口将自己咬碎为止。而在这整个过程中，只要自己有什么行动，已经占据有利位置的兽子会对自己进行牵制，其他的兽子则趁隙猛攻或者静观其变。

看清形势的莫天规不会再让第二只三兽夔占好位置了。他艰难地移动了一下脚步，手中剑疾如闪电地直奔第一只占好位的三兽夔。

莫天规的剑，刃宽背厚，但重形之中却不失轻灵。剑式是反手横劈，这样的攻击面较大，兽子后退或前蹿都在剑势范围之中。

可那只离得最近的三兽夔没退也没进，只是豹腰一拧，前身立起，就轻易躲过了莫天规的一击横劈。莫天规早有打算，招式才使出一半便变招了，横劈改作了竖挑，剑头直奔三兽夔颈下挑起。

让莫天规骇异的情形出现了，那兽子见剑挑来，前掌猛然一甩，从侧面拍在剑身上。不但拍的位置准确，而且力道奇大。莫天规的剑一下被拍开，剑头重重撞在石壁上，溅起一串火星。而更为骇异的是，那三兽夔趁剑头在石壁上撞击后的一缓之机，张口直往剑身咬去。它竟然是要夺剑!

莫天规心中骇异，手中却不弱。剑回抽半把，让过兽口。然后突然前刺，奔尚未闭合的兽口而去。

三兽夔前扑低头，但还是慢了些。剑擦着兽子的头顶刺过，一溜长毛飞散开来。

被刺的三兽夔晃了晃硕大的脑袋，然后依旧站立在原位。莫天规的这番攻杀，竟然没能将它逼退开一寸的距离。待莫天规绝望地退回凹处时，第二只三兽夔已经在另一侧的有利位置贴壁而站。

紧接着，兽群中第三只三兽夔踱步而出，游弋而进……

易穴脉仍在与高奔雷对峙。高奔雷没有轻视面前的对手，不要说他拿的是根软长的针，就是拿根枯黄的草，他也一样会积蓄全身功力而战。但他怎么都没想到，自己才挥杵抬腿迈步，对手似模似样的招式一下变成双膝跪下，朝自己扑拜到地。难以置信，如此软弱不济的对手也敢来闯朱门重地。但这样的想法只在迈出脚步的半瞬间，在脚步迈出落下的另外半个瞬间中，高奔雷知道自己错了。高手对决，错了就意味着败了、死了。

易穴脉就是瞧准高奔雷身体微微前倾才跪下的。身体前倾，是要迈步前冲，迈步前冲，就会探出脚来，所以易穴脉不但跪下了，而且还拜伏到地。

高奔雷也就是一念之间的迟疑，如果是前半瞬的迈步，那他还有转机，可当到了后半瞬，他的脚已经收不回去了。

对于这一点，其实易穴脉比高奔雷更清楚。学医之人当然非常清楚人的生理结构，也非常了解人体类似膝跳反应的一些无主观控制。高奔雷就处于这种状态，而跪趴在地的易穴脉也正拿着那根细长的银针等着他那只无法控制的脚掌。

针很长，不同于一般的银针，但这样的长度，刚好可以将刺入点控制在高奔雷脚掌无法收回的高度。针很细很软，可在易穴脉三根指头的持捻下，十分轻易地就刺透了厚厚的牛皮靴靴底，进而刺穿高奔雷厚厚的脚底肉茧，刺入到血管经脉之中。

按理说，这样一根针就算是刺透脚底，哪怕是正中脚上什么穴位，都不能对人造成太大伤害，何况这一针刺中的不是穴位。事实上也是如此，虽然长长的针刺入脚掌，高奔雷却并没有感觉到任何痛楚和不适。所以当脚步重新可以被控制时，他没等脚掌全落下，便提气抬起。但他手中奔雷杵落势未变，依旧朝着易穴脉背心砸下。

易穴脉的医道是反常理的，所以他被叫做“倒拔穴”。什么是“倒拔穴”？就是颠倒穴位位置，头痛医脚，内病医表。而所用的针灸技法亦是以拔代刺，疏血气代替聚血气。虽然易穴脉此时刺中脚底的位置的确不是穴位，却是经脉血气的纠合之处，相当于小气门。练功之人都有气门，也叫罩门，为最软弱的散功点。但除此之外，他们身上还有许多精血、真气的聚合点，这些位置也很重要，它们关系到身体某些部位的运转状态，这些聚合点就叫小气门。

小气门很少有人注意到，因为都是处于多肉皮厚之处，一般是伤不到的。等真的被伤到时，这练家子也差不多是个废人了，所以只有身怀高超技艺的医家才会注意到小气门，因为在医治内外伤时，这些部位是很重要的通气散淤之处。

随着高奔雷提气抬脚，银针从脚底拔出，随之而来的是血气外泄，中元溃破。这一针带泄出小气门的血气是联控双臂的，因此奔雷杵虽然扬起，但麻木的双臂却无法将其挥下。

银针拔出来了，跪拜在地的易穴脉上身也挺起来。但他双膝依旧跪在原地，将刚拔出的针再次刺出。

这次银针扎中的位置让高奔雷心头一酥，血朝面涌，感觉不但不难受，反而有些舒服和刺激。银针扎在高奔雷的裆部，正中命根冠沟。针才入肉穿根，手腕弓抖，立时拔回。

但此时高奔雷已经意识到后果的可怕，情急之中，他死命地将重新提起的那只脚朝前踢出。

易穴脉过于托大了，一招得手后的得意让他冒险连续下了第二针。被踢中一脚就是为此付出的代价。这一脚正中胸前，易穴脉连哼都没来得及哼一下，身体便在地面上平飞出去，落地后又连续滚了五六圈，直到被石栏挡住才停下。然后脸面朝地趴伏着，像是已经死透。

也是因为这一击重踢，易穴脉没能将插入的银针完全拔出。但拔回大半的银针，所带出的血气已经让高堂主没了扎入时的舒服刺激。他只觉得全身的血都在往面部冲涌，整个脑袋就像是要爆开一样。终于，他发出一声撕心裂肺的吼叫，随着这吼叫，鼻下人中处裂开一个血洞，一颗血球抖晃着飞出，掉落尘埃，四溅而散。

本来银针完全拔出的话，裂开的位置该是眉心。那样的话，高奔雷就会毙命当场，无丝毫回转生机。现在裂开的虽然是人中，但高奔雷感觉丹元气由裂开处快速外泄，就像是个决堤的口子。随着丹元气的外泄，他全身的力气很快消失殆尽，双脚不要说踢人了，连站得无法站稳。身体直直朝后倒下，软瘫得像堆稀泥。倒下时，手中的大杵重重落在石铺地面上，石面被一溜儿砸碎了四五块，那声响就像撞响了寺中晨钟。

奔雷杵才落地，易穴脉坐了起来，面色青紫，气息难转。他随手从衣襟间抽出一根灸针，银针在左手小拇指中节上一刺一拔，顿时口中连续喷出三大口紫黑淤血。喷出了淤血，易穴脉的脸色一下好了许多，再经过几次深长气息的转换过后，他扶着旁边石栏缓缓站起身来。

看着地上兀自勉强挣扎的高奔雷，易穴脉撇嘴角笑了笑，这个结果他还是很满意的。高奔雷虽然没有立死，但现在已经连个平常人都不如，而且如果得不到及时救治的话，性命依然会不保。

环顾了一下周围情形，确认再无其他威胁后，易穴脉也朝左殿后方走去。不过从他离去的背影看，已经没了原先的轻灵飘逸。

被对家人马步步紧逼的利老头和杨小刀仍在退让。杨小刀的刀法虽然厉害，但身形的转换移动却算不上真正的高手，而且他是倒退着避让，脚下又是满地的碎石，更加没法将身形展开了，所以在对手紧逼之下，杨小刀一下就陷入重重危机之中。

倒退中的杨小刀连续两个踉跄，几乎跌倒在地。对手抓住这个迟缓的瞬间，刀势已经将他完全罩住。现在只需杨小刀身形再有一个迟缓，对手立刻就能要了他的性命。而这迟缓随着不断的攻击和不顺的退逃终究会来的，杨小刀已经有半条腿迈入了鬼门关。

就在这个紧要的关头，躺倒在地的利老头突然平地翻转而起，手中鬼头刀化作一片白光斜砍而至，就像旋起一股狂飙。以尸体为盾牌的杀手连声惊呼都没有来得及发出，就被连同挟持的尸体一起砍作两截。一片血雨溅出，鬼头刀后红绸如云飘起，全部收拢其中。

砍杀完对手，利老头右手握柄横刀，左手托住刀上鬼头，拦在杨小刀前面。

杨小刀终于有机会喘出一口气，也终于有机会从肉盾牌的尸体上拔回自己的刀。

半圆形围住的那群杀手当然不会就此罢休，左右两个身影突闪而出，一个纵身攻上，一个低身攻下，目标都是利老头。

利老头受伤不轻，他此时的脸色铁青，手中的刀也由晶雪颜色变成湖水般的青色。对手双双杀至，利老头身形竟然未动分毫，像是连稍稍避让的能力都没了。

杨小刀从利老头身后扑身而出，杀向攻下的杀手。那杀手似乎早有预料，身形立刻斜斜飘开。杨小刀的刀子什么都没捞到。而攻上的杀手，其势施展得更猛更疾。

一个为诱，一个实杀，这是经过无数次训练和无数次实战的配合。这两个杀手，不管你杀向哪个，哪个都会顺势避开，只是诱住你，而让另一个实施真正的攻袭。

杨小刀反应还算快，一见这边的杀手顺势飘开，马上转向另一边，挺身举刀迎去。可是已经晚了，杀手的刀已然落下。

利老头横托的刀并没有举起对敌，而是平探出去。这是以攻为守的一招，这一招可以在对手下落时，削到他的右下肋和小腹。但这招并不绝妙，对手只要敢拼着受伤，他砍下的一刀还是可以轻易要了利老头的性命。

问题是不管怎样厉害的杀手，他们最初的宗旨就是先要保住自己，然后才是伤敌。面前攻来的杀手也不例外，所以面对平伸过来的刀，身形下意识侧扭。

同百碎

利老头的刀没有削到对手，对手的刀也没有要了利老头的命。

杀手落地之时，利老头的鬼头刀已经甩到了另一边，丝毫没有碰到杀手。杀手虽然因侧扭而导致刀子偏移，但还是实实地砍中利老头右肩，刀口及骨，痛彻心扉。

杨小刀的刀到了，直刺杀手面门。本来这情况下，那杀手应该撤刀后退，但现在他只能是做到仰面避开。因为当他的刀落在利老头右肩上时，利老头原先托住鬼头的左手狠狠拽住了他持刀的手腕。

杨小刀一刀不中，立刻变招，刀尖下落，刺向对手咽喉。

“住手！让我来！”

刀尖本来已经抵到杀手咽喉，听到利老头这声喊，杨小刀顿时将必杀的刀势停住。而利老头的鬼头刀已经抬起，朝着杀手胸腹处缓缓刺来。

刀的速度不快，刺入杀手胸腹时却是轻松的，这鬼头刀太过锋利了。刀身上流淌着鲜血，有那杀手的，也有利老头的。而刀柄上红绸这次却再未能将被杀对手的鲜血拢住，它上面此时渗进的只有利老头顺手臂流下的鲜血。

利老头松开对手的手腕，顺势将刀柄上红绸扯下，一把塞到旁边杨小刀的手中："快走，有机会将这红绸带给鲁门长。"

杨小刀看了利老头一眼，此时他的眼睛是血红的，脸色也是血红的，手中的刀也不再现青色之色，而是泛出一片血红之光。杨小刀没有多问一句话，从利老头的语气和目光他已然知道，自己必须按照利老头说的去做。

半圆形的包围还有四五个人的身位就要合拢了，真要被围实了，杨小刀能否再冲出去就是个未知数。杨小刀的庖丁刀乱电飞闪，如狂如癫。在这样迅疾的刀势掩护下，他冲出了围圈，朝天梯山山脚奔去。

没人去追杨小刀，因为他们都知道杨小刀逃遁的方向没有路，那里只是一处风化严重的破崖壁，神呼滩上的碎石，就是从那上面破碎塌方滚下来的。

利老头虽然身材矮小，此时却显出一股傲然之气。他将刀背扛在不断涌出鲜血的右肩上，看样子他受伤的右臂连刀都提不住了。而左手则在右肩伤口上抓了把血，然后在头顶轻轻抚摸。在鲜血的滋润下，头发一丝不乱。

杀手们的围圈合拢了，利老头再无逃出可能。大护法从人群中走了出去，这并非他敢于面对对手，而是因为对付利老头他有十足的把握。利老头没受伤时就不是他的对手，现在既中掌伤又中刀伤，自己不管是擒是杀都是抬手间的事。

走到利老头近前，大护法不慌不忙地伸出了手掌。他是在用这样一种方式明示利老头，自己只要转轮掌一出，利老头将再无机会。

利老头没给大护法机会。他一直微笑的颜面突然凝滞了一下，扛在肩头的鬼头刀刀身一翻，刀口朝内猛然一拉。随着血光乍现，利老头脖颈正中绽翻开一道血口，就像一张咧笑的嘴巴。嘴巴吐出一股殷红，融汇在血光灿烁中，并且快速铺满刀身，让那鬼头刀红得发胀、发亮。

大护法停住将要击出的转轮掌，对面前这老头自刎一刀他没有感到特别意外。既然最终的结局铁定是死，那么自刎至少还能多些江湖人的尊严。

利老头脖颈间的血在继续喷涌，但他的身形却没有倒下，眼睛也没有闭上。他依旧在审视着大护法，审视着那些杀手们，眼神里竟然全是轻蔑和怜悯。

此时笑脸鬼头刀越来越红、越来越亮，其中聚集的太多刃光和血光已经不是这刀可以承载的了。

“不对！快闪！”大护法其实并不知道哪里不对，只是瞬间在心中生出一种巨大的、可怕的危险感觉，不由地想逃。

可是已经来不及了，随着笑脸鬼头刀发出的一阵刺眼爆闪，一团血红四散迸溅开来。爆闪很亮，血光很红，却没一丝声音，连碎片碰撞、入肉的声音都没有，只是像刀上的积血散开了一样。

笑脸鬼头刀，实名百碎刀。杀戮性命越多，鬼脸的笑意也就越浓。杀取百条性命之前，必须回炉重铸，否则满百命刀身会爆裂崩碎，杀人杀己。凡是使用这种刀的杀家，杀戮的同时会将命丧刀下的人数清楚记住。

利老头家传的百碎刀，当然知道这样的定数，所以他已将一切都盘算好了。杀了以尸体为盾牌的那个杀手后，刀放青光，也证实了他心中默记数字的准确。于是，才让杨小刀先走，自己留下赴死。

刀爆之后，利老头被崩碎了大半个身体。离他最近的大护法也被崩碎了小半个身体。其他围住的杀手纷纷倒地，连垂死的惊呼都未发出。因为碎片才入身，他们就已气绝，脚步未移动就完全僵硬。随即身体痉挛蜷缩，没挣扎便都死去，死状极其恐怖。

百碎刀百数爆碎之时，已经浸透百条性命的血精和怨毒。其碎片遇血而化，随血而行。碎片入肉，就已经不是刀在杀人，而是百条凶魂恶魄在杀人。

只有第二批进入寺墙缺口的杀手由于距离较远，没有中到百碎刀的碎片。他们在一番惊愕惶恐之后，马上绕开那堆难看的死尸，继续坚定地朝杨小刀追逼过去。这就是朱家训练出来的杀手，无惧无退，心若死士。

杨小刀远远地看到了利老头碎刀杀敌的场面，也远远地闻到飘过来的浓重血腥味道。不知因为惨烈的场面还是血腥的味道，让他腹中翻腾不已，弯腰勾首干呕几下，并没有东西吐出。倒是这一番挣扎，让一双眼睛充满了浊泪，蒙眬了视线。

一把擦去混浊，让双眼能够明视，看到的却是继续掩杀而来的杀手。转身而望，面对的是塌落的崖壁，无路可去……

此时的胖妮儿和养鬼婢正并肩而立，她们面对的杀手比从西墙缺口逼入的那些人要厉害许多。其中大部分为朱瑱命亲自带来的高手，包括十六锋刀人和总堂护卫，另外就是各堂口临时调来的顶尖人物。他们是朱瑱命之前安排在寺庙附近，然后从暗道回寺守护的，而且尾随胖妮儿的阳天王也加入其中了。

胖妮儿和养鬼婢知道自己不是这样一群人的对手，但她们两个却决定死守在绕塔廊处。因为这样一群高手追逼进去，鲁一弃真就没有任何机会了。选择守在廊头的位置，是因为廊道的蜿蜒布局和周围的坎扣密度对群斗很不利。就算对方人再多，就算他们再熟悉周围的坎扣布置，最多也就是三四个人的面儿能往前攻。

事实上双方的交锋非常短暂，胖妮儿和养鬼婢才显功力，对方就已经停止了攻击。停止，是因为他们接到某种信号，某种根本不容抗拒的信号。这一点养鬼婢比胖妮儿清楚，毕竟她自小在朱家长大，熟悉朱家的诸般规矩。

发出信号的人肯定就在附近，这边对峙的攻杀局也肯定在他的视线范围中。发出的信号是让占着优势的己方停止攻杀，那肯定是有着其更厉害的布局和后手。养鬼婢感觉自己两个人傻傻地守在这里，反变得更加危险，就像是静待挨宰的绵羊。必须摆脱这样的形势！

“我们必须赶紧离开，而且走之前要想法子阻住这些杀手。”养鬼婢自小很少和人打交道，说话也不懂什么客套。

胖妮儿此时比盲爷刚死时冷静了许多。她这样一个人精，只要思维清楚了，那么爆发出的能量将是十分可怕的。

“你先走，七十步的位置等我。”胖妮儿回道。

养鬼婢走得很从容，她是个相信别人的人，所以根本没替胖妮儿担心。养鬼婢走得很轻松，身后的绕塔廊虽然布满坎扣，但这些朱家常布的坎扣对于她来说，就像又回到家一样熟悉。

养鬼婢走后，胖妮儿一边探手在腰旁的小包袱掏拿着什么，一边往后侧斜走几步。这几步，正好是沿坎道的一个转折拐过。这样在她与杀手们之间就又多了两个扣子的踩点，也就相当于躲入了一个墙壁的拐角一般。

胖妮儿也很从容，她没管养鬼婢走没走到位，也没管对面的高手是不是有什么异动。只管自己从包袱中掏出个蓝花布的小布包。布包托在手上，她嘴中开始念念有词："青黄赤白黑随宜，前世得凶今世吉，拢得三经血脉气，不做阴世冤魂吟……"

这咒语既非出于道教方术之家，也非出于异域蛊巫邪派。从源头上讲，它倒是与道教稍许有些渊源，是个练气门宗行气时念诵的咒语。这练气门宗的创始人是东汉时的一个神医，名为陆悬月。他虽金石药理已趋神通，却更慕仙化之道，于是师从东汉时著名道家魏伯阳，苦修魏伯阳糅合《易经》《老》《庄》为一体的奇著《参同契》。《参同契》为行气经丹之鼻祖，陆悬月专攻行气之学，最终大成，脱离师门自成一派为"合德气宗"。其名之意是取《易经》中"阴阳合德而刚柔有体"。此宗派在唐宋之后便颓败，只有西北之地尚留少许遗脉。

胖妮儿是从盲爷盗来的一本古籍中学到"合德气宗"技法的，其技法已经不正宗，夹杂有许多异域的蛊巫技法。好比现在，她的行气之法虽然与"合德气宗"相合，可所行之气却不是内修的阴阳正气，而是那个蓝花布包。

蓝花布包打开，里面还有个金色绸帕的小包袱。绸帕上绣满经文，隐隐还有个不明显的朱砂封印。

胖妮儿念咒声越来越高，右手食指则在金色布包上方虚画。于是小包袱的包袱结自行缓缓松开，绸帕四角无风而展，露出其中包裹着的东西。

五块灰白色的东西，有长有短，有粗有细，形状都不规则。五个东西气相强度、流势各不相同。

"骨头！那是人骨头！"认出骨头的是朱家三川堂的一个剖尸高手。

"有骨气，有尸气，还有毒气。"又一个湘西的练气高手看出几块骨头所带气相。

胖妮儿口中的咒语声越来越高、越来越快。渐渐地，她手中那五块骨头的气势纵横腾跃起来。

五块骨头，每块都同时蕴含了骨气、尸气、毒气。区别是它们所蕴含的这三种气相类别不同。骨气有枯骨之气、幼骨之气、残骨之气等等，尸气有腐尸之气、活尸之气、干尸之气等等，毒气就更多了，每块骨头上都不下四五种。

因为所蕴气源的不同，所以显现的气相也不尽相同。五块骨头上腾跃而出的气相分显出了青、黄、赤、白、黑五色，这五色气相一会儿融汇一处，一会儿又四散流开，悠忽不定。

“律，急，行！”胖妮儿呼喝同时手臂一挥。五块骨头抛出，在廊道中滚散成“九泉五重关”的局相。

五骨落地，气相顿时膨胀，翻转盘旋着往周围散开。其势头走向暗合“九泉五重关”的局相布置，迂回潜游，如触手、如蛇信，毒质昭彰，五色灿然，腐臭飘荡，隐似有鬼魂暗尸挣扎游走。

朱家一众高手见此情形，都情不自禁地往后退缩两步。

胖妮儿撒下骨头后转身就走，从她的脚步速度上可以看出，她在刻意避让散开的气势，不让自己身体的任何一个部位裹入五色气相之中。

朱家高手中有注意着胖妮儿的，这是江湖经验。对于一个自己不知道的布局，最好是看布局者的反应。如果连布局者自己都显畏怯的话，那么其他人更应远远避之。看出胖妮儿行动细节的一些高手开始快速退避，大幅度、大距离朝后退避。而不知就里的其他高手，见有人退逃，便也乱糟糟地跟着。

养鬼婢刚刚才在七十步外站定，那胖妮儿便也赶到，拉着她继续朝前奔走。

“你慢点，瞧清楚前面有没有坎局。”养鬼婢知道朱家的厉害，于是急急地提醒胖妮儿。

“一弃已经过去，有坎子也给破解了。我摆下的‘五骨行气迷’虽凶，但至多撑两盏茶的时间，其后便全是虚相。”

两盏茶的时间，说长不长，说短不短。

胖妮儿和养鬼婢的身手都是极快的，完全可以利用这个时间段赶上鲁一弃。但前提是无人拦截。而这两个丫头真的不够幸运，刚到那片岩画下，石壁上便飘然落下一个丰腴身影拦住去路。身影头下脚上倒挂而下，在快着地时飘然翻转。身影很美，衣如云，面如霞，肤如雪，真就似九天仙姑下到凡尘。

“豹姬娘娘！”养鬼婢一声惊呼。她虽然没见过豹姬，但她的特征模样却是不止一次听说。养鬼婢的确害怕了，因为豹姬的功力不在自己师傅之下。就算自己与胖妮儿联手，都很难从她手底过去。

胖妮儿是个老江湖，她从养鬼婢的声音表情上就知道遇上了可怕劲敌。于是暗中蓄势，随时准备拼全力一搏。

于是三个女人呈犄角状而立，人未动，气势已动。三股气相如云升空，纠缠翻转、撕拉撞击着……

凶局变

越往上走，鲁一弃越觉得不对。数百级石阶后便不再有阶梯路，而是变成曲折蜿蜒的斜坡。不是说此山叫天梯山吗？那上得了天的阶梯不会就这么数百级吧。

心中虽然有疑虑，脚下却没有停，也许继续往上走就会有自己想要的答案。而且此时鲁一弃也只能继续往上走了，后面紧紧逼跟过来的气势灼盛而熟悉，那是朱瑱命。朱瑱命亲自带人紧逼其后，这让鲁一弃除了往前走还能有其他什么选择吗？

而此时，活佛却显得很是兴奋。不知道为什么，他觉得和这真神般的年轻人一起登上天梯山，有种从未有过的自在感觉，每一个毛孔都透着惬意轻松。莫不是自己正在被引导向佛家的自在至境。

与活佛不同，鲁一弃很谨慎，每走几步便仔细观察周围环境的变化。但在活佛的扶携下，鲁一弃的速度其实并不慢。没多久，两人就差不多到了半山的位置。

从远处看，天梯山半山位置应该算是整座山体上最为神秘的位置。此处终年有厚厚云层覆盖，看不出掩盖之下有着怎样的蹊跷。

而按照鲁一弃的观察以及对山体风水局相的推算。半山还是个很重要的位置，这里是阴阳凶吉的交汇处，以宝镇凶的压点。从这个道理上推断，凶穴的位置应该离得不远。

但更大的疑问随即而至。鲁一弃连续几次聚气凝神，身心趋于自然去感觉，却根本没有到达凶穴宝构处的迹象。这很奇怪，就算是墨家所建宝构有变，那凶穴却不该踪迹全无呀。

“不走了。”鲁一弃轻声说了一句后顺坡坐下。

“佛行万里为始，此处尚远。”活佛话虽这样说，脚步却是停下了。

鲁一弃苦笑了一下：“苦行而来，这里却似乎无我所寻。”

“所寻身外物，南北对阳明。不管凡世间还是神佛境，首先要寻对地方，然后才可有所求寻。”

活佛的话让鲁一弃幡然醒悟，是呀！首先要找对地方。天梯山山顶冰雪封盖，应属阴极。而玉牌上也有“颠倒天”三字，莫不是凶穴还在顶上？可“梯起”二字又代表什么呢？

鲁一弃潜心思悟，没有注意到活佛还在稳步继续朝上。

朱瑱命离鲁一弃不远，他只带了刀头刀十六。那刀头从金幢白塔解坎而过，刚好遇到从佛示墙夹道中出来的朱瑱命。

鲁一弃突然停下并顺坡而坐，活佛却悄然提步继续往上，这情形让朱瑱命有些无所适从。

就在此时，朱瑱命突然发现上方的景象在起着变化。云气在逐渐淡化，像有个起伏的光圈扩展开来，冲击着厚厚云层，而那光圈的中心是鲁一弃。

“宝气行力”，识宝灵童看到了这景象。虽然离得远，只看到了云层的变化，但他还是辨出了“宝气行力”。归界山仙脐湖那一带的搜索，识宝灵童和祭魂师只是草草走了个过场。见连珠信号后，他们立刻连夜往金顶寺赶，但现在才到南岭最东边的口子岭，就已经看到这一奇景。

鲁一弃仍在思悟之中，突然从上方传来一声气息充足的惨叫将他惊醒。接着“骨碌碌”有物件滚下，转头看去，滚下的是活佛已然残缺的身体。

活佛伤得很厉害，右胸有个大洞，已经完全穿透身体。右胳膊右肩都缺掉半边，只是一点皮肉挂住耷拉在那里，但这样巨大的伤口却没有流一点血。

鲁一弃还没到活佛身边，就已经闻到伤口发出的焦臭味，是火伤。

“中了扣子吗？”鲁一弃方寸已乱，活佛一伤，他便一点依仗都没有了。

“不要……前去，有佛……光普照。”活佛现在已经没了半边胸肺，气息不足，只能以短促气息快速吐字。

鲁一弃眼睁睁看着活佛的向佛之心渐渐停止跳动。

上面到底有什么？佛光普照也会杀人？鲁一弃决定冒险一探究竟。

上行的转折处，鲁一弃贴壁探身，一探即缩，什么都没看到，只感觉有剧光闪烁。

剧光非常刺眼，缩回头的鲁一弃将眼睛闭了好一会儿才缓缓睁开。睁开时，他发现自己身上扑洒了一片阳光。

“不对呀，我们不是在山腰云层中吗？太阳光怎么能照到自己的呀。”还未等鲁一弃做出判断，山脚下呼号声猛涨，同时火光喷薄而上。

天梯山每天这个时间会起一阵绕山风，所以鲁一弃才会让炎化雷按步骤引火、延火，其中一个步骤就是利用这风势将缓慢蔓延的火苗带到草料场、牲口市场，然后继续朝东南方向扇形铺开。这样就可以将镇中的百姓逼赶出两面山峦相夹的镇子。免得自己镇凶穴时出现大的变故伤及无辜。

可是现在的情形不对了，那些草料场、牲口市场确实是被燃着了，但每天都不变的绕山风绕到一半就改向朝北，变成了披山风，这可能是大火和山上冰雪冷热对流造成的。这样镇中火势不但烧成数倍之旺，而且还将镇中未撤出的百姓、牲口都圈在火场之中，只能找空旷的地方存身。同时在风力作用下，大朵火团朝未被火势殃及的金顶寺扑来，于是一直未有火情的金顶寺中也有十几处焰烟腾空而起。

“不对了！不对了！”鲁一弃慌乱起来。自己最初的感觉和计划对不上了，整个天梯山的局相发生了变化！

鲁一弃顺坡道原地侧卧，聚气凝神，伏身之下是石头，他的感觉便沿石而行，就像身体那样自然。

疑团就像身边的云层，在渐渐舒展开来。其中最先感觉到的真相是伤害到活佛的东西。很简单，是光！

前面转过去是天梯山的背阴，本来只能见到些弱光，不会有太阳光直射。可此时，那个位置不但太阳光充足，而且炽烈得能毁灭一切。

光来自一个穹顶，一个冰冻的穹顶，晶洁如镜。就像一个倒扣的玉缸，又像天上布下的一个陷阱。难道这就是“巅之渊”？

原来天梯山并没有看上去那么高，山顶尖垒的部分其实全是冰雪冻成，而且在常年的绕山风和西风雪的作用下，顶上形成弯翘的穹形。这穹形南薄北厚。因为南面温暖，消融了大部分。也正因为南面消融成很薄的一层，太阳光便可从很薄的、半透明的冰层射入，照到北面很厚的穹形冰面上。很厚的穹形冰面不能再将太阳光线透出，而是如同凹面镜一般将所有光聚集成点束反射出来。如此之大的穹形冰面反射出的光点、光束，其炽烈程度可想而知。并且随着时辰的不同，反射光按一定规则转移。天长日久，便形成一条轨迹，一条如同道路的轨迹。可走上这条路的人，只要接触到反射光，都会在瞬间灰飞烟灭。然后在风雪的作用下，连一点痕迹都不会留下。这也就是那些登天梯的人一去不回的原因。

但是今天的情况又有所不同，山腰处的云层莫名其妙散了，反射光的位置下移。所以活佛才会刚转到山阴处便被重伤了。

“这穹顶就是凶穴。”鲁一弃心中自语，但很快又自我否定了，“不是！肯定不是！”鲁一弃很快就否定了，“这只是凶穴导致的一种现象，其凶脉的具体位置还是应该从‘梯起’这两个字上去找。”否定一些事情，往往就能确定更多的事情。鲁一弃想到自己在仙脐湖边上随口说的几句话：“……天是颠倒天，上天不用梯……”随意之言莫不是暗含至理？天不在上面，这“梯起”也跟梯子没关系。

于是，鲁一弃的感觉从上面收回，然后往下而去，并迂回往西。但两股强盛的气势阻碍了他的感觉，那是朱瑱命和刀十六上来了。

鲁一弃恢复了状态。他知道，要想把下面查探清楚靠感觉已经不行，必须亲自下去。

“十地十波羅密修得人间天上皆虚幻，而佛果却在下方不远处[1]。你能及否？”鲁一弃走之前必须给活佛一个交代的。

“我是……下不去了。只是……唯恐……未达真境，要……坠入……修罗道了。”活佛的气息已经运转不过来了。

“不会，大师一颗佛心向众生，佛祖会怜悯的。”

“可是……你看……下面，众生……火中……煎熬，因我起，我罪，不因……我起，不救，亦……我罪。”悲悯之心、自罪之心，临死的活佛大彻大悟了。

鲁一弃知道自己不能再和活佛多说什么了，他必须尽快下去，为了苍生之事。

“你闭上一眼。”鲁一弃对活佛说。

“为何？”

“让你入佛境。”

活佛听到此话，脸上显出一丝欣喜。佛祖慈悲，让鲁一弃这个真神来引渡自己了。

活佛顺从地闭上了一只眼，另一只眼欲闭未闭地强睁着。鲁一弃卧爬到活佛身边，拿起一个网兜装的圆石，将那圆石上的圆孔对着活佛尚且睁着的那只眼睛：“眼对眼，石眼亦心眼；心至佛境，心所至，穿透天地；无有石，无有冰，无有气，更无万物，佛境入心，心入自在。”鲁一弃将这些话连念了三遍，这才缓缓将那石头移开。

活佛满足地微笑着，一只眼兀自半睁。但此时他气息全无，魂魄已随佛祖西去。鲁一弃不由感叹一声：“一眼开观得浮世众生，一眼闭悟取心头禅意。大师，你果然是人间活佛。”

话虽如此，但其中更多感慨却是给自己的。本想赌三把把大事办成。可这第三把赌注已下，局势却发生突变。看来自己只能在第三把上追加赌注了，这一加，不但是将自己性命押上，更将手中拥有的一切都押上了。

1　十地指乾慧地、性地、八人地、离欲地等，可见《法华经玄意》；十波羅密指施波羅密、戒波羅密、精进波羅密、般若波羅密等，可见《六十华严经》。这十地十密代表的是个修行成佛的过程。佛果，指成佛，又作佛位、佛祖菩提。

想到这里，鲁一弃缓慢站起身来。先看了看自己肩头的伤，虽然很痛，血倒是不怎么流了。然后提起装了石块的网兜，坚定地朝山下走去。

网兜很重要，走下坡无阶路，很容易下滑冲落而无法收住身形。特别是像鲁一弃这样只有单手，肩上受伤，脚下根基又不稳的。有网兜在手，万一出现情况，可以将人吊带住。

不过鲁一弃虽然始终将一只装黑石的网兜抓在手上，却根本没有用到那东西。这一段路他走得从未有过的稳健。似乎是活佛的魂魄在保佑着他，让他步步生莲，气如霓盛。

很快，鲁一弃和朱瑱命彼此见到了。

朱瑱命有些失望，气相未有变化，这是一无所获退了回来。

鲁一弃见到朱瑱命却是非常的高兴，就像见到挚友亲人一般，也就在这一刻，他似乎看到朱瑱命心头的一条坎隙……

峭壁之下，莫天规再次被逼进了最凹处，面对这样的局势，他真的无能为力。经历过多少生死战场，还从未遇到过如此厉害的兽坎。莫天规暗暗打定主意，在三兽夔发起最后攻击时，他将抢先横剑自尽。

就在此时，一个黑影从兽群背后出现，很突然，就连莫天规那样的道行都没看出这黑影是打什么地方出来的。

黑影的动作很迅捷，提气跨步连续纵跃，闪电般从兽群间穿过。那些三兽夔或许也没料到会突然出现这样一个不速之客，只来得及摆晃几下脑袋，干吼了几声。

“师傅，我带你冲出去！”来的是刘之守。

莫天规嘴角牵笑了一下：“不行了，我受伤很重，出不去的。不过临死能见到你倒也欣慰。”

“那不行！师傅你要是不出此地，谁又能帮着鲁门长把大事了了？”刘之守有些着急。

“不是还有你吗，我做不了的事情你可以替我做。”

“我恐怕不行，事底儿都还没摸清楚，又没有明圈线[1]和硬杆橛子

1　文字图画一类的秘诀、指示。

（可用的趁手器具），怎么能替你呀。”刘之守知道责任的艰巨。

又一只三兽獒占住个更近的位置，莫天规已经可以清楚看到它喷出的雾状气息和嘴角的白沫了。山壁的坳处开面不算宽，再有两只三兽獒占住位后，就可以发起最后的扑杀了。但此时那群三兽獒却停住了，东张西望、左闻右嗅像在找什么。

“我让你做，自然会给个交代，你需要的东西我也都会给你的。”莫天规说着，把剑插在地上，伸手在随身携带的布囊中摸索起来。

“不要信他！他是个‘倒挂犁[1]’。”兽群背后又一个身影纵跃而出，试图从三兽獒群中穿过。

流露形

那些三兽獒似乎吸取了刚才的教训，身影才一出现，立刻展开了圈围。而离得最近的那只三兽獒则飞身而出，前腿高举，如同人立，直对着那身影迎面扑去。

那身影侧身让过三兽獒的巨口，可怎么都避不开三兽獒的右前爪，顿时胸前被抓开四道绽翻的血口。这也亏得是他穿的毛皮藏袍厚，要不然连胸骨心肺都会被抓出。

那身影虽然受创，脚下却没有丝毫怠滞。第二只三兽獒立刻迎了上来，同样凶猛地直扑直挡。

这次是左臂膀被兽爪勾住。于是左臂袍袖全碎，四道口子自上而下贯穿整条手臂，一时间血如泉涌。

连受两处创伤，那身影清楚知道自己这样是闯不过去的。于是改变方式，顺势扑在地上，团蜷起身体，在地上滚动起来。

---

1 江湖术语，是指吃里爬外的叛徒。

这是只有经常与大兽搏斗的藏民才会的招数。一般的大兽子在扑击有一定高度的目标时，可以速度与力度并存。而对于贴地运动的目标它们反倒无从下口。

“是索库喇！快去救他！”莫天规从声音和身形上认出那是索库喇。

“师傅，不要管他，当心是苦肉计。索库喇全家都被朱家所擒，他很有可能是受挟来赚我们的。”刘之守回头看了一眼，满脸为难，没有一点行动的意思。

“哦！有这么回事？”莫天规眼中一缕毫光闪过，让人无法捉摸。

快速的滚动其实比奔跑更累，更何况身前身后还有几只利爪、两张巨口不断追击，需要不断变换滚动方向进行躲避。很快，索库喇的动作明显慢了下来。然后，撕裂声、惨呼声不断响起。

“看着不像苦肉计，再不施援手，索库喇可就完了。”莫天规说话时在用眼睛寻找着什么。

“师傅，趁大群的兽子围在那边，我带你往外冲吧。”

“你看我这满身伤，怎么冲得出去。还不如你一个人走，保一个是一个。”

“可我不能丢下师傅不管呀！”

“你不用管我，只要去到该去的地方，把该做的事情做成就行。”莫天规不但眼神让人捉摸不透，连说出的话也变得不再明了。

“这我发誓，如果我能从此处冲出，拼了性命都会帮鲁门长把大事给了了。”

刘之守此话还未曾说完，莫天规已经伸出手来。

刘之守先是一愣，当看到莫天规手上拿着的竹简卷时，他的表情一下变得激动、紧张。这是墨家门长一线单传的密简，镇门密宝。交给自己，那就是将整个墨门交给自己，包括墨门中所有的秘密。这怎能让人不激动不紧张？

刘之守伸出手去，难以控制的激动心情让眼光有些恍惚。可当他的手指刚搭上那竹简边子时，几股大力连同剧痛让他的身体撞跌出去。

刘之守知道自己错了，刚才激动之下没注意到那竹简外包的布套不见了，拿出时已经是光裸的竹简。

竹筒里面有“梅花削头钢签”的扣子。竹筒上的绳环正拉，立刻会有长切口的钢签崩出，伤了拿竹筒的手。如果是将绳环反拉，那么竹筒下端会有短切口的钢签射出，直射捧拿竹筒人的胸腹部。

从刘之守被弹射之力撞倒在地，就可见扣子机栝劲力之强。五支平刃钢签呈梅花状钉在刘之守的胸腹之间，从露出的钢签尾端来看，签头入肉极深，已及内腑。

刘之守落了扣子后，并没有惊慌惶恐，而是首先手脚一起用力，继续朝后方挪动身形，直到退到左侧那只三兽獒的后面。

莫天规将插在地上的宝剑拔在手中，脚下却并未移动身形进行追击。

“我的漏儿到底显在哪里了？”退到三兽獒背后的刘之守终于能喘口气。

“从你一贯作风为人来说，你倒的确没有显漏子。错是错在这一群畜生身上了。”莫天规轻蔑地回道，“再好的兽子毕竟不同于人，下意识流露的是天然兽性。”

“是因为它们围咬索库喇，而没有围咬我吗？”

“不是，是我发现了这些畜生神情的异常。”

“兽子的神情？”

“对！你见过藏獒嗅寻东西的神情吗？我却是见过，并且仔细观察过。它们在发现异常气味后，会提耸鼻头，左右环顾。这群兽子我虽不知道是何种杂交品种，但可以确定的是它们的血统中肯定有藏獒的成分。它们嗅寻时的神情就与藏獒几乎一模一样。”

莫天规边说边悄悄将手再次探入随身携带的包囊中。

“藏獒嗅寻的能力一般都是在百步开外。但你出现前，这些畜生没有出现任何异常神情，而索库喇出现之前，那些兽子却是嗅寻寻找的神情。你说这合理吗？”

“果然不愧是我师傅，一个微小的现象，就能把漏儿捉出来。”

“我愧呀！一天到晚防着朱家掏底反顶钉（收买内部人做暗钉），可怎么都没想到是你。你这相儿迷障得好啊，连我这做师傅的都给蒙眼了。唉！可恨我还将大任委托与你。唉！现在这大事恐怕要砸在我这老糊涂手中了。”莫天规连叹几口哀气。

“识时务者为俊杰。师傅您老人家怎么都该把眼下形势瞄清了，把竹简交给我吧。”

“痴心妄想！眼下形势确实于我不利，可保不齐我的援手就在左近。今天但凡让我脱出生天，日后定会让你这孽障折根去尖儿（杀身灭门的意思）。”

莫天规这狠话说得似乎很不合时宜，这等于是在逼迫刘之守起杀心，将莫天规毁了才能放心、甘心。

刘之守也确实准备驱动三兽獒下杀口了。因为只要莫天规和索库喇一死，自己的秘密就再无人可知，他拿着莫天规的信物仍可号令墨家。而在鲁一弃面前，他也会成为墨家最可信的人。

可就在刘之守要以手势和吆喝声驱动三兽獒之际，周围的形势突变。又有一人冲入了三兽獒的围圈，并且直扑索库喇而去。

莫天规其实早就知道自己援手到了，放狠话正是为了吸引刘之守注意力进行掩护。

这一次很奇怪，那些三兽獒没有嗅闻到来人味道，也没有全力阻拦来人，反倒是显得有些畏惧。因为来人是易穴脉，因为他身上挟有驱吓兽子的药物。

易穴脉先看到的是索库喇，虽然不认识，但眼下这状况，被朱家怪兽围攻的不是鲁家人就是墨家人。紧接着他又看到被困在山壁坳处的莫天规，于是再没多想，快速取出“怯兽药粉”洒在身上，纵步冲入兽群。

易穴脉带的药物很管用，三兽獒纷纷避逃，给他让出一条通道。当他拎起索库喇已经滚动缓慢的身体时，三兽獒立刻停止追咬，心有不甘地咆哮几声后摆晃屁股退走。

可是有人不知死活地拦住了去路，这人是看着受伤很重的刘之守。

“信不信我一招便要了你的命。”易穴脉眼睛泛出了血光。他清楚自己不该在这样的一个位置停留。自己身上药物效果一失，前后的三兽獒就会合围夹击。

事实也确实如此，身后那些兽獒已经开始朝这边围聚了。

“我信。”面对易穴脉的问题刘之守很坦然。

“你是诈相！”易穴脉突然眼睛暴睁喝道。他到底是一代奇医，从刘之守说话的中气、劲道，立刻就判断出他未被重创。

生死博弈，最怕遇到一个超出预料的敌手。刘之守的真实状况让易穴脉心中不由一阵慌乱。

而刘之守双臂舒展，肌骨爆响，身上藏袍顿时碎裂开来。随着这气运劲走，钉在他身上的五支钢签挣射而出。

易穴脉没有动，他是奇医，也是练家子中的高手，能看出刘之守运转的气劲并不能将钢签射出伤人。结果也确实如此，钢签只射出一尺多便掉落在地。

可刘之守的意图并不是要以钢签伤人，而要以鲜血破敌。五支钢签掉落，五个伤口中的鲜血却是如箭般射出。

易穴脉没有躲，也来不及躲，这一招他没有想到。

五个血朵喷溅在易穴脉身上，也是梅花状散开，很像巫术蛊法中的“血梅破”。但刘之守不会巫术蛊法，他这血液的作用很简单，就是一道血引子。腥血一喷之下，可以乱了易穴脉身上药味，可以让那群嗜血三兽獒把易穴脉作为扑杀目标。

血才上身，三兽獒立刻或直撞、或迂回，全朝易穴脉扑来。

易穴脉心知情况不妙，赶紧单手一挥，几支银针直奔拦路的刘之守，同时脚下提速，跟着银针一同前冲。

银针全部刺中刘之守前胸。就这几根银针的力量，竟然将刘之守身形硬生生撞开。易穴脉提着索库喇从刘之守身边掠过之际，顺手又在他后背上扎下两针。

三兽獒从闻到血味儿再发劲扑杀终究有个过程。易穴脉虽然提着个人，但发力在先，最终还是逃脱了兽群的追击，逃到莫天规的身边。

刘之守虽然连连中招，却始终没有倒下。从他破碎的藏袍中可以看到，里面还有一层厚厚的牛皮护甲。难怪梅花钢签看着入肉极深，却未对他造成太大伤害。而易穴脉更是后悔，自己刚才为什么不对他头部或脖颈下针。可现在一切都晚了，刘之守抽出了雪花单刀，刀挥之势，是驱动所有三兽獒扑杀目标。

三兽獒立刻动作，最先扑出的是那三只已经占好位的。这三只扑出后，自然会有后面的兽子补上它们的位置。

“老易，你的针儿能对付这些兽子吗？”莫天规一边挥剑一边朝易穴脉喊道。

其实易穴脉手中银针已经连续射出好几支，而且针针都命中兽子身上的要害部位，可那兽子依旧左扑右突，根本没有什么反应。现在他也只能以一根长针追逼住那畜生眼睛，不让它继续扑进。

“不行，这些畜生怪异，身上穴位全不在常位。”易穴脉回道。

这话刚说完，许多火团从金顶寺上方飘来，朝着兽群直落而下。这是天梯山局相突变，绕山风势变披山风，将寺外大火吹入到寺中。

火团落地，三兽夔群出现了骚乱。

莫天规当然不会放过这样的机会，猛劈一剑逼开纠缠的三兽夔。然后趔趄着赶出几步，以剑挑动火团。眨眼之间便以摆出一个燃烧着的“三堡双城守”坎面。

三兽夔们停止了攻击，它们的确是怕火的，这大概是所有兽子的天性。而“三堡双城守”的局相让它们只要往前踩坎，就会觉得到处是火，满地是火。

刘之守虽然会破解这坎面，他却不敢独自往前。刚才易穴脉没能要了自己性命，只是自己一时侥幸而已。再要有机会被他逼到身边，自己就不会再这么运气了。但他可以等，等朱家帮手，或者等那些火团燃尽。

莫天规他们也十分清楚，火团会燃尽，而且不会超过三袋烟的时间。到那时自己还有其他办法吗？

胖妮儿的“五骨行气迷”只将朱家高手们挡住了一小会儿。因为坎面凶势刚过，朱家就有个福州“呼魂堂”的高手看出局相变成虚的了。“呼魂堂”是替渔家呼唤死于海难中的魂魄归来的，所以他们不但能观气识魂，更能查辨骨相，哪怕是大海中浸泡许久的尸骨。所以“五骨行气迷”凶势去后局相虽然变化不大，但那高手还是看出了其中的伎俩。

胖妮儿、养鬼婢与豹姬娘娘各展招式对峙待决，朱家那群高手也已经出了绕塔廊，撒开扇形布局，朝三人包抄而来。

胖妮儿和养鬼婢只能一动不动地任凭那群高手包抄而来。因为与豹姬娘娘这样的绝顶高手对峙着，任何一个微小的错误动作都会导致性命丢失。更何况此时三人摆开的对决局相为天阴局“双姹斗娥皇”，至纯、至阴气相流转如漩，挥洒如风。此时不要说行动了，就是气息上一个小小的误差都会导致一方的溃败。

雀在后

炎化雷在寺外各处引延火势。凭他的身手，没等天亮，已经将该燃的都燃了，该延的也延了，该预备的也都预备了。所以炎化雷开始担心干女儿。他知道，只要是鲁一弃还在这里，这丫头终归是要回来找他的。自己只要找到鲁一弃，就能见到养鬼婢。

炎化雷是从寺庙大门进入的。虽然他不是坎子家的高手，但前面几路人进出，已经将所有坎扣都解了，所以他一路顺畅，直走到飞天画壁前。

他来得很是凑巧，才走上画壁前的石径，看到三个对峙的美女，那边高手就已经围逼过来。于是炎化雷恰好置身于局势正中，独自面对数十个高手。

高手中的大多数都在仙脐湖边见过炎化雷的手段，所以当炎化雷一出现，他们立刻停止前逼的步伐。炎化雷带毒焰火伤到人后的惨烈，至今仍旧清晰地深印在他们脑海中。少数不认识炎化雷的高手见大部分人都停止了，马上意识到对手厉害，也都止住了脚步。飞天石壁前三美女的对峙演变成了数十人的大僵局。

其实炎化雷心中很虚，他带毒的火料早就在仙脐湖边用光，就是平常的火料也在寺外引延火势时用得所剩无几。虽然高手们的扇形布局暂时停住了，但此时此地出现这样的僵局最终都是对自己不利，应该想出个可靠的办法解决这种局面。于是他在认真观察周围的环境，寻找可利用的契机。

可此处是朱家至关重要的地界，布局设置极其严密，要想找到可利用的环境和机会很难。就在炎化雷快绝望的时候，寺外火势顿变，大片火云随披山风飘向金顶寺，更有许多火团、火星直飘过寺庙，往天梯山山脚处落下。

炎化雷见此情形，低喝一声：“此火可用！”

杨小刀说是无路可逃，其实是无力可逃。山体像个破碎了的壁面，有些倾斜度，也有嶙峋山石可踏脚借力。但是杨小刀知道，自己来不及爬上去。身后追赶的脚步声已经非常清晰，应该已经是在五步以内，所以杨小刀知道攀石不如转身，逃遁不如搏命。这是无可奈何的事情，更是势在必行的做法。

于是转身，出刀！后面传来惨叫声。

刀落空了，因为就在杨小刀停步转身的同时，追在最前面的两个高手也停步转身了。

惨叫是来自这群追赶高手的尾端。那里有长蟒翻舞如风，梨形铲在太阳和火光的双重映射下，扬起漫天光华。光华所到，剑折刀断，裂金分钢。

由两件奇特兵刃就可以知道地下钻出的是鬼眼三和卞莫及。

墨家两个弟子奇怪死亡后，大家各自分开走了。鬼眼三和卞莫及这趟事之前没打过交道，相互间不了解，所以没有在一道走。而且鬼眼三自从面目全非之后，也不愿意和别人搭档而行，除非是鲁一弃在。

鬼眼三走的是阴冥道，就是寻坟而走。在这广阔藏地上，有许多坟茔是商旅之人客死路途的葬地，这种坟茔一般都在路途附近，相当于路标的作用。而且从坟茔地走，可以避开路上可能暗伏的朱家人马，相对安全可靠得多。

卞莫及走的是人马道。他是驾车高手，只要是有人马走过的路径，他都能辨别出来。沿途之上，他收集了一些别人废弃的材料，以《班经》之技做成一架马车。然后又向遇到的藏民借了一匹母马，以母马为诱，套捉了两匹野马，驯为辕马驾车。

几天之前，鬼眼三趁着夜色进入天梯山脚下。然后便以茅山寻踪法寻觅异常踪迹，发现金顶寺中有异常。这是因为寺后兽苑中除了豹姬娘娘驯养的兽子外，还收着祭魂师那一车的失魂之人。失魂则为半尸，身上带有死气。鬼眼三的茅山寻踪术辨出了死气。

寻到异常之后，鬼眼三便暗中从西侧围墙顶端处，贴山脚根儿的地方往金顶寺中打洞。想闯入寺中一探究竟，同时也想从里面得到些鲁一弃的消息。

鬼眼三从地下打洞往寺中去，这是朱家人没想到的。他们总认为山脚石基，没法打进洞来。这也是朱家之所以没在这方面设警信儿和坎扣的缘故。

其实天梯山虽然高大雄伟，但石质、土质却很酥松，特别是山脚处。这现象可能和它顶为吸阴之极，底为阴性散道有关。鬼眼三的梨形铲坚固锋利，移山断岭的功力惊人，两天中竟然让他直挖到寺中兽苑的附近。

卞莫及也是半夜里进镇的。他曾驾车送货来过此地，对此地环境人情并不陌生。很巧，卞莫及发现了鬼眼三，并且在鬼眼三进入挖掘的地洞中后，他用长鞭挽了个断魂扣守在洞口。当鬼眼三出洞时，一下将其脖颈锁扣住。当然，他不会杀了鬼眼三，不杀鬼眼三，也就证明自己不会杀墨家弟子。

卞莫及的做法果然是很有力的证明，鬼眼三相信了他。于是两人就此联手，静观寺中变化，随时准备响应鲁一弃的行动。

这一夜，鬼眼三独自入洞，准备将最后与兽苑相连的一点土石打通。卞莫及便替他守在洞口。就在天快亮时，镇中情形突变。卞莫及赶紧也入洞通知鬼眼三。于是鬼眼三完全挖透土石，进入兽苑，用茅山符咒封住兽苑中那些失魂之人，所以寺中虽然如此热闹，那些失魂人却始终未曾杀出。

山脚处挖洞，再酥松也不可能挖得太深，只有些许浮土和碎石架在上面。他们两个通过神呼滩那一段地洞时，透过碎石空隙看到杨小刀逃不能战的危急状态，于是便鬼魅一样破地杀出。

梨形铲锋利无匹不可阻挡，朱家高手便改作虚实并存的战法。并排几个一起对付鬼眼三，有的是出诱招，有的出虚招，瞅准机会出实招。

猛虎也怕群狼。一双眼、一双手总比不上十数双手眼，何况鬼眼三才一只眼。对于这样的一线排列，最好从一端逐个击破，所以鬼眼三撤步往队列的一头移动。对手立刻就明白了鬼眼三的意图，马上做出反应。

杨小刀和卞莫及那两处也是同样的情形。杨小刀的刀快，卞莫及的鞭狠，所以对手也是摆开一线横列多人同时对付他们单人。杨小刀、卞莫及和鬼眼三想到了同样的办法，而对手也是同样的应对。于是移动的脚步越来越快，都想追赶到队列的顶头。

朱家高手知道，自己的队列长，人多，步法速度不能一致。随着速度的加快，终究会跟不上。于是三个队列在转动中逐渐靠拢，然后首尾相衔，组合为一个可攻可守的坎局——“旋三诀”。

“旋三诀”，最早见于《建唐志》，单雄信带六十操刀壮士，独踹唐营，这六十操刀壮士便运用的“旋三诀”阵法。

三角形，是几何形态中最稳固的形状。“旋三诀”就是三条队列组成一个三角形。而且是个不断旋转的三角形，可以随意伸缩的三角形。而这三角形除了每条边都是可以朝外旋杀的巨刃外，在需要的时候还可以将对手套入其中，到那时，就是三面一齐朝内绞杀。

鬼眼三他们三人从未见过“旋三诀”的坎阵，所以开始并没有太在意。可是很快他们就觉得不对了，因为那三个队列连在一处后，自己不管怎么快速移动都找不到队列的端头了。反变成旋转的三角形始终有条边在追赶自己，想停都停不下来。

三人试图往外移动，从旋转的局势中冲出。但随着他们的移动，那三角形的边便一下拉长，扫逼过来的势头更加凶猛。角色在不知不觉中互换了，刚才是快速追赶端头，现在全变成了快速躲避旋边的奔逃。三个人的心里很清楚，要是被这样一条边裹住了，立刻就是粉身碎骨。

于是，在天梯山西南侧的山脚下，出现了一幅奇怪景象。一群人组成的三角形在旋转着，在这三角形每个边的旁边，也都有一个人在随着旋转奔跑，但他们显得比那队列中的人仓皇许多、狼狈许多。

山上，朱瑱命断然拒绝鲁一弃的热情，他警惕地退后两步，没让满脸笑容的鲁一弃靠近。

鲁一弃没有介意，依旧像见到亲人般地对朱瑱命说道：“我在等你呢！说好一起启天宝的，怎么才来。”

“那何必偷偷摸摸入寺？”朱瑱命轻蔑地回了一句。

“谁说我偷偷摸摸的，我闹那么大的响动进来，你一准是听到了。”鲁一弃笑着说，语气却已经有些尴尬。

“既然是同启天宝，那么你也像我上次一样表示下诚意，将你身上所挟宝贝交给我做押如何？”朱瑱命这是将鲁一弃一军。

“当然可以，本来这东西都给你朱家了，一直就放在北平的院子里，你们不要我才先拿着用的。”鲁一弃伸手将标明八处凶穴位置的玉牌取了出来。

朱瑱命一时没反应过来，刀十六更是瞪大了眼睛。

玉牌掏出来，递过来，见谨慎的朱瑱命并不伸手来取，鲁一弃便蹲下身把玉牌放在了地上。然后说道：“先瞧瞧是不是你要的东西，不满意咱们还可以重新论码子（谈论条件）。我往那边探探，你要瞧放心了可以跟着我过来。启这里的宝贝可能还要你搭把手。”

话一说完，鲁一弃便自顾自走上横向朝西的岔路。

这条岔路也真算不上路，看着就是个踏道。从痕迹上感觉，这里应该和下面那一段阶梯一样，是个人为的通道。但这通道不长，很快就到头了。再往前去就是神呼滩上方破塌的山壁。

鲁一弃进行了目量和指度，再结合《班经》技巧和《机巧集》理论，从而判定，这山壁破塌的位置本来应该有个壁上居的构局。

这一发现让鲁一弃开始兴奋起来，好多事情一下清楚了。下面那一段阶梯和横着朝西的通道，很可能就是当年墨家人建宝构的辅道。宝构原来建在石壁上，可不知道什么原因随山体坍塌了。神呼滩上钻凿有洞眼的碎石应该是宝构的构筑材料。

鲁一弃又仔细查看了一下破塌的山壁，那上头也有洞眼，大小不一、方圆均有，应该是架构撑柱横梁所用。

就在鲁一弃查找思忖的时候，朱瑱命和刀十六也跟了过来。朱瑱命的手中紧紧握着那块玉牌，就像攥着自己的性命。

刀头跟在朱瑱命的背后，他的目光很是游离，让人无法捉摸。

“山之至阴为顶，阳为根，本已是颠倒位的凶相格局，而现在却又变作阳升阴退，局相整个反了。”鲁一弃自言自语，并不看朱瑱命。

“就算有什么异常打乱阴阳平衡，也该是此消彼长，不该反变呀。”鲁一弃依旧自语。

“出现这种格局有一种可能，就是阴阳中一气为长脉状，一气为覆盖状。当其中一气相变化，另一气便立时反转。这理论在南唐范士敦的《阴阳道气解》中有过简述。”朱瑱命接上鲁一弃话头。

鲁一弃像是刚刚醒来一样，转过头来看着朱瑱命，眼光很是奇怪。

朱瑱命心中猛然打个寒战，就像有道冰冷刀锋从自己脊梁上划过。

鲁一弃突然间完全明白了此地风水格局的奇特。自己苦思冥想未能解决的问题，自己强大的对手竟然一句话就将其解开了。

此地凶穴穴形为长脉状，所以上下气通。从墨家所建宝构的基础上看，不但用料和根基都是上乘之选，而且还采用了灌铁筑基的工艺，本不该早早坍塌。唯一的解释就是位置与凶脉直冲，而天宝初入凡世，未经三兴三伏的造化，镇压不住凶穴，这才让凶脉之气冲塌宝构。

朱瑱命的寒战确实是因为刀锋。朱瑱命替鲁一弃分析局相时状态出现懈怠，刀十六便抓住这个时机突然发难。他这次的出刀很奇怪，是将身体四肢都舒展开，并且不断颤抖。此时，无形中有无数的气涡从他身体扩散而出。但不管是舒展的身体还是扩散的气涡，最终都是要将朱瑱命包拢其中。

朱瑱命感到了刀气，而且还从鲁一弃眼睛的反射中看到了刀光，那刀光沉稳如霞、凝厚如壁。这是一把身体和生命铸造的刀！

十六锋刀人，四肢十二锋，脚底两锋，再加口中的一锋，共是十五锋。还有一锋在何处？还有一锋是整个人，是以身为刀、以骨为锋。攻杀时，身体任何一个部位的骨骼都可受内气之力折断，戳出皮肉，刺杀对手。这样就能凭心意从最隐蔽最诡异也最接近对手要害的方位进行攻击。当然，这种杀法出刀越多，自伤越重。最厉害的一招便是抱敌同归于尽。第十六锋不是所有十六锋刀人都会的。但身为十六锋刀头的刀十六没理由不会。

“把宝贝给我！”十六锋刀头没有马上动手，虽然此时他的气道劲力都已经积蓄到了极点。

“什么宝贝？”朱瑱命镇定中带着疑惑。

“就你手中的宝贝。”

“你要它何用？”朱瑱命仍然没有想通，自己朱家一手培养的十六锋刀头怎么会在这种时候做出这种举动。

“以宝为仗，可为天下至尊。这样的好事今天该轮到我头上了。”刀十六在朱家被下过蛊毒阴咒，可此时他敢如此逆行，定是在朱家之外另寻到法子解了身上蛊扣。

“说得也是，你朱家已经做过皇帝，让让别人也应该。再说了，识时务者为俊杰。你眼下就和我刚才的情形一样，我不就把宝贝爽爽快快地给你了嘛。”鲁一弃是在鼓动刀十六把事情做绝，这样可以给自己争取时间。

火行局

朱瑱命不敢动，不是因为已经被刀十六的攻势笼罩，而是因为旁边还有的鲁一弃。现在自己和刀十六是鹬蚌，鲁一弃是渔翁。

“门长人间奇俊，该知道舍宝还是舍命。”刀十六阴恻恻地说。

“不是不舍，只是这东西你拿了真的没用。”

“这东西没用，那什么东西有用？”

“这你该问他，那东西可能已经在他手里。”朱瑱命果然厉害，三言两语便将矛盾转嫁到鲁一弃身上。

“朱门长，他不会这么傻吧。如果我拼死不把宝贝给他，而你又怪他犯上之罪。到时两个人合击于他，他更无机会。所以不管找谁要东西，都必须先解决你。”鲁一弃将矛盾推挡回去，让朱瑱命所处的劣势依旧没能改善。

“这么说，你是承认此地宝贝已在你手中了。”朱瑱命眼中精光暴涨，他从鲁一弃的话里听出了破绽。这年轻人几日之内气势又有猛进是另有原因，刚才以他为中心散发光圈逐去云层也是有原因的。

所谓言多必失，这下鲁一弃再不能保持神情的镇定。在那两双灼灼目光的盯视下，感觉就像被无数刀子逼住一般。

鲁一弃额上有汗沁出，很巧，山上此时也开始有水滴下。由于云层的变化，太阳光可以直照到积雪，导致常年冻结的冰雪开始融化了。

莫天规站在火阵之中，一边仔细观察斟酌周围山势地形，一边听索库喇讲述事情前后。

“我一回来，就发现墨门弟子及家属被朱家剿擒，便觉得墨家内部出了暗钉。本地弟子在此已经生活了多少代都没有出事，偏偏是姓刘的到了后才出事。姓刘的来了之后第一件事就是打听所有本地弟子的情况。而且锁拿墨家弟子的标记是个手掌，当时我没注意看，后来想想，那手掌好像有六根手指，所以我怀疑是代表他的江湖外号‘六只手’。果然，南岭上燃起火堆后，他反向入镇，进到寺内。我为了解救本地弟子和家属，便也跟着进来，看到了他给对家发镖信。”索库喇伤重虚弱，说话声越来越小，随时都会昏厥或死去。

“易老弟，给他提点神，一会儿还得要他出力气呢。”

易穴脉立刻在索库喇后颈、后心和后腰处分别扎入一针。那索库喇顿时像从梦中醒来一般，一下子挺起了身体，指着火阵外的刘之守吼骂到：“你个不要脸的畜生，欺师灭祖。我就算变做鬼都不放过你……”

莫天规叹口气：“本以为墨祖之地的刘姓子弟信得过，可事实证明我错了。世上有些人为了荣华富贵可以舍弃更多更有价值的，包括祖辈的尊严和荣耀，包括一乡水土的亲情。”

“门长，我在南岭听姓炎的老汉说，墨门两个弟子与余下的鲁家帮手同行，结果先后被杀。他们当中肯定也有暗钉。”索库喇这也算是安慰莫天规。

“不一定，暗钉的行动是有明确目的的。而这次的目的是要鲁门长启出宝贝却守不住宝贝。所以在单独将鲁门长带到此地的同时，应该设法让另外的鲁家帮手互相猜疑各奔东西。所以实施人肯定是得益人，就是他刘之守。”易穴脉象分析病理一样有条理，“据我所知，明东厂曾制过一种毒药叫‘辰庚破血沙’。这种毒药无色无味，黏附在身体上也没有任何感觉。但到了一定时辰，就能立时裂开肌肤血管。裂开的形状和最初时黏附的形状一样，一条线的就像刀口，一个团的就像洞口。那两个墨家弟子可能就是中了这种毒药。刘之守，我猜得对吗？”

“到底是一代奇医，懂得多且不说，而且思虑缜密。可又有什么用？火快灭了，该了结的还是要了结的。”刘之守说的是实情。

“那也未必！”莫天规显出一副少有的门长傲态。

周围环境已经观察仔细，一个大胆的计划在莫天规心中形成。他要用一个亘古少有的奇局打败刘之守和三兽鍫，这会让他有种既战胜自我又战胜对手的成就感。

山坳地形，呈喇叭状，由这形状莫天规想到一个外突的阵势“火麒冲穴”，这在奇门遁甲中为第二十三局。但是他们三人目前想以“火麒冲穴”突出，可能性是微乎其微的，所以让莫天规得意狂傲的不是这局势，而是附在“火麒冲穴”后面的一个变化。这变化是个妖局，正道坎家都不懂使用。莫天规是当年在与广西银牙族人对决中学会的此局，名字叫做“魔焰曲流”。采用这个阵势变化，可以打乱兽群的排布，困住一部分兽子。但最让莫天规得意的是“魔焰曲流”后面的第三个变化：“三阳飞星”。这一变化将决定了他能否达到最终目的。

莫天规才一动火团，刘之守就已经确定他要采用“火麒冲穴”。所以他将三兽鍫悄悄驱动，变成前两堆，后三堆。这样当火麒冲出时，这五堆兽子就能先散后聚，变成奇门遁甲第五局“五行吞纳”，依旧将火麒困在当中。

莫天规似乎没看出兽群的变化，只管做着自己的准备，三个人各自收集了很少一点枯草木枝，燃成小火把。然后莫天规一瘸一拐走了几步，谁都没看出他这几步中已经稍稍将火阵改动了下。

刘之守心中开始疑惑起来。莫天规不会这么疏忽和盲目，难道是自己在什么地方料算差了，还是有什么厉害后着自己没看出来？

索库喇第一个从快要燃尽的火堆之间冲出，在他的后面紧跟着易穴脉，这两人的速度都相当快。最后是莫天规，因为腿脚受伤，所以他最慢，和前面两个人拉开了一段距离。

这不对！刘之守心中暗叫。“火麒冲穴”应该所有人一起冲出，可这三个人怎么分先后而行的呢？

索库喇冲出火堆后，直往兽群中扑去。

刘之守一时不知该怎么应付。“五行吞纳”对付索库喇一个人很没必要。可如果让兽子直接扑咬，那后面两个人冲出时，没了布局又不能将他们全都裹困其中。

就在刘之守犹豫之间，索库喇手中的小火把突然暴涨开来，变成一个硕大的火苗，中间跳动烁烁蓝焰，火势极凶。与此同时，索库喇改变奔走方向，斜向折出，像是要直接从兽群布局的空隙间冲出去。

刘之守此时已经反应过来，发信号驱动兽群。兽群中立刻奔出好几只三兽獒朝索库喇围堵过去。

索库喇的折转是暂时的，他的最终意图并不是趁此冲出。在朝另一个方向折转冲出十几步后随即调头，再次往兽群中间冲去。面对这情形，刘之守想要重新部署已经来不及了。于是兽群混乱起来，聪明的三兽獒面对硕大火苗各自避让。

易穴脉与此同时也已冲出，他和索库喇一样，先折转后调头。所不同的是他折转的步数比索库喇要多，调头再冲时围兜的面积也更大。于是兽群避让得更加散乱。

刘之守已经回过神来，他连发信号，于是一大半的兽子往西面躲避，余下少数则呈弧形排列，依旧朝那两人逼堵追咬过去。没想到索库喇又一次冲出。于是第一轮的情形开始重复出现。

这就是“魔焰曲流”，要将这坎子做成必须有两个前提。一个就是清楚对手的特性。三兽獒聪明狡猾，能审时度势。对手退避时它们会紧追不放。对手强逼时它们会急急逃避。第二就是要有能震慑住它们的东西。兽子怕火是天性，但经过严格训练的兽子能够承受一般的火焰。易穴脉有种拔罐火炙的药料，这药料燃烧后并不炽烈，但火形火势极为旺盛。而且其中还有异样药香，这对谨慎狡猾的三兽獒很有恐吓力。

索库喇开始了第二轮冲击，“魔焰曲流”已经成功在望。可此时偏偏出现了意外，他手中的火苗突然连续跳动，然后迅速缩小。随即，易穴脉、莫天规手中的火把也出现了同样的情况。

“焰苗子要灭了！”易穴脉对这种火苗十分了解。他的药料是拔罐火炙用的，所以燃烧时间不长。

此时索库喇已经第二次冲入兽群，而莫天规正独自阻挡火阵出口余下的三兽獒。火苗才一跳动，那些狡猾的畜生就感觉到了，几乎同时停住脚步。当看到火焰迅速缩小，它们立刻就反扑过来。

“‘三阳飞星’！”莫天规高喝一声！

“现在就飞？不再行个圈？”易穴脉回头问道。

“不用！这边我们缠住，再迟你就飞不出去了！”莫天规说喊这话时有些声嘶力竭。

所谓的“三阳飞星”，是在“魔焰曲流”到第三轮时，将绝大部分兽子都逼入火阵之中后，然后第一个的索库喇继续驱赶余下兽子，第三个的莫天规守堵火阵口。而中间没有兽子纠缠的易穴脉则直扑刘之守。

莫天规腿脚受伤，索库喇又斗不过刘之守。所以这颗飞星非易穴脉莫属。

“魔焰曲流”才转一轮，可手中火焰却出了状况。唯一能将“三阳飞星”继续下去的办法就是提前行动。

兽群见索库喇手中火苗一弱，就立刻反扑而来。索库喇不能让，他一让，那些兽子就会围向易穴脉，那样这颗星就根本飞不起来了。索库喇不但不能让，他还应该将所持火苗变得更烈更旺，这样才能逼退更多三兽獒，让提前飞星而出的易穴脉能顺利地扑击到刘之守

于是索库喇牙一咬、心一横，顿时火苗暴涨，如巨炬穿行。

绕山风突变，披山风乍起。风卷火势，无数火苗朝天梯山正南面扑洒而下。

炎化雷正为没有足够的火料对付数十高手而发愁，见此情形，身形顿起。

他身上虽然火料不多，但是火引却不少。火引是能瞬时爆燃的引火物，但燃火时间却极短。于是炎化雷以火引、余下火料以及天上落下火苗并用，火引将落下火苗引爆到准确位置，火料让到位的火苗不至于立刻熄灭。光华与灼热起落飞舞，在空中和地面摆成一个火局，这是奇

门遁甲中第九十九局："凰舞九天"。这局势不但是要阻住数十朱家高手，更是要将他们赶散、逼退，逼入已经熊熊燃烧起来的亭殿廊阁中。

朱家高手不是泛泛之辈，当炎化雷十几支火引出手后，他们便看出炎化雷的意图。于是抢在"凰舞九天"局成之前直冲过来。

炎化雷意识到了危险，自己的"凤舞九天"挡不住这些朱家高手。凭他们的步法速度，眨眼间就能冲到"双姹斗娥皇"那里，对养鬼婢和胖妮儿构成致命威胁。

"双姹斗娥皇"，乃至纯、至阴气相。可此时一群阳刚男人踏火而来，这至阴气相便开始散乱了，其气流、气势就如同这里的绕山风，瞬间被改变了。

炎化雷将身上余下所有火料集中，以爆闪暴飞手法射出，阻住冲在最前面的朱家高手。一时间只见火光爆闪，火花喷溅。但火中没有毒料，怎么可能挡住那些高手，最前面的几个高手虽然被点着了，却一点没有放慢脚下速度，如几道火流直闯"双姹斗娥皇"之局。

"双姹斗娥皇"局相散了。没人吃亏，也没人占便宜。她们三个是主动分散后撤的，因为不管豹姬娘娘还是养鬼婢、胖妮儿，都不愿意与一群浑身是火的人离得太近。

这些人的身后，金顶寺屋宇间翻卷的火焰也随之滚滚而来。于是一部分人沿山脚往两侧奔逃，还有一部分人跟在三个女人背后往山上而去。还有少数几个轻功好的则直接沿岩画石壁往上攀援。整个局面瞬间变成了"金乌逐玉兔"，又叫"天火逐妖"。此局是一大局，功用为以阳逼阴。在《世孽平收录》中提到过这个坎局。

因为"金乌逐玉兔"的出现，一个更大的局势初见端倪。

"旋三杀"之中，鬼眼三他们很辛苦，朱家高手也很辛苦。辛苦就会动作步法不到位，所以"旋三杀"渐渐变形，朝着奇门遁甲第六局"六明旋照"过渡。鲁家三人为三明，朱家三队队头也为三明。因为阵势中全为男性，而鬼眼三的梨形铲，杨小刀的庖丁刀，卞莫及的长鞭也都是至阳之物，所以这"六明旋照"在此处为至阳至刚的局相。

特别是金顶寺烧着之后，大片火团如云絮飘来，但在阵局的旋转气势作用下，全飞扬不落。于是星星点点、块块片片的炽烈光明全在六阳局势外混合成一个巨大的火团，将“六阳旋照”的势力发挥到了极点。因此，初见端倪的大局势具备了第二个条件。

但这个大局势还需要第三个条件，是否会有这样的巧合？

开凶脉

索库喇将手中已经微弱的火苗在自己身上抹抚一遍。藏地百姓多吃牛羊肉，而且是以手抓食，吃完后将油手在衣服上擦拭，久而久之，衣服所携油料极多，沾火即着，且火势旺烈。索库喇瞬间便化作了一个人形的巨大火炬，朝三兽獒群扑了过去。

莫天规手中火苗也快熄灭了，火阵口有几只三兽獒蠢蠢欲出。见索库喇将自身点燃，莫天规想都没想，也将自己点燃了。他虽然没有浑身衣物带油的索库喇烧得旺，却是将试图冲出的三兽獒逼了回去。

这是用两个鲜活身体换来的机会，易穴脉知道自己必须抓住。他掌中暗扣一支银针，身形突转，如一颗飞星划空，直奔刘之守而去。

刘之守突然发现自己无路可逃了。金顶寺中的火浪已经翻滚而上，将他原先思量好的退路全没入火中。而奔过来的易穴脉眼中冒火，他给自己走的肯定也是死路。

刘之守拼命发信号驱动余下三兽獒，可这些兽子现在也和刘之守一样的慌乱。身后大片如浪般的火焰滚来，不管是人是兽都没法在这节骨眼上镇定咬人。

易穴脉冲过兽群时，没有遇到阻挡。易穴脉冲到刘之守面前时，也没有遇到太多抵抗。刘之守刀掌齐出，极为凶狠，但仅此一招。易穴脉在他攻击范围之外便停住身形，然后在他往回收掌试图出第二招之前，轻巧巧地将银针插在刘之守的无名指上。

虽然只是无名指上扎了一针，却让刘之守浑身血脉如同冰冻住一般，气息再也无法回转运动。易穴脉从中路踹了刘之守一脚，这一脚不重，却是刚好将刘之守推入后面翻滚而来的火浪之中。火浪翻滚得更加厉害，刘之守的翻滚也很厉害，但很快就都渐渐平复下来。

易穴脉见刘之守已经全身燃着不再动弹，便转身走回。此时前面道路已经全被火浪覆盖，“三阳飞星”的飞星无处可飞，只能是回转过来对付三兽夔，救助好朋友。

就在易穴脉转身之际，已经不再动弹的刘之守突然间从火浪中纵跃而出，朝易穴脉扑袭过来。

易穴脉觉出身后风起，一股灼热扑身而来，赶紧侧移身形躲避。可是晚了，刘之守的双手搭住了易穴脉的肩，并且瞬间用三对扣指锁死肩胛骨。此时可以看见，他一只手的小拇指已经焦黑断裂。真是个久走江湖的狠人，他入火之后将中针的小指放入焰苗，烧断经脉，解了倒拔穴脱身扑出。

易穴脉虽然肩部被锁死，却立刻停步扭颈，翻转身体。将刘之守双臂翻成交叉扭，同时自己双手一起捏住刘之守肋下痛穴，指望这极痛的一招能让刘之守松开指扣。可现在被烧成火人般的刘之守已经完全不知道痛楚，双手死死锁住不放，火焰瞬间由刘之守身上蔓延到易穴脉身上。

于是易穴脉步下起旋劲，双臂以大劲道往一侧掼出。想将刘之守甩开。而刘之守似乎头脑还十分清醒，易穴脉才动，他也立刻脚下打旋卸力。于是两人一路朝着山坳处的火阵旋走而去，就像是在跳华尔兹。

刘之守旋走的同时，口中嘶吼不停。这是在以死命驱动兽子。

绝大部分兽子已经困入火阵，但听到刘之守的嘶吼后，它们便不顾性命地往火阵口外冲。

索库喇展开身形往火阵口中冲。他将自己点燃时就已经是在拼死而战，现在更不会在意正在燃烧着的半条性命。

莫天规还没来得及决定该怎么做，易穴脉和刘之守已经到了，两人直接撞入，将火阵撞出个缺口。一群三兽夔反应迅速，想从这缺口中冲出。于是莫天规义无反顾地也冲入缺口，他这支人形巨炬再次将兽子逼回。

其实此时他们之间的争斗已经没有任何意义，面对翻卷而来的火浪，他们都应该寻找逃命的办法。但偏偏就是这样几个人、一群兽仍在坚持着，相互躲绕，相互攻袭。

“三堡双城守”的火阵全散了。易穴脉、刘之守在继续旋走，火苗已经完全在易穴脉身上蔓延开来。他们谁都挣脱不了谁，合在一起就像只火陀螺，在石壁间撞来撞去。

三兽獒身上也被火延着，于是奔跑窜逃得更快了。莫天规和索库喇虽然受伤不便，却也在尽全力奔跑，像在进逼，像在逃避，更像被火烤烧的挣扎。

燃着的两个人，燃烧的一群兽，如天火飞流，如火星瞬移，围绕着中间分不开的火陀螺。莫天规先后一坎四阵，最后全演变为“星明汇日流”。这也是个至阳之局，大局势的第三个条件有了。

半山之处，云层消散殆尽。藏地高亮度的阳光直照住鲁一弃、朱瑱命和刀十六三人，将他们的剪影浓重地印刻在石壁之上。

“我知道了！”朱瑱命语气中有难以抑制的激动，这是他很少见的状态。

“晚了。”鲁一弃心中紧张，所以眼睛在更加迫切地寻找他希望出现的现象。

刀十六很迷茫，他根本听不懂两个人在说什么。

“是有些晚，要早几个时辰，我就请你进来了。宝之宽正，可抑毒杀邪行，所以你敢在死路上搏一把。”朱瑱命真的很佩服。

“敢不敢做，重要的是见识，你就缺这点。”鲁一弃故意刺激朱瑱命。他想让朱瑱命有所行动，那样刀十六才会有行动。他们两个的纠缠可以给自己多些时间和余地。

朱瑱命当然看出鲁一弃的意图，他知道自己目前的处境和目的都不允许自己心浮气躁，于是索性不说话了，只安心等待机会。

山下已经火红一片，金顶寺和镇子一样变成了火海。远近全是呼爹唤娘、鬼哭狼嚎。山上开始往下大量流水了，这是常年冻结的冰雪开始融化了。刚开始冰水滴落时，鲁一弃、朱瑱命都没太在意。但现在已经不是滴水，而是有水流汩汩而下。冰雪封印的山体，现在已经变得湿漉漉的了。

鲁一弃仍在紧张地寻找目标。其实他早在南岭半步崖之上就已经看出此处宝相非“庄相[1]”，而是“随性相”。这让他很诧异，同时也终于明白此处阴阳倒置的原因，所以他决定独身前往赌三把。

朱瑱命的推断不完全正确，他认为鲁一弃是挟宝闯寺，所以敢炸开西寺墙由死路闯入。而鲁一弃从此处闯入的原因是因为他看出“随性相”的宝贝就在与西墙里面的神呼滩上。也正因为是这种判断，他才敢大胆由此处闯入。根据《机巧集》中“宝性篇”所载：“宝灵之气，所摄方圆，百恶不生，百杀不起。”这和朱瑱命说的“宝之宽正，可抑毒杀邪行”是一个意思。就是说，长时间放置天宝的地方，在其宝气笼罩的一定范围内，杀器无法达到杀戮目的。

但“随性相”的宝贝，同时还受到至极凶穴平衡牵制，其宝相气势很特别。这就连鲁一弃天赋的异能都无法准确判别出来，所以他的闯入真的是在赌。

鲁一弃闯进到寺中以后，首先在碎石下摸到未启的扣子，确定自己判断不错。然后他又确定神呼滩上许多碎石都是建筑暗构用的材石，因为它们上面有固定构件的洞眼。但也不是所有带洞眼的石头都是材石，比如说鲁一弃用网兜装的两块石头，其中有一块便是镇压正西凶穴的“天”宝。

“天”宝，名为“自在天”。传说此石无踪而来，由七彩云霞中坠落凌霄殿顶，后被王母当做把玩之物。在《道叙宗意》中有载：“天石落于霓霞。貌似劣石，石上有孔。孔中得望绚奇仙境，望知逝后虚无，后世何往，心境自然……”

“天”宝还有另一种说法，在梵文涅赫版的《佛说前世瞻》旁批里可以找到这样一段文字。翻译过来的意思是说西方三教开坛论经，以一块石头为题。由石头的生处、经历、内在剖析为世精义。顽石受三教之众经文熏授，顿有所悟，突开出一窍脱重而飞，消失于云天之间。所以佛说，石头尚能开窍，悟出心中一片大自在天，众生又谈何愚钝。从

1　所谓庄相，藏宝需要有坛托，有罩盖，有吸取日月精华的祀堂。

此，这传说中的石头便被叫做“自在天”。

金顶寺活佛临死前，鲁一弃将宝贝放在他眼前。从石头的孔中，活佛可以看到了大自在的境地，看到自己一辈子向佛的归属。他心中自在了，这才安详死去。

鲁一弃拿到“天”宝之后，便开始赌他的第三把，这一把他赌得更险。《机巧集》“宝性篇”有：“携宝行，运顺行达。”所以这一把他纯粹是在赌运气，赌携带“天”宝后可能会提升运气。但目前来看，他的运气虽然还算好，却不知道能不能坚持到最后。

沉默的朱瑱命思想并不沉默，他脑中在将一件件事情逐渐连贯起来，把一个让他懊悔终生的事实展现在自己面前。

金顶寺所在之地草木不萌、五畜不兴，却是南产金，北产玉。周围本来并不适于藏民生活居住，却成为一方繁荣交易之地。寺庙处于荒芜沟堑中，却香火旺盛。朱家据守金顶寺，每年钱款进项竟达朱家总年收的大部分。三兽夔其他地方都育养不起来，却是在这寺中能够杂交而成……还有许多许多类似事情，都在说明一个事实：“天”宝宝构的位置应该就在金顶寺范围内。

“你不是挟宝闯寺，你是闯寺启宝。”朱瑱命想透了。于是郁闷和懊恼直冲胸腹，让腥血翻腾不已，一股甜腻直冲咽喉。此地又是一个多少年枕着宝贝梦宝贝的状况。

鲁一弃没有理会朱瑱命，他此时已经是入虚神离的极度自然状态。因为就在刚才朱瑱命思忖的那段时间里，他发现到一个条状凶相在身边的山体上隐隐凸现。于是他赶紧聚气凝神，身心自然，以确定这凶相是否就是脉形凶穴所在。

朱瑱命强自将嗓子眼的那口甜腻咽了下去，周天气快速回旋三轮。他清楚，鲁一弃很强大，刀十六又突然间贪私倒戈。自己只有保持住良好的状态，才能从这劣局之中寻出一点成功的机会。

气息平伏，胸血宁静，力、气、意重入功法循道之后，朱瑱命开始仔细打量起鲁一弃。他要找出鲁一弃身上与以前的不同点，找出他身上有什么不该有现在却有的东西。特别是些原本属于金顶寺的东西。

刀十六在关键时候贪私犯上，说明他是个狡猾、奸诈的老江湖。

这样的老江湖当然可以从朱瑱命的话和表情里看出一些东西，所以他确定，自己发难的对象错了，最终想获取的目标可能也错了。

刀十六也将刀锋般的目光盯在鲁一弃身上。跟朱瑱命不同，他是绝顶的杀手，首先注意的是别人的意图和动作。他是要通过鲁一弃下意识的意图、动作，找到他身上挟带的一个与之不协调的东西。这样的一件东西很有可能就是别人和自己都想要的东西。

“石头。”“石头！”朱瑱命和刀头都高声喊出，只是刀头的喊声更加惊恐骇异，让人听得有些毛骨悚然……

山脚下，正南为“金乌逐玉兔”的坎相，西面为“六阳旋照”的坎相，东面为“星明汇日流”的坎相。而在山上，有鲁一弃挟带至正天宝，宝气腾炫。无意之间，这四处功用合为一处，便形成一个可以改变世运国命的至阳大局，叫做“宝阳颠锁阴凶”。此局只在上古奇书《帝经脉衡择》中有过写录，亘古至今，只出现过一次，便是姜子牙火攻朝歌城，以此局将商纣命运彻底颠覆。也正因为有了此千古奇局，与“天”宝千年相衡，已经隐匿于天梯山山体中央的阴脉凶穴被逼迫而出。

至阳大局阳力逼迫阴脉起伏，凶穴震荡，凶气欲冲。天梯山山体开始发生变化了，而且这变化的速度越来越快、越来越剧烈。

山上的浮雪已经融化殆尽，冰层开始慢慢滑移。绕山风的突然变向，将围住山体的云层吹拂得淡散不见。直落而下的阳光在冰层凹面上折射的光线变位，覆盖整个天梯山的冰层被折射的炽烈光线悄然剖划开来，分作了南面、西面两大块。而且此时山顶部的穹顶冰层因为融化变得陡峭嶙峋，岌岌可危，随时都有崩塌的危险。

但最可怕的还不是这些，而是脉状凶穴的凶气遭至阳之局逼迫后要突迸而出，凶力四处胡乱冲击后让山体内部构造于无声之间四分五裂了。

朱瑱命恍然大悟地喊出“石头”二字，是因为他看到鲁一弃脖颈上挂的那两块圆石头了。那是神呼滩上的石头，也就是金顶寺的石头。一个行大事之人，手残不便，却始终带着两块并未给他行动带来多少帮助的石头不放，那这石头真实的意义……大悟不易，但大悟得有些晚了。此时塌缺的山体上已经有一小段裂口绽开，阴脉露相。阴凶之气直冲而出，让人心摇神荡，晦涩堵咽，脑晕眼茫。

鲁一弃早就感觉到这段凶穴，虽然还在入虚状态，手却已经将挂在胸前的“自在天”拿起，随时准备将它填入到凶穴之中。可是裂口出现的位置在塌缺的断壁之上，距离鲁一弃还有很大一段距离。这段距离对于不会轻身功夫还缺了一只手的鲁一弃来说，绝不能及。

朱瑱命出手了，不顾一切地出手了。不顾刀十六全力以赴的攻击，不顾山体开裂震颤，不顾冰层下滑、雪水泼洒。此时他全部心念中只有那两块石头，因为石头里有他生命的意义和使命。

刀头略微迟疑下也出手了，但他没有施展以骨血博性命的第十六刀，而是朝上方跃出，角度很是怪异。

一泼冰水冲下，将鲁一弃浇醒。在他清醒的同时，朱瑱命抓住了另一只网兜。

朱瑱命握住石头的一刹那，他便不再像刚才那么不顾一切了。因为现在开始，需要做的就是保住它，而保住它的前提是先保住自己的命。

刀十六身形未待落下，就已经遭到朱瑱命强力的一掌。这一掌重重拍在他的小腿上，除了腿骨的碎裂声响外，还有尖锐物件破空划风的声响，那是腿骨碎片穿肉而出，飞射出去的声音。

与此同时，刀十六跃起的上方也传来一声让人心慌的怪响，那是锋利刃口划过坚硬物体才有的声音。一方大冰石在刀十六头顶分裂为左右，然后继续往山下隆隆滚落。刀十六惊叫的“石头”不是宝贝，而是从上方坠落的冰石。他那一跃也不是要争夺宝贝或试图攻击哪个，而是为了避免三人都难逃死伤，纵身将坠落的石头斩做两半。

朱瑱命给刀头的那一击是有意图的，他要借这一击之势将自己身形后避，尽量远离鲁一弃，以免遭到反攻。同时这一击可以将刀十六拍向鲁一弃，而自己可以利用鲁一弃应付刀十六的时机，一下将石头夺过来。

可事情的发展和他预料中完全不同。他还没有完全使出力道与鲁一弃争夺网兜，鲁一弃那边就已经松了手。于是另一只装石头的网兜被这猛然的拉力带动，直往上飞弹而起。刀头被拍中后也没有往鲁一弃头顶掉落，因为这一拍之力正好被巨石下落的力道抵消。所以刀头快速直线落地，然后单脚弹跳，身形再次跃出，直扑飞弹而起的另一只网兜。

两块石头，不知哪块是宝贝，朱瑱命绝不会让刀十六拿到任何一块。于是朱瑱命肘腕间用力，将连着两边网兜的绳子朝下回旋，甩了个圈，石头便由刀十六身形的下方重新转向，划个弧形反转向石壁。

一个千载难逢的好时机，一个只有鲁一弃才能利用的好机会。

鲁一弃出手了，没有聚气凝神，他已经能将进入自然状态的前奏完全融入到下意识之中。

枪响了，只一声。子弹射出的速度、时间以及击断网兜上绳索的时机都恰到好处。而最恰到好处的是那带着网兜一起飞出的“自在天”，绳断之后，它以一个绝佳角度飞甩向石壁，飞入石壁上裂绽开的凶穴狭缝……

所有的一切像是在瞬间停止了、凝固了，所有的声响都像是突然间消失了。只有鲁一弃能感觉出此时气流翻转流滚的变化，围绕在山体周围的气息迅速地往狭缝口收敛，最后凝成一团钻了进去。

随即，一道彩虹从天梯山山体上悠然而出。这彩虹刚出现时和山体上显出的凶脉一样蜿蜒曲折，然后快速朝着南面伸展开来。而且最终伸展得那么的饱满，就像一张拉得满满的弓。

发生的一切似乎经过了许多时间，而其实刀十六此时才刚刚落地。

也是在刀十六身形落地的刹那，天梯山震了一震。随即整个山体无声地分解，坍塌下来。就像一个巨大的沙堆流散了，只是流散的不是沙，而是很多的冻雪、冰块和石头。

“崩冰子了！快跑呀！”山下远远传来撕心裂肺的呼叫，但这叫声才出现就被山上的滚动声彻底淹没了。

朱瑱命动作最快，他拔身上纵，迎着冰雪和石块而上。对于功力高深的高手而言，这也许是比往下奔逃更好的法子。只要能在其中快速转移身形躲开那些冰块和石块的致命撞击，那么被埋在冰石下的可能会是最小的。

刀十六虽然一条腿已经受伤，但手脚并用、连滚带爬，速度也不慢。他是往斜下方奔逃的。这是有经验的做法，要是方向正确，速度也足够的话，甚至能从崩冰子的覆盖面中脱身出来。

只有鲁一弃站在原地没动。不是不想动，而是被震撼得连脚步怎么迈动都不知道了。就在此时，两个飘逸娇柔的身形扑到他身边，是养鬼婢和胖妮儿到了。这两人一边一个架住鲁一弃，转身要往回逃。

鲁一弃断然喝叫一声：“就从此处下！”然后拉着两个女子一起由原来构筑宝构的破崖处纵身跳下……

冰雪、石块如雨点滚落，天梯山在迅速地变矮、变小，最后变成一个南斜的矮坡。而金顶寺、镇子都不见了，这一段两岭相夹的谷地几乎被石块填平。

一切又恢复了沉寂，而且是长时间的死寂。没有一个活人，也见不到兽子、牲口。只有一只羽毛零散的长白花喙鹰在碎石冰块之间一瘸一拐地蹦跶着。

过了好久好久，日头已经西落，万物再次沉浸到黑暗之中。此时死寂之中有了些声响，像是有死尸破土而出，又像是有鬼魂夜行而至。

第二天，一些幸存的镇民回来挖掘寻找自己亲人邻朋。火势起来后，由于绕山风突变，将大部分镇民圈困其中，只少数人逃出。石崩山塌，摧毁力量无以复加，所以全力挖掘之下，也只找到几具破烂尸体，而碎肉、断肢、血水却处处可见。于是悲戚哭号声数日不绝。

找寻人群中除了当地藏民，还有些服饰奇异的中原人，这些人只是草草巡查了半日便有序离开。

半月之后，与碎石一同滚落的冰雪尽数融化，冰雪水流积，在碎石的凹处形成一个堰湖。沿湖边还出现了几处泉眼，其中涌出的是温热泉水。水汽蒸腾飘荡在碧蓝堰湖之上，犹如仙境。

《藏地理正志》有记：“藏历秋盛天阳日，西僻峡谷冰崩石流，掩一处大镇。民、牲死伤不可计。峡被石塞成堰湖，有暖泉流现。”

《百年藏佛通记》中有：“……金顶寺未入佛宗，金顶活佛，无入僧册正记。虽传至通佛理，却无与人论。山倒，寺与僧同灭。”藏民中则流传，天梯山下金顶寺以佛名敛财，遭佛罪天谴，以山掩灭。

尾　声

离开雾霧中又多出几许血腥的天沟时，朱悟心望一眼以石影水印伪制的宝构门户，再望一眼茫茫翠绿连绵起伏的崇山峻岭。山岭的尽头是天边，天边的尽头有一抹缥缈的浮云。宝构就在这延绵至天边的山岭中，天下能找到它的只有鲁家后人。可天下又有谁知道鲁家的后人在哪里？或许他们就是天边的那一抹浮云。

天沟对

吴副官到达川藏交界处时已经是半夜时分，数十把用牦牛油浸裹的松木火把烧得噼啪乱响，将方圆几十步内照得分外明亮。但眼前明亮了，就将远处的黑暗映衬得更加深邃，似乎那里随时都会有恶鬼凶魔蹿出来。

不过忙乱可以让人忘记恐惧，吴副官带领的这群人除了少数几个在四周警戒外，其他人都不停地忙碌着。

吴副官虽然不亲自动手，嘴里却是不断吆喝着、吩咐着。看得出，他比那些忙碌的人更心焦、更紧张。

吴副官按鲁一弃吩咐先行入川，谁知路上遇到一个在川帅府当执行官的同乡，被这同乡出卖给了川帅。吴副官自己都不知道，打他溜出北平城后，各路军中遍传他带人挖宝的事情，而且越传越奇，最后把他说成个能看出地下宝藏的神人，所以一到川帅府，他便受到很高的礼遇，但同时人身自由也被川帅的手下控制。因为川帅正需要这样的人才替他挖盗古墓、找寻宝器以充军资。

吴副官没有办法，只好先行应承了挖墓寻宝之事。然后带着人手、物资往藏边地界一路过来。他的意图很明确，希望能在这里遇到鲁一弃，到时候不管是挖宝还是脱身，就都不是困难的事情。

但是这么多日子，非但没能遇到鲁一弃，自己带了这么多人手物资也没能挖到什么好东西。对此川帅极为震怒，觉得吴副官根本就是在敷衍他。于是发下狠话，如果再挖不出重器大墓，就让他吴副官去压墓底。所以吴副官对眼前这个依山为建的墓穴很是重视，希望能依仗这墓穴来缓解自己目前面临的危机。

“王长官，炸药都排布到位了，从墓穴工道痕迹上看，这一下就能炸到金刚墙的位置。”向吴副官汇报的是个川帅府招募的盗墓好手。

“药料会不会太重，到时候直接穿顶了。”吴副官生怕墓里的好东西被毁了。

“不会，由围子看，这穴子至少有三重室，就算炸破金刚墙，也就到外室位。”

“那就赶紧点火吧，天色都要亮了。墓中物件见强光损品相。”

可吴副官吩咐之后，那个盗墓的好手却没有动。而是瞪着眼睛一声不发，耳朵片儿不停颤动。

“听到什么了？”吴副官紧张地问。

盗墓的好手没有回答，脸色却是惊异凝重，在扑朔的火把光照下显得诡异、无常。紧接着，他脸颊上的皮肉开始抖动起来，是以一种奇怪的节奏抖动的，然后整个人也抖动起来。

吴副官也抖动起来，以同样怪异的节奏，根本无法控制。这是因为整个地面在抖跳，并且抖跳的幅度由远及近越来越大。

“是那下面！要裂盖壳儿了！”盗墓好手指着大墓高喊，喊声因为抖动而有些含糊不清。喊完这话，盗墓好手立刻原地趴伏。在场的其他人，灵巧些的也都学着样子趴在地上，呆板的都站在原地没动，只是睁圆惊恐的眼睛，张大讶异的嘴巴。

随着抖跳幅度的增加，一个如鬼哭妖嗥的声响也由地下传来，而且那声响越来越清晰，越来越响亮。就像墓中有一头巨大魔兽要从最深处冲突而出。

近了，离得更近了。吴副官判断，如果地下这股诡异力量最终破土而出的话，那冲出位置应该就在自己面前，所以他没有趴下，他想逃开，可偏偏双腿抖得厉害，怎么都迈不出步子。

异响戛然而止，剧烈的抖跳同时停止。这让那些在抖跳中勉强站立身形的人一下没适应过来，纷纷跌倒在地。吴副官没有跌倒，而是双腿一软跪在了地上，正对着大墓已经残缺的石碑。

趴在地上的盗墓好手原先毕竟是吃江湖饭的，反应要比川兵快得多。声响和抖跳才一停，他立刻从地上爬起。见吴副官对墓碑跪着，立刻冲了上去，拖起吴副官双臂就往后走，嘴里发出连串颤动的声音：

"鬼僵膝！鬼僵膝！"

"鬼僵膝"是盗墓家流传的一种说法。说是盗墓人误盗凶茔恶墓，墓中厉鬼作祟，让盗墓人双膝僵死，跪于墓前或墓中。如果得不到及时解救的话，最终身僵血冷而死，死状无伤无痕，只有面色扭曲青紫。相对科学的解释是，因为墓中含有带毒的护墓设施或者尸体以毒料防腐，时间长了这些毒挥发为气体。这种气体与墓中其他气体混合为重性气体，沉积在墓室的地面。如果入到这种墓中，未能及时疏气通风，这种有毒气体首先会侵蚀腿脚，让细胞和神经系统麻痹和坏死。腿脚僵死之后，人会下跪，此时毒气没过口鼻，便会窒息而死。

盗墓好手将吴副官拖出才三四步，吴副官便站起身跟着在走了。盗墓好手一愣："不是鬼僵膝。"

"不是。"吴副官说，"啊！怎么回事？"

就在此时，他们脚下的土石在无声地滑动，一个双驾辕见方的地块正缓缓凸起。

"快走，墓围子有扣儿！"那盗墓好手拉着吴副官就往旁边一块凸石奔去，没等到跟前，已经纵身扑出，滑滚到石后。

"嘎嘣""嘎嘣""嘎嘣"，连续三声震颤心魄的脆响。紧接着便是碎石飞溅、尘土飞扬。一块整齐见方的巨石由地面上翻滚而起，重重地砸落在地。

周围恢复了平静，扬起的尘土渐渐散去。盗墓的人依旧趴伏在地或者蜷缩着躲在什么犄角旮旯里，连大气都不敢出。地上散落的火把在明灭之间扑朔、挣扎。

时间过去了许久，盗墓好手和吴副官终于壮着胆子从凸石背后出来，战战兢兢地往巨石翻起的地方挪过去。

巨石翻起处露出的是个斜坡道，从道面和两边墙壁看，这应该是大墓的外甬道。

盗墓好手捡起一块圆滑的石块扔进甬道，那石块骨碌碌滚出好远好远才停住。

"不对，这距离已经过了头道墓室。这墓怎么没有金刚门？"盗墓好手又掏出一个球状物件。在地上一支还未熄灭的火把上点燃。那物件是盗墓者用于探路和除垢污驱晦气，叫做油浸麻球。别看这球不大，燃起的火团却不小。火球沿甬道滚入，当火球滚入一半的时候那盗墓好手快步跟进。

吴副官吆喝着其他人拿火把跟在后面往墓道中走，数十支火把将墓道照得很是明亮。进入后才看到，墓室是有金刚门的，只是已经被打开了。再往里是墓前室、墓偏室，但所过之处空空荡荡，没有一点陪葬的器物。倒是满地可见锈蚀破损的箭矢、刀盘。

通往主墓室的甬道很难走，必须弯低身体或者贴近墙壁才能前行。因为这里的墓顶上吊下来十多根巨型圆木，吊住圆木的钢链已经锈蚀得非常厉害。随着圆木的晃动，“吱呀”怪响着。

主墓室中除了一副巨大的棺椁也是什么都没有。

“怎么回事？什么都没有。”吴副官很懊恼，“启开棺材看看，说不定好东西堆在那里面。”

“不是没有，是已经被别人掏空了。”盗墓好手说，“很奇怪，那些人走的什么道？还将墓中坎子反撤扣，好像是故意放我们进来的。”

吴副官对这话有些听不懂，于是那盗墓高手仔细给他解释一番。

“整座大墓机关布置为推叠式，就是说当第一道坎扣被破，其机栝弦子的作用力会加注到下一道坎扣，这样下面一道坎扣的动作力就会更加强劲。如此类推，越往后，坎扣攻势越强大。刚才地底传来的怪响，是墓中有人用将机栝弦子全卸了。主墓室的‘乱壁合’，外面的‘滚木捻’，还有‘飞雨矢’、‘流云盘刀’，我们硬闯的话死绝了也不一定能到这位置。墓里解坎的是极厉害的高手，而且离开不久。可问题他是从哪里出入？”

吴副官心里猛然一动。他赶紧将墓室重新扫视一番，最后目光还是落在墓室中唯一的棺材上。

“来人，将棺材移开。”棺材移开了，下面有一个狭长状的洞口。

“啊！下透穴！这是移山断岭的手法。”盗墓好手认出来。

一听这话，吴副官突然明白了许多：“将棺盖启开！”

棺盖翻倒在一边了，里面除了一具枯焦如土的尸骨外，还有一份书信，一封墨香犹然的书信。

吴副官一把将信抓在手里，心中满是惆怅失落。他知道自己错过了什么，那比墓中陪葬的珍宝要重要得多。

“人未走远，现在追还来得及。”有人提醒道。

可还没等吴副官做出决定，外面有人在大呼小叫，声音从墓门外传入，在墓室中变成轰然的回响。

吴副官赶紧冲出墓道，只见天空中星点耀眼的光华由圆形缓慢散变成一个斧头的形状。这形状吴副官认得，是鲁家弄斧信符的样式。天上闪烁的弄斧样式持空了一会儿后，又逐渐变化成个飞鸽的模样，而且是个尾部像是着了火的飞鸽。飞鸽又持空了一会儿后，这片光华才渐渐灭去。

吴副官呆呆地看着已经恢复为暗灰色的天空，突然间明白了什么，有些东西自己还没有失去。他将手中的书信拿到面前一看，信封上有几个楷体小字：“速送鼓马山萨月额草场半山蓝。”

鲁家的书信，速送，这正是刚才烟花所表达的实质内容。吴副官知道这事情自己必须最快最好地去做。

“来人，将这书信从军讯道走，一定要安全快速地送达地点。”在当时的川藏荒芜之地，恐怕再没有比军讯道更快捷安全的通信方式了。“身家性命都靠它了。”吴副官这一句的威慑力极大。大家都以为自己的身家性命需要依赖这封书信，而只有吴副官自己知道，这话只包括他自己。

“九天火鹰”炎化雷从高坡上快速滑溜到坡底，坡底有辆大车在等他。车上已经坐有五六个人，他们都是以黑色风布披头掩身，连面目都遮去大半。不过从身形上可隐约看出，这些人中有男有女。

“大少，光信儿爆完了。”炎化雷对着其中一人说道。

“那行，书信从军讯道走，三天可到半山蓝手中。我们在这里再耽搁三天，三天后带上吴副官就走。”说话的人语气平静，气息淡定，但在别人听来，却有一种无法抗拒的气势。

于是炎化雷轻迈步上了马车，而前面一人手中长鞭无声一晃，拉车的马眼中鞭影一闪，立刻小碎步启动。大车很快便消失在坡底山坳之间。

三天后的凌晨，鼓马山萨月额草场半山蓝收到信，拆开后，里面还有一个信封。这信封上写着：“送天龙寺无由法师”。除了这几个字外，信封上还画有一个怪异的曲线。这曲线代表什么只有包括半山蓝在内的几个人知道，那是一根独一无二的长鞭。

半山蓝立刻喊来最得力的伙计吩咐道：“将此信由骡马道送大理天龙寺无由法师”。当时从川地入云南，最快的方法就是走骡马道。这骡马道都是由民间组织控制的，就和川地水路的幺哥组织一样，而且骡马道的组织需要好的骡马和好的赶车人，所以会很给半山蓝和卞莫及的面子。相对而言，这骡马道也是最安全的。

但那信最终不是给无由大师的，那么再下一步如何传递？无由大师是否也能顺利送达？

虽然已是深秋之日，但在海南地界却是感觉不到寒冷。鲨口站在一块礁石之上，脚下是碧蓝碧蓝的海水，能够一眼看清水下的珊瑚和游鱼。与平常时不同的是，这时候水下除了珊瑚和游鱼，还有像鱼一样游动的人。

鲨口虽然站在水边，却没有关注水下。因为只要从水面波浪的起伏和波纹的走线上他就可以判断出下面的战况。水下的搏杀会在短时间中结束，虽然是一对三，但获胜的一方会是单独的一个。

离鲨口所立处不远，有一块更大的礁石。这礁石的形状很是特别，像是个露出水面的屋顶。而礁石南面远远可以看到一个不大的岛屿，岛屿沿岸滩是一片鱼排，那是疍族的聚居地。此时正有几艘小木船由鱼排处朝这边驶来。

鲨口朝摇过来的小船挥了挥手，那些船便停在了波面上，任凭浪推波涌。

就在此瞬间，鲨口脚下的水面上突然闪出几条杂乱的尖锐波纹，随即又显出几个小旋子。鲨口知道战斗快结束了，斗鲨刀的路数彻底乱了，破贝刀开始了最终的灭杀。

果不其然，眨眼间大团血红翻着泡、泛着沫涌上水面，把这处洁净透明的水域全染浊了。翻腾的血红还未完全静止，一个秀美婀娜的身影突然从中跃出，如同豚鱼出水。跃出水面的身影在空中漂亮地扭拧几下后，竟然凭空平移一段，轻巧地落在鲨口身旁。水下上来的是个年轻的姑娘，穿着紧身水靠。不但身材婀娜，面容也是端庄秀丽。唯一不足的就是皮肤很是黝黑。但不管从哪方面来看，她怎么都不像是刚刚在水底一人搏杀了三个水下高手的。

“都解决了？”鲨口问道。

“解决了。”水中跃出的姑娘不但长得漂亮，声音还悦耳动听。

“招式上看得出路数吗？”鲨口又问。

“和前几次不同，这次像是北水面的。”

鲨口没有说话，而是转头看着那座像屋顶的礁石，面色很是凝重。

“已经是第五趟了。最早两路是本地‘潜网堂’。后来两路是东水面的福蛮子和江浙一带淡水面的窄漂儿。这次从招式和换气法上看，像是渤弯子的什么帮派。”姑娘说。

鲨口依旧看着那屋顶模样的大礁石没有说话。

“看来对家已经瞄住这里。哥，你说的那个人到底什么时候来？要不加紧将这里的大事了了，对家再要来什么高手或大队人马，我们两个可撑不住啊。”姑娘满脸忧色。

“已经到了，我们赶紧准备吧。”不知道鲨口这“已经到了”说的是那个人还是对家。

鲨口朝远处的那几艘小木船高喊了几句听不懂的方言。然后那些船大部分都掉头往回划去，只有一艘继续朝礁石这边过来了。

“哥，你让他们现在就下钩网和夹桨水滚，可那些东西我们准备得不够数量，最多就能将沐潮台围住半幅。”

“来不及了，能围多少算多少。贝女，你看这日头又见西了。潮头一落，整个沐潮台就会显形。”虽然这么说，鲨口的表情却看不出着急来。

小船很快摇到礁石边上，鲨口和贝女登上小船，往大礁石那边驶去。而远处鱼排那边，更多的小船装满东西往大礁石这边驶来。一场紧张又谨慎的忙碌围绕大礁石展开。

日头落得很快，潮头落得更快。当西边天际只剩下一轮清淡胭红时，那大礁石已经有大部分露出水面。此时再看，礁石真的像座楼，东周式样的双层檐八角飞云楼，在广阔水面上，显得突兀、怪异。

白天鲨口站立的小礁石也有很大一截露出水面，就像把插入水中的利剑。礁石下被鲜血污染了的水色早就恢复了清晰。水下的人还在，只不过已经是三具被开膛破肚的尸体。而那些游鱼，已经开始悠闲地啄食尸体了。突然间，那些鱼不知被什么惊动，惊慌地四散逃开……

只要再往前走几步，就是立削的陡壁。眼睛能看到的高度和推测出来的深度，让鲁天柳再没有勇气往那边缘靠近半步。

天沟很长，就像一把利刃将云贵高原狠狠砍出一道口子。沿着天沟往远处看，可以看到天沟下面枝伸叶展、翠碧重叠。虽然惧怕天沟的高度，但那一沟的翠碧却给她一种家的感觉。

阳光炽烈照射下，天沟深处渐渐飘起淡淡的彩色瘴气，越聚越多，让这条天沟都沉浸在色彩斑斓中。明施誓杰《西南游异集》中有：“……沟下腐物沉积，日晒成雾。沟雾午后始起，夜半雾消，虽颜若霓霞，却奇毒不可入……其名毒雰。”简单说，这毒雰就是一种有毒雾气，虽然色泽艳丽，却如菌菇，越艳越毒。

天沟西壁上若隐若现的塔状痕迹这时被毒雾掩没了下面一半，已经看不到门形所在。早上无雾时，鲁天柳只是凭光线的明暗分布，就看出那个看似简单的门形整面凸凹有致，是个极其巧妙的布置。

除了鲁天柳，还有一个人也看出了其中巧妙。这人是鲁盛义西南寻访时结识的好友，制锁解锁的高手蒯豁子。蒯豁子这姓是真的，名字却是因为他长了一张歪口，老是豁着条缝怎么都闭不上。

当年蒯豁子与一前辈高人打赌，结果被对方困在千古奇锁九转玲珑门中。此锁门即是锁，锁即是门，运用九转天轮循环相克之数，再加上千枝玲珑死点对，只要错误触动一个死点，整个锁就完全颠覆排列顺序，相当于翻转过一转天轮。变化之后所有解锁步骤方法必须重新计算、梳理，然后再次逐个正确脱节死点。

蒯豁子被困在门中，数日无法解锁而出。最后鲁盛义在一旁支招儿，从门形构造下手，让他启开门铰儿脱身而出。当然，启门铰儿不是解锁正道，从道理上讲也是蒯豁子输了。不过与他打赌的前辈高人见他能另辟蹊径而出，一则是爱惜人才，再则自己也的确只注重到锁具巧妙，未注意到其他细节，所以主动承认蒯豁子赢了。这一来，算是保住了蒯豁子的江湖名头。出于对鲁盛义的感激，蒯豁子答应，鲁家大事动到西南，他随时听候使唤。

石壁上的门形，从表形和凹凸明暗的分布上看，和当年蒯豁子无法解开的九转玲珑门很相似。但此处绝不同于九转玲珑门，因为以石壁为锁，没有九转变化。一触之错，便会让整个锁的死点、节点碎散，成为永远打不开的死锁，根本没有二次解锁的机会。

天沟石壁削立高深，连鲁天柳都不敢往沟边靠近。可此时偏偏有两个中年人就站在崖边上，并且还探出半个身子往沟底下细瞧着。这两人是亲兄弟，老大叫丰山左，当地人又管他叫座山风，老二叫丰山右，当地人叫他过山风。这两兄弟都是天龙寺的寄命弟子，有大山中练出的独到本领。

丰山左认识各种异草药料，能解百毒。特别是山中的瘴气雰雾，他能辨别出其中成分，并以合适药料应付。丰山右的独特本领是查辨山形、攀援峭壁。不管多艰险的山体，没有他不能到的地方。

关五郎和一个瘦小的老头坐在离崖边挺远的树下。关五郎紧握着刀杆，显得很是紧张。这也难怪，这些日子来，他从未遭受过如此的打击，每每都是在两三招之间便输得彻彻底底，一点侥幸都没有。而最让他无法承受的是，对手只是让他输，并不加以伤害。这就像猫玩老鼠一样慢慢消磨关五郎的信心。

瘦小老头很悠闲地抽着旱烟，烟锅中焰头起伏。他吐出的烟雾却像雰雾一样，凝而不散。并且随着烟雾的增多，堆垒出奇特的形状出来，像一幅立体的山水画，又像一个缩小的仙境，烟气缥缈、云雾飞流。这种独特技艺叫烟画，早期云贵川一带有人专门在茶馆、酒楼中表演。但那些表演的人与这老头肯定不同，他们烟画的凝时肯定没有这样长，因为他们不能像这老头一样以气凝烟。现在那老头已经反复吐出不下十幅同样的烟画，这些烟画的形状正是他们现在置身的连绵大山。

瘦小老头是无由大师数十年的挚友，江湖中赫赫有名的气功师傅崔云飞。因为鲁天柳和关五郎才入西南之地，便被几个黑衣戴笠之人坠上。数次交手试探，那些人都身如刚石，硬不能击，两三招之中就将关五郎制得无计可施。所以为了应付这些高手，无由大师请出了崔云飞。

崔云飞不仅是气功大师，而且还是“奇数阁”的唯一传人。“奇数阁”也是江湖上一个很有造诣的坎子家，这一派坎子的最大特点是利用地形地貌设置各种杀扣，这些技法大多是用于军队和野外杀伐。可现在崔云飞反复吹吐山形烟画，是因为他发现这山上可利用布坎设扣的位置都已经被别人抢先占用了。而且对手用的大多也是“奇数阁”技法，造诣还在他之上，这很让他惊骇。

鲁天柳这群人中，有两个人最为紧张。一个正是天龙寺的无由大师，他正端坐在一方云石之上，手敲木鱼，不停吟诵着《明慧解脱咒》。而在云石之下，一个身形僵直的人正跳着一种怪异的舞蹈。这人是湘西的赶尸人言行夜，他曾与鲁盛孝一同做阴阳叉格封尸箱收过野峁山的夜鬼婆。言行夜现在其实不是在跳舞，而是在施展一种不为人知的法术，叫“引魂行”。

不管是无由大师的《明慧解脱咒》还是言行夜的“收魂引”，都是用来勾摄人的心魂和镇压人的心念。此时，无由大师额头已经见汗，而言行夜连胸前、背心都湿透了。看得出，他们两个正耗费着极大的心力和体力。

朱家在此地伏下上百人手，其中不乏江湖上一等一的高手。而且从山口到一旁谷底，连绵坎扣布置。人扣、兽扣、毒扣、器扣分布各处，设置巧妙，各司防杀。要从这样一个连绵大局、数十狠扣、上百高手中闯过，凭鲁天柳这几个人很难想象。

但这些还不是鲁天柳他们最需要面对的，他们真正的对手是一个人！一个凝坐如石、面色如尸、眼碧如玉的年轻人。

鲁天柳不知道这个年轻人是在什么时候、什么地方坠上自己的，虽然他的优雅气质俊秀面容很容易给别人留下深刻印象。而且鲁天柳发现不对劲时已经人入西南，除了关五郎外，还有言行夜和蒯豁子同行，可他们四个久经江湖的高手都未曾发现到这年轻人的踪迹所在。直到鲁天柳施展超常三觉在翠桓山涧寻路而出时，才对这个人的存在有所触动。

西南这一地的藏宝暗构动工最早，耗费人力物力最多，布置设施也是最完善的。当时因为西南险恶，鲁家弟子是在墨家好手协助下才完成此处宝构的。完成后为了行君子之道防止相互嫌疑，两家也都没有留下护宝弟子。一则这种地界在气候地质影响下，山形川流树木变化极大，很短时间中便再难以重寻到原处；二则祖辈们十分自信，此处宝构汇聚了两家的巅峰之技，要不是兼精数家的绝顶高深之士，绝无法启开构筑。

鲁家人寻访最多的就是西南，因为所藏宝贝中，只有西南这一宝祖上留下些线索，是一句“西南天沟浮塔入壁”的口传。鲁天柳来到之后，当然不会放过这里的每个深沟谷涧。她有超常的三觉，寻查辨别能力敏锐准确。再加上是处身在重重林木草树之中，这让她的灵性表现得更加随心所欲。

鲁天柳最早在翠桓山涧发现异相时，没有感觉到威胁和伤害，只觉得这异相时远时近、亦趋亦离。但渐渐地，异相便与自己的思维和感觉纠缠在了一起，并且很快顺应自己的心率、气息以及其间发生的每一个微小的变化，就像有又一个我融入到自己心脑之中。对于这种情况，鲁天柳不敢做出剧烈反应，她怕惊扰到对方，更怕自己心脑遭受冲击和损伤。所以鲁天柳依旧保持自己的状态，只是将超常的嗅觉抽出，往异相的来源处寻去。

那是一种清清爽爽的味道，一种年轻健康男性才有的体味。而且这味道中还夹杂着一种很淡的香气，鲁天柳判断，这种香气的材料应该出自异域之地。

当鲁天柳的意识中才出现味道，异相立刻有了反应，一下从鲁天柳心脑之中拔出，消失得无影无踪。但此时鲁天柳的嗅觉也已经寻到源头，就在距离自己不到百步的地方，于是她立刻展开身形，如抄水的燕子飞扑过去。百步的距离连一半都没走到，便被人硬生生地逼住。逼住的两个人相貌是汉人，衣着却非常少见，只有洋鬼子偶尔才穿。

关五郎他们几个见鲁天柳被人逼住，便一拥而上。但他们也只是冲出十几步便也被逼住，还是那几个人，身如铁石的戴笠黑衣人。也不知道他们原先藏身何处，却都像鬼一般突然出现了，已经数次被挫败的关五郎他们无法闯过这道屏障。

虽然只是逼住，没有搏杀打斗，但现场的气氛却压得人透不过气。一个年轻人从一处黑叶矮松后走出，他很俊秀、白净、挺拔，也很冷漠、沉寂、妖异。总之，看着是人，感觉却不像人。

鲁天柳与那年轻人四目相对。这是两双传说中只有半仙之体才有的碧眼青瞳。鲁天柳的青瞳是淡绿色的，就像春天刚抽出来的柳叶芽子。那年轻人的青瞳则像两泩深潭，深邃的绿，还打着旋儿，像是要把所有东西都吞噬进去。

两个人没有出声，但他们却在快速交流着，这种交流用言语已经无法尽数表达。

是“洞三界”，鲁天柳并不掩饰自己的惊讶，虽然她很清楚对方能够感知自己的思想。在龙虎山时，有精通心力修为的高人给她讲解过。江湖上有窥心术、测欲行法、辨先、度思术等招数，它们通过观察人的表情动作以及气息血行，然后推断出别人内心思想。但有一种天赋异能之人，能在百步之内直接感知到别人的思想和心理。这种异能叫做“洞三界”，所谓“洞三界”就是洞悉别人外表、内息和心里，也就是形、性、思三重境界。

“你是至今唯一一个能觉察到我‘洞三界’的人。”年轻人用无声的交流告诉鲁天柳。虽然这次不但被觉察出感知力的存在，更被对方寻到实际掩身的准点，但他并不慌乱，他的气息、心脉、血行始终如一。因为他很清楚，这女子虽然可以发现自己窥知她的思想，却没有任何办法来阻止。所以不管是内心的对决还是实际的搏杀，自己始终握着百分百的胜算。

这年轻人是谁？他是朱家新的门长，朱瑱命的独子朱悟心。朱瑱命在三丘土囚魂墓被困埋三天，挖出后他感觉自己心脉、气脉俱受损伤，便让手下紧急召回在海外磨炼的朱悟心。

朱悟心是个怪胎，常常凝坐如石，三日才出一言。但他言出必逆，逆言必中，是因为身具异能，可以洞悉别人的想法和心思。朱瑱命虽然当世奇才，对此子却无能为教。于是便遣几大高手带他远涉海外、游历天下，刻意地磨炼他。

事实也是如此，海外多年的修炼学习，让朱悟心不但将其天生的“洞三界”能力发挥到极致，对朱家研制的各种坎面也领悟得十分的透彻。并且还将自己在海外学习到的各种新奇先进的工艺运用到这些坎面之中，让它们在使用中更加意外、歹毒和稳定。

朱悟心看着对面这些人，眼光淡定如水。他的心中非常清楚，那个和尚和那个像僵尸一样蹦跳的人，所做的一切都是针对自己洞三界的超凡能力。

说实话，刚开始这两个人的招数还是搅乱了自己心魂的。那和尚梵音如金刚喝，那僵尸蹦跳如鬼魔舞，入耳入眼都是直撞心钟。于是朱悟心索性暂时放弃洞三界之力，先将注意力转移到其他地方。

从周围山形势态来看，此处是“沐日碑榜”的风水局。如果将祖坟设于沟崖之上，运道之中可出将相王侯。而深沟流形无环无端，加上沟中毒瘴猛兽、怪树异草，又是个极度的败运之局。朱家祖训上说，宝构所在，为天宝镇凶穴处，吉凶相衡共存。这样看来，自己跟着那鲁家女子来到的应该是西南“木”宝的正点位。

看过山形，朱悟心又看了下自家的布置。近处，他前面左右石木间立着六个戴笠黑衣人，这是他从泰国带回的高手，不但精通搏击之术，而且个个身骨硬如钢铁，如同中国的横练功夫。有这六个人作为屏障，对家很难接近他。身后有护带他去海外的四大高手在。这四位高手，三位是朱家总堂护法，还有一位原来是南方正广堂堂主。他们不管技击之术还是江湖经验、诡蛊谋略，都是江湖上一等一的高手。

从一侧坡路斜向往下，他分别布上了竹刀阵、千索拿魂、动滑百步阶，然后坡路再朝另一侧转过，分别有飞山灵猫、毒汁吹管排、正反绞锁刃、力士移山，由一线忐忑栈道绕过对面山壁后，还有千刀雨、八卦突杀阵、滚石上坡，最后在壁挂林中还伏有过松顶巨蟒（长度能从松树顶点盘绕到树根）两条、压枝蟒（能压断大树枝杈）十数条组成的活藤织网。

且不说每处的坎扣如何巧妙毒辣，就这整套布局在坎子行中就是少见绝学，叫做“虹斗吸天”。这种布局是将整座山体和一段沟谷笼罩，不让别人往下踏足半步。

看了一遍自己的杰作，朱悟心很得意。他不仅仅将朱家技艺发挥得淋漓尽致，而且在其中还加入了许多海外的先进技艺。其实他心里很希望鲁家人能勇敢地冲过来，闯入虹斗之中，这样就可以印证一下他改进后的坎扣效果了。朱悟心还很自信，虽然朱门近来遇到了前所未有的打击，但他相信自己接手之后，局面会有彻底的改变。

相信自己，肯定自己，是朱悟心调整心境、心力的一种绝好方法。就像在用一种满足感和自豪感进行着某种仪式，某种与自己祖先通灵的仪式。这种仪式之后，他的心境会变得洁净空玄。就像无尽的天空，可以容纳下日月星辰、风雨雷电。

当朱悟心碧色目光再次投向对面时，他如同天空的心境让和尚与僵尸的搅乱力量散落到不知哪个角落里去了。而心境中更大的部分开始快速将其他人的思想包围。人的思想有时可以飞驰为一方天地，有时可以集中到细微。但眼下，不管鲁家人的思想是何种状态，他们都被天空包围了。

包围住思想，紧接着便是摸索对方的思绪。朱悟心今天的做法有些肆无忌惮，因为今天已经到了对决的时刻，因为自己已经为对决做好了一切准备，还因为对方那些人对自己“洞三界”的能力完全是无可奈何。

这次“洞三界”的探寻没有遇到任何障碍。幽碧的目光首先落在和尚和僵尸身上。他们很专注，心无旁骛，所有的努力就是要把自己心神搅乱，让自己无法施展“洞三界”。专注很有必要，心力博弈有这样一句俗话，不疯魔不入道。只是朱悟心发现，这两人专注的思绪中偶尔会出现迟疑，这种现象说明他们已经累了，同时对自己的努力开始不自信了。

后面还有个专注的人，横握朴刀的壮汉。他的心思很简单，就是要在适当的时候冲过来杀了自己。但他很紧张，因为他自己都清楚这种可能性没有。几个泰国高手前段时间不但是多次击溃这壮汉的招数，更彻底击溃了他的信心。朱悟心一般不会小看任何人，但现在他却没再将这壮汉放在心上。一个完全失去信心的人，就算他的意图再决断，对决之中充其量也就是个跑龙套的。

壮汉旁边是个吞云吐雾的老头，这是个奇怪的人。他的思维不断在实际的山水与吐出的烟雾之间跳跃着，这让朱悟心的捕捉有些困难。但“洞三界”能力已经达到一定境界的朱悟心很快就适应了这种变动。

虽然崔云飞的思维是跳动的，可显出的计划却是连贯有条理的。他是要以旁边的关五郎为诱子，让挡在朱悟心身前的一部分泰国高手对他进行堵截。而他凭一身气功本领，冲过余下泰国高手的围堵直扑朱悟心，但这依旧是个假式子，他是要逼朱悟心后退，逼朱悟心身后的四大高手都去护住朱悟心，而将沟旁那个一夫当关、万夫莫开的小道口给让出来了。他抓紧时机从那里下去，这时就算那些高手反应过来追击他，无由大师和言行夜应该能适时赶到，对他们进行牵制。下面的竹刀阵、千索拿魂、动滑百步阶对他来说，全破需要些时间，只身过去却不需要费大工夫。然后是飞山灵猫、毒汁吹管排两坎。飞山灵猫可以凭护体气功强闯，毒汁吹管排确实要花些精力，因为这种坎不是“奇数阁”的长项。但只要破了这坎面，整个“虹斗吸天”就被截了腰。按照原先的计划，他闯到这坎位就算大功告成。

朱悟心很佩服，老头原来是个技击、坎子双修的绝顶高手。但老头陈旧的计谋策略和坎理分析让他觉得好笑。当然，有资格好笑的也只有他朱悟心而已。老头的计划不定因素太多，黑衣泰国高手是不是会被壮汉诱走一部分，他能否闯过余下的高手是不定因素。能否将自己逼退更是个不定因素，自己修习的技艺包括技击之术，而且不输于江湖上任何一个高手。再有自己身后还藏着两支英国造的短柄散弹枪，这老头的气功能抵得住这枪弹？下面的坎面那老头也想得太简单了。动滑百步阶，自己在上面又加了三组弦雷，两组踏雷，这些都是瑞典货，反应灵敏，杀伤力极强。飞山灵猫，猫爪上都有尼罗河迷蛇毒炮制过的锰钢合金爪套。毒汁吹管排中，夹藏二十支连发步枪，坎尾更有一门迎头炮。这些都是那老头想象不到也无法应付的。

崖沟边那两个人像是兄弟，他们的想法是配合那个吐烟老头的。这两人一个是在找路，一个是在备药。所有这些是想在吹烟老头占住“虹斗吸天”拦腰节点后，从已破坎扣的范围内直接下到沟底，启开宝构。

找路的人让朱悟心很是惊讶，从这个人的想法可以获知，他找的路是不利用任何器具徒手下到谷里。而且还要在下行的同时安装一些设施，从而让其他人可以一起下去。

另一个人是用药解毒的高手，他是在辨别瘴雾的成分准备解毒药，让下沟的人含服。朱悟心对这解毒药没有仔细了解，因为他不需要这个，他备有一批从外域带回的防毒面具。

一直凝视对面石壁的豁嘴老头思维很纠结。虽然门形处阴暗纹路已经被瘴雾遮掩，可最初的样式已经让他完全将思维融入其中了。九转玲珑门中仅有的一个变化，没有试开、重来的机会，稍稍一个误差，便成为千古死局。所以首先要将最初设置锁形的机理窍诀搞清楚，才能将仅有的变化推理出来。所藏“木”宝，门形采用千枝玲珑对的结构是在情理之中，问题是九转循环相克之理，这一转要能旺木，那么是否该从日、水、土上下手……

朱悟心没有继续，摸索这种纠结的思维是件很难受的事情。而且这种推理盘算复杂、缓慢，最终结果还不一定正确。他自己已经想到更为简便的解决办法，就是在所有锁架固定的根基部位，采用定向爆破。他从外域一起带回来个比利时人，是个弄炸药的高手。

搜索的最后目标是鲁天柳。可能是因为鲁天柳正凝神思考着什么，三觉没有注意到洞三界的侵入。朱悟心很顺利就窥探到鲁天柳的思维，但这思维让他大吃一惊！

朱悟心从未见过如此缜密无疏的思维面。这山林间的每处林木、每片枝叶、每株花草都是这个思维面中的组成点。而更可怕的是，这每个组成点起的作用并不只是凭空的想象，它们可以真实地感知。

朱悟心知道这是鲁天柳超常的三觉在起作用。这个神奇的女子只要抚摸着身边的树木，只要立足地面的花草，只要呼吸带着草木清香的空气。那么凡是那些枝叶花草能触及的地方，她的思维就能感知到。整个山林的树木花草枝叶相触、根茎相连，所以她的心灵、思想也融入了整个山林。

在这样无所掩蔽的感知下，朱悟心所有坎面的布置都在她脑海中显现出来。不但原有的坎扣在她思想中暴露无遗，就连朱悟心改进了的扣子也一一被她发现。

鲁家从明朝开始，与朱家多少次的交锋对决，最大的收获就是对祖先的技艺有了颠覆性的认识。过去那些技艺，教诲的是“立”字为本、“规矩”为则。但无数次失利、流血后，他们认识到反“立”则为拆，乱“规矩”便成偏锋的道理。于是后来一段时间中，鲁家聚集高手专门研究拆破之技，并将这一类技艺归在鲁家六技之外的一门偏技之中。这一技为“小工”，原本为六技辅助之用，有倒木、破石、和泥、运材等各种技艺。鲁家大匠一般不习此技，原先都是传授与外姓之人。但拆破之技汇入其中后，此偏门之技变得诡滑且极具杀伤。所以都是只具书录而不传授。

如今懂“小工”一技的只有两人。一个是任火狂托付鲁一弃提携的独子任性来。当年这孩子跟随任火狂的师傅南下寻精金奇料，偶遇到鲁盛孝。鲁盛孝瞧这孩子性格刁钻难驯，极其适合习练“小工”一技，便手录班门技艺总章并小工一技送与他；另一个便是鲁天柳，鲁天柳是在修习龙虎山天师教的技艺之后，才对小工一技有所研究的。因为天师教有种教法理论，其曰：“善驭其性，可收之；不谙其性力可逮，灭之；不谙性且力不足，绕之。”这段话说的是个审时度势之能、辗转进退之策，从多方面来对待一件事情。于是鲁天柳对自己所修习的鲁家技艺有了忐忑之心，总觉得存在某些方面的缺陷。当时鲁盛义看出了她的心思，便有意无意间指点她去翻看小工一技的录本。

鲁天柳虽然研究小工一技，却从未实际运用过。包括刚刚看到朱家在此地所布坎扣时，她和大家商量的计划也没考虑到小工技法。但就在刚才，鲁天柳突然灵光一闪，于是她以小工技法为手段重新酝酿了一个破坎之法。

朱悟心窥寻到了这破坎之法，所以在匪夷所思的同时不由地寒意暗生。如果他们按此法行事，完全可以将自己的布局破解压制到最后两坎。真到了那个程度的话，非但朱家抢先占据的地理位置优势全无，而且还要处处受掣。

就说朱悟心最得意的几个改进扣子吧，动滑百步阶上加的三组弦雷，两组踏雷，鲁天柳想采用小工中的破石、覆土两法。先顺旁边山势撬石下落，让弦雷动作。再覆土成埂，从埂上行走，这样便能分散压强，使踏雷不会启动。飞山灵猫虽有浸毒钢爪，但鲁天柳却是用小工中的泡灰之技，以弹木绳兜，往飞猫藏身处发射生石灰包。石灰灼目，再加上林木中潮湿，撒开的石灰会让林中处处灼烫，到那时飞山灵猫连出击的机会都没有。毒汁吹管排，夹藏二十支连发步枪和迎头炮，鲁天柳准备用小工中的倒木之技，未入坎，先将坎外巨树砍倒在坎中，那些巨木能将坎面扣子全触散了最好，就算触不散，人还可从倒下的巨木上通过。倒落的巨木都未曾让机栝弦簧启动，人从上面过，就更不会有此危险。

底牌已经清楚，朱悟心只能承认坎扣上的失败。所以他决定抢在鲁天柳计划实施之前，调动手下技击高手，强攻过去。虽然此地处处险要绝地，他们几人可以据守而战，让自己人马遭受很大损失。但目前看来，这却是最简单最有把握的一个法子。

于是朱悟心准备收回自己的洞三界，向手下发号施令，实施攻击。可就在他将收未收之际，突然觉出鲁天柳缜密思维中有一条极不协调的信息闪过。于是朱悟心洞三界之力再次扑出，捕捉住那条信息。

朱悟心这次更加吃惊了，因为信息显示鲁天柳想要带人脱身而去。

既然已经有解扣破坎的手段为什么还要脱身而逃？这奇怪现象让朱悟心将全部精力都加诸在洞三界上。神奇的天赋果然不同凡响，鲁天柳闪过的一丝念信不仅被洞三界捕获，而且还牢牢抓住不放。于是朱悟心的窥知随着这念信往鲁天柳思想的深处而去，穿过她三觉获取各种信息组成的网络，豁然进入到另一番思维天地之中。

这个境界的思维是试图隐藏的，所以组成很简单，就寥寥几个线路图形。但就是这几个简单的线路图形，让朱悟心倒吸一口冷气。

真的很简单，这里的思维只是将自己布下的坎面稍稍变动了下。但这稍稍的变动，就能将鲁天柳攻破坎面的手段全部毁灭掉。

千索拿魂与动滑百步阶两坎叠加，不用索子拿人，而是以索子控制踏雷位置并触动引爆，这就能将鲁家人手灭了大半。飞山灵猫与毒汁吹管排叠加，将毒汁洒到猫身上，由飞山灵猫攻击，爪子伤到高手不容易，但皮毛裹带的毒汁溅落在高手身上却无可避免。再将正反绞锁刃布在力士移山下部，那是个两难的处境。要躲移山，便置身正反绞锁刃中，要想走套子步过正反绞锁刃，便躲不过力士移山。还有就是将千刀雨布在八卦突杀阵之后，紧跟着突杀阵启动，而将巨蟒布在石上坡之前，作为石上坡的先动扣。到时不用管坎中竿子和巨蟒的死活，只要他们能挡住闯坎人瞬间，刀雨、滚石齐下，这就变成两个同毁之局，无人能过。如果再在崖顶上按五行法安置五处箭弩、枪炮的远射点，其杀伤力更是无与伦比。

如此神乎其技的布坎方法，是朱悟心很难想象的。他心中不由暗自感叹，难怪班门一个工匠之家，竟能与皇家后裔的朱家抗衡、盘旋数百年，其门中之技果然天工难敌。

就在此时，鲁天柳的这层思维突然间混乱起来，模糊起来。紧接着快速淡去，所有线路图形都消失掉，变成一片空白。

朱悟心笑了，鲁家丫头放弃这层思维是要进一步坚定自己破坎解扣的信心，不言放弃地把上一层思维酝酿的计划做好。同时，也是防止自己洞三界发现到这想法并依此及时调整坎面，到那时他们唯一能做的真就是脱身而去了。

但事实上已经晚了。朱悟心收回洞三界，挥手示意。一个高手影子般飘到他的身旁，他低声说了几句。接下就是人员快速调动，设施迅速移动。两袋烟的工夫，该改的坎都改了，该布置的点也都布置了。然后朱悟心便静等该退去的乖乖退去。

鲁天柳的脸色变得惨白，不，应该是惨白中还带些惨绿。她知道自己的思想再次被朱悟心洞窥了，而且是自己极力掩蔽的深层次思想。对手如同鬼魅梦魇般的能力让她极度恐惧。

但鲁天柳并没有马上退走，而是将目光在周围人身上扫了一遍。看得出，这是祈盼有谁能给她再找出一点办法来。

那个吞云吐雾的老头站起身来，眼光也像烟雾般无法捉摸。但朱悟心不用洞三界就能推断出，老头要走。既然明知彻底没戏了，就该知道进退，及早离开是非之地。果然，老头没有任何迟疑，转身沿天沟沟沿往东，那边有条通出山道路的土制栈道。

其实那条路本来也为朱家人马控制，是刚才朱悟心调整坎面时故意留了出来。自己的目的是取到宝贝，眼下没必要逼鲁家人放手一搏。只需逼走他们，不干扰自己就行。

老头一走，其他人都望向鲁天柳。鲁天柳犹豫了一下，最终银牙咬咬嘴唇，嘟囔出一句什么。于是除了僵尸一般的汉子，其他人迅速行动，也往土制栈道退去。

而僵尸一般的汉子反倒往朱悟心这边跳过来两步，双手做出一个怪异动作。随着这怪异动作，他指掌间发出一阵尖利的怪响，同时衣袖之中放出大股绿色烟雾，久久凝聚不散。所有听到怪响和见到烟雾的人都感觉眼迷耳闭，心神一阵恍惚。

朱悟心没动，朱家也有赶尸族的高手，所以他知道僵尸汉子在干什么。这是湘西言家的独门技艺“尸敲门”，所谓，“尸敲门，闭色音，乱心性。”但这种技艺只用在近距攻斗和逃遁疑敌。现在没有近距攻斗，那么只会是逃遁疑敌。

果不其然，当周围眼迷耳闭的人都恢复正常时，那僵尸汉子也已经上了栈道，消失在山壁转角处。

如此结果，完全遂了朱悟心的心意。可不知道为什么，此刻他却反从心底生出隐隐的不安来。也许想要的来得太容易了，反会让人觉得不自在。俗话说，太过安逸易生鬼，那这里面会不会有鬼呢？

疑虑和不安止不住地从朱悟心心头涌起。自己的洞三界能窥取到那个奇异女子深一层的思维，是侥幸？还是她放松了戒备？抑或深一层的思维后面还有布局？

就在此时，朱家一个高手过来，打断了朱悟心疑虑不安的思绪：“门长，南海潜网堂飞枭传书，说已经控制正南方向宝构‘沐潮台’，这两日正召集奇工妙手和器具料材，只待妥当后立刻动手开构启宝。”

这个极好的消息让朱悟心将心头疑虑彻底抛到一边，朱家竭财尽力数百年，还从未有过如此大好的局面。一天之中控住了两个宝构正点。

“回信，让潜网堂抓紧开启。再传令两广堂、福霖堂，让他们尽出高手前往南海地界相助。”朱悟心这样的安排是增援，也是为了相互监督。

“现在天色已晚，雾瘴未散。让内围坎面严守各位，外围人手分班轮流巡查，等明日雾散天青时下沟启宝。同时传连号信，让周围各堂口将人马聚拢过来护宝。”从这些布置可以知晓，朱悟心不但天生异赋，而且谨慎老练，很有朱家一派的遗风。

第二天一早，朱悟心突然从滴血竹金丝软榻上惊醒。可是山岭间很寂静，并没有可以惊扰到他的声响。啊！洞三界的感觉混乱了！不是！准确说是周围可以窥觉的思维很混乱。怎么回事？是山岭之中自己卧榻附近来了大批的不速之客！鲁家人又召集帮手回头了？不对，那些思维中没有自己窥知过的。这是一群自己从未接触过的对手。

虽然局势急变，但朱悟心没有一丝慌乱。他镇定地布置手下，让内围收缩，先将宝构护住，然后亲自带外围强手御敌。他对自己有足够的信心，对朱家门人也有足够的信心，这群外来的不速之敌，不会是他朱家的对手。

江湖上消息的传播速度很快，江湖上消息传播起来非常夸张。其实早在朱悟心与鲁天柳天沟边上对峙时，已经有人将此地藏有至宝、得宝可得天下的消息从江湖道散播开。所以当朱悟心昨晚安排人手启宝护宝时，江湖上各路人马也都朝这地方蜂拥而至。

南海“沐潮台”的情形也一样，藏宝的消息不胫而走，多少江湖人也都往“沐潮台”而来。朱家启宝的人马只能暂时放下启开宝构的计划，先集中力量御外敌护宝构。至于原先传承鲁家祖先遗愿，世代在海上护宝的疍族，却是悄无声息地匿迹而遁，谁都没有注意到这样一大群人的去向……

朱悟心没有想到，这两处的战斗持续了有三个多月。朱家在这段日子里，几乎是以一家之力对抗整个江湖。

在这种混乱血腥的战斗进行了六七天的时候，朱悟心于紧张焦虑中突然被点开了一个灵窍。于是他将整个事情前后思虑了一遍，结论是自己犯了个极大的错误。当时他立刻用朱家各种途径的紧急传令法，调北五堂人手，搜寻鲁家人的踪迹。但直到三个多月后战斗结束，都始终未曾寻到。从此，班门如人间蒸发，江湖上再未留下过丝毫痕迹。

倒是南海堂的朱家探子，在他们当地的南山寺获取了一封书信。这书信是大理天龙寺无由大师以寺庙间传递僧文佛语的鸽信道送来的。寺中方丈看完信后，便独自往疍族集聚地而去，并再未回寺。至今寺中记事文集《南山寺录》中仍有十六任方丈脱俗神游、无迹无归的记载。

那书信上的内容并不多，大概意思是：“天宝凶穴历数千年相衡已如阴阳，世人循其变为活已如家常，何必强求其疆其域，生灵福康为最大。西方天宝镇凶毁苍生无数，不如正东破碎地宝造就福地一方。承天意不如顺自然，世人自会避凶就福，不必破其现状。鲁家后辈现应掩宝迹遁形，不为贪者利用。可用奇门遁甲‘描花引蝶’一局脱身，具体筹做须周密严谨，只能一人为主，以不知情者为助。”最后署名班门门长鲁一弃。

得到这个信息，朱悟心知道自己那天感觉到的鬼是什么了。那鬼是鲁家丫头未曾让自己洞窥到的第三层思维。而扑朔恍惚间让自己洞窥的第二层思维其实是个反下坎，这坎是个为他们自己铺设的脱身局，也是让自己困在此处脱不了身的囚困局。而两处的宝构也只是个“描花”，就是为了引朱家这只蝶。自己是在为了不是宝构的宝构和整个江湖搏杀。

但朱悟心终究不肯就此死心。最终以牺牲朱门绝大多数手下为代价，安全安心地开启了“宝构”。开启比战斗简单得多，朱家的奇工巧匠只用了两三天的工夫就确定这两处都为假宝构。虽然这样的结果早就在朱悟心的心中了，但他仍然被无尽的悲愤和沮丧所淹没。

朱家与江湖各路人马西南、正南两地数月之役，让他门中人才凋零、人心渐散，自此一蹶不振。

离开雾雾中又多出几许血腥的天沟时，朱悟心望一眼以石影水印伪制的宝构门户，再望一眼茫茫翠绿连绵起伏的崇山峻岭。山岭的尽头是天边，天边的尽头有一抹缥缈的浮云。宝构就在这延绵至天边的山岭中，天下能找到它的只有鲁家后人。可天下又有谁知道鲁家的后人在哪里？或许他们就是天边的那一抹浮云。

激发个人成长

多年以来，千千万万有经验的读者，都会定期查看熊猫君家的最新书目，挑选满足自己成长需求的新书。

读客图书以“激发个人成长”为使命，在以下三个方面为您精选优质图书：

1、精神成长

熊猫君家精彩绝伦的小说文库和人文类图书，帮助你成为永远充满梦想、勇气和爱的人！

2、知识结构成长

熊猫君家的历史类、社科类图书，帮助你了解从宇宙诞生、文明演变直至今日世界之形成的方方面面。

3、工作技能成长

熊猫君家的经管类、家教类图书，指引你更好地工作、更有效率地生活，减少人生中的烦恼。

每一本读客图书都轻松好读，精彩绝伦，充满无穷阅读乐趣！

认准读客熊猫

读客所有图书，在书脊、腰封、封底和前后勒口都有“**读客熊猫**”标志。

两步帮你快速找到读客图书

1、找读客熊猫

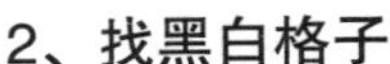
2、找黑白格子

马上扫二维码，关注“**熊猫君**”

和千万读者一起成长吧！